D0296469

DE WINTER VAN FRANKIE MACHINE

DON WINSLOW

DE WINTER VAN FRANKIE MACHINE

UITGEVERIJ LUITINGH

Oorspronkelijke titel: *The Winter of Frankie Machine*
Vertaling: Pieter Janssens
Omslagontwerp: Pete Teboskins/Twizter.nl
Omslagfotografie: Arcangel/Hollandse Hoogte

ISBN 978 90 245 5820 9
NUR 332

www.boekenwereld.com

Voor Bill McEneaney

Leraar, vriend, virtuoso *in de kunst van het leven*

1 MIJ ZIJN is een hele klus.

Denkt Frank Machianno als de wekker 's morgens om kwart voor vier afloopt. Hij rolt meteen uit zijn nest en voelt de koude houten vloer onder zijn voeten.

Hij heeft gelijk.

Hem zijn is inderdaad een hele klus.

Frank dribbelt over de houten vloer, die hij persoonlijk heeft geschuurd en gelakt, en stapt onder de douche. Hij heeft maar een minuut nodig om te douchen en dat is de reden waarom hij zijn zilvergrijze haar kort houdt.

'Dan is het in een mum van tijd gewassen,' zegt hij tegen Donna als zij erover klaagt.

Hij heeft dertig seconden nodig om zich af te drogen, dan slaat hij de handdoek om zijn middel – dat tegenwoordig wat voller is dan hij zou willen – scheert zich en poetst zijn tanden. Zijn route naar de keuken leidt door de woonkamer, waar hij een afstandsbediening oppakt en een toets indrukt; luidsprekers beginnen *La Bohème* te dreunen. Een van de leuke dingen van alleen wonen – misschien het enige goede van alleen wonen, denkt Frank – is dat je om vier uur 's morgens naar een opera kunt luisteren zonder dat iemand er last van heeft. En het huis is degelijk, met dikke muren zoals ze die vroeger bouwden, zodat Franks ochtendaria's ook de buren niet storen.

Frank heeft twee seizoenkaarten voor de San Diego Opera en Donna is zo aardig om te doen alsof ze echt graag meegaat. Ze deed zelfs alsof ze niets merkte toen hij aan het eind van *La Bohème* huilde toen Mimi stierf.

Terwijl hij naar de keuken loopt zingt hij met Victoria de los Angeles mee:

'...ma quando vien lo sgelo
il primo sole è mio
il primo bacio dell'aprile è mio
il primo sole è mio...'

Frank houdt van zijn keuken.

Hij heeft de klassieke zwart met witte tegelvloer zelf gelegd en met hulp van een bevriende timmerman de werkbladen en kasten geïnstalleerd. Het oude slagersblok heeft hij gevonden in een antiekzaak in Little Italy. Het was er slecht aan toe toen hij het kocht – het was uitgedroogd en begon te scheuren – en hij heeft het maandenlang met olie moeten inwrijven om het weer in puike conditie te krijgen. Maar hij houdt ervan om zijn onvolkomenheden, zijn oude kerven en littekens. 'Eremedailles' noemt hij die, wegens jarenlange trouwe dienst.

'Zie je, dit ding is gebrúíkt,' zei hij tegen Donna toen ze vroeg waarom hij niet gewoon een nieuw had gekocht, wat hij zich makkelijk kan veroorloven. 'Als je er dichtbij komt, kun je zelfs ruiken waar ze de knoflook hakten.'

'Italiaanse mannen en hun moeder,' zei Donna.

'Mijn moeder kookte goed,' antwoordde Frank, 'maar het was mijn vader die écht kon koken. Hij heeft het me geleerd.'

En goed geleerd, dacht Donna indertijd. Wat je verder ook van Frank Machianno mag denken – bijvoorbeeld dat hij echt onuitstaanbaar kan zijn – de man kan koken. En hij weet ook hoe hij een vrouw moet verwennen. En misschien staan die twee eigenschappen niet los van elkaar. Eigenlijk was het Frank geweest die haar op dat idee gebracht had.

'De liefde bedrijven is als het maken van een goede saus,' had hij op een avond in bed tijdens de 'nagloed' tegen haar gezegd.

'Frank, stop als je vóór staat,' had ze gezegd.

Hij was niet gestopt. 'Je moet er de tijd voor nemen, precies de juiste hoeveelheid van de juiste kruiden gebruiken, ze allemaal proeven, en dan lángzaam de hitte opvoeren tot het pruttelt.'

De unieke charme van Frank Machianno, dacht ze terwijl ze naast hem lag, is dat hij je lichaam gewoon met een bolognese vergelijkt en dat je hem niet het bed uit schopt. Misschien omdat het hem echt interesseert. Ze heeft in de auto gezeten terwijl hij door de stad heen en weer reed en naar vijf verschillende winkels ging voor vijf verschillende ingrediënten voor één gerecht. ('De *salsiccie* is beter bij Cristaforo, Donna.') Diezelfde aandacht voor details heeft hij in de slaapkamer en hij kan, zullen we zeggen, de saus laten pruttelen.

Deze ochtend, net als elke ochtend, haalt hij ongebrande Kona-koffiebonen uit een vacuüm verpakte pot en lepelt ze in de kleine koffiebrander die hij besteld heeft uit een van die kokscatalogi die hij altijd per post krijgt.

Donna zeurt hem oeverloos aan zijn kop over dat koffiebonengedoe.

'Koop een automatisch koffiezetapparaat met een timer,' zei ze. 'Dan is de koffie klaar als je uit de douche komt. Je zou zelfs wat langer kunnen slapen.'

'Maar hij zou niet zo lekker zijn.'

'Het is een hele klus jou te zijn,' zei Donna.

Wat zal ik zeggen? dacht Frank. Dat is zo.

'Ken je de uitdrukking "kwaliteit van leven"?' vroeg hij haar.

'Die ken ik,' zei Donna. 'Gewoonlijk gebruikt voor terminale patiënten, of ze de stekker er wel of niet uit zullen trekken.'

'Dit is een kwaliteit-van-levenkwestie,' antwoordde Frank.

En dat is het, denkt hij deze ochtend terwijl hij geniet van de geur van brandende koffiebonen en water opzet. Kwaliteit van leven gaat over de kleine dingen – ze goed doen, ze juist doen. Hij pakt een kleine pan van het rek dat boven het slagersblok hangt en zet hem op het fornuis. Hij legt er een dun schijfje boter in en als de boter net begint te sissen breekt hij een ei in de pan en terwijl dat bakt snijdt hij een uienbroodje door. Dan schuift hij het ei voorzichtig uit de pan met een plastic spatel (alléén plastic – metaal zou krassen maken in de antiaanbaklaag, wat Donna maar niet schijnt te kunnen onthouden, wat de reden is waarom ze niet mag koken in Franks *cucina*), legt het op een van de broodhelften, legt de andere helft erop en wikkelt het broodje ei in een linnen servet om het warm te houden.

Donna doet uiteraard moeilijk over zijn dagelijkse ei.

'Het is een ei,' zegt hij tegen haar, 'geen handgranaat.'

'Je bent tweeënzestig, Frank,' zegt ze. 'Je moet op je cholesterol letten.'

'Nee, ze hebben ontdekt dat dat niet klopt, van die eieren,' zegt hij. 'Het was onterecht.'

Zijn dochter, Jill, zaagt hem er ook over door. Ze is net afgestudeerd als arts-assistent aan de University of California, San Diego, dus ze weet natuurlijk alles. Hij beweert het tegendeel. 'Je bent arts-assistent,' zegt hij. 'Als je árts bent kun je me *agita* geven over de eieren.'

Amerika, denkt Frank – we zijn het enige land ter wereld dat bang is voor zijn voedsel.

Tegen de tijd dat het dodelijke ei klaar is, zijn de koffiebonen gebrand. Hij doet ze precies tien seconden in de koffiemolen, doet de gemalen koffie dan in de cafétière, schenkt het kokende water eroverheen en laat het de aanbevolen vier minuten staan.

De minuten worden niet verspild.

Frank gebruikt ze om zich aan te kleden.

'Hoe een beschaafd mens zich in vier minuten kan aankleden gaat mij boven de pet,' heeft Donna wel eens gezegd.

Makkelijk zat, denkt Frank, zeker als je je kleren de avond tevoren klaarlegt en je naar een aaswinkel gaat. Dus trekt hij deze ochtend schoon ondergoed aan, dikke wollen sokken, een flanellen overhemd, een oude spijkerbroek, gaat dan op de rand van het bed zitten en trekt zijn werkschoenen aan.

Als hij weer in de keuken komt is de koffie klaar. Hij schenkt hem in een metalen meeneembeker en neemt zijn eerste slok.

Frank is dol op de smaak van dat eerste slokje koffie. Vooral als die koffie vers gebrand is, vers gemalen en vers gezet.

Kwaliteit van leven.

Kleine dingen, denkt hij, zijn belangrijk.

Hij doet het deksel op de meeneembeker en zet die op het aanrecht terwijl hij zijn oude sweater met capuchon van de haak aan de muur neemt en aantrekt, een zwarte wollen muts op zijn hoofd plant en zijn autosleutels en portefeuille van hun vaste plaats pakt.

Daarna pakt hij de *Union-Tribune* van de vorige dag, waarvan hij de kruiswoordpuzzel heeft bewaard. Hij maakt hem laat op de ochtend, als de aashandel slapjes is.

Hij pakt de koffiebeker weer op, grijpt het broodje ei, doet de stereo uit en is klaar om te vertrekken.

Het is winter in San Diego en koud buiten.

Nou goed, betrekkelijk koud.

Het is geen Wisconsin of Dakota – het is niet de bijtende soort kou waarin je motor niet wil aanslaan en je gezicht aanvoelt alsof het zal breken en eraf vallen, maar om tien over vier in de ochtend in januari is het overal op het noordelijk halfrond op zijn minst koel. Vooral, denkt Frank als hij in zijn Toyota-pick-up stapt, als je boven de zestig bent en het even duurt voordat je bloed 's morgens op temperatuur is.

Maar Frank houdt van de vroege uren. Zijn favoriete tijdstip.

Dit is zijn rustige tijd, het enige deel van zijn drukke dag dat echt kalm is, en hij vindt het heerlijk naar het opgaan van de zon te kijken boven de heuvels ten oosten van de stad en te zien hoe de lucht boven de oceaan roze wordt terwijl het water verandert van zwart in grijs.

Maar dat duurt nog even.

Nu is het buiten nog donker.

Hij zoekt een lokaal middengolfstation voor de weersverwachting.

Regen en nog eens regen.

Een groot front dat nadert vanuit het noorden van de Grote Oceaan.

Hij luistert met een half oor als de nieuwslezer het plaatselijke nieuws geeft. De gebruikelijke dingen: opnieuw vier huizen in Oceanside die vanaf een helling in de modder zijn gegleden, de accountants van de gemeente kunnen maar niet besluiten of de stad nu wel of niet aan de rand van een faillissement staat en de huizenprijzen zijn opnieuw gestegen.

En dan is er nog het gemeenteraadschandaal: als gevolg van operatie G-Sting van de FBI zijn vier raadsleden aangeklaagd wegens het aannemen van smeergeld van stripclubeigenaars om de gemeentelijke verordening die 'aanraken' in de clubs verbood in te trekken. Een paar agenten van de zedenpolitie waren betaald om de andere kant op te kijken.

Tja, het is nieuws en niks nieuws, denkt Frank. Doordat San Diego een marinehaven is, is de handel in seks altijd een belangrijk onderdeel van de economie geweest. Een raadslid omkopen om ervoor te zorgen dat een zeeman een lapdance kan krijgen is praktisch burgerplicht.

Maar als de FBI tijd wil verspillen aan stripteasedanseressen laat het Frank koud.

Hij is in geen – hoe lang, twintig jaar? – in een stripclub geweest.

Frank schakelt terug naar de klassieke zender, vouwt het linnen servet open op zijn schoot en eet zijn broodje ei terwijl hij naar Ocean Beach rijdt. Hij houdt van de zwakke smaak van de ui in het broodje in contrast met de smaak van het ei en de bitterheid van de koffie.

Het was Herbie Goldstein, moge hij rusten in vrede, die hem aan het uienbrood had gekregen, in de tijd dat Vegas nog Vegas was in plaats van Disney World met speeltafels. En in de tijd dat Herbie, met al zijn 190 kilo, een onwaarschijnlijke gokker en een nog onwaarschijnlijker vrouwenversierder was. Ze bleven de hele nacht op, gingen met een paar prachtige meiden naar de shows en de clubs, toen Herbie op de een of andere manier in zijn omloopbaan was verschenen. Ze besloten ergens te gaan ontbijten, waar Herbie een weifelende Frank had overgehaald eens een uienbroodje te proberen.

'Kom op, spaghettivreter,' had Herbie gezegd, 'verruim je horizon.'

Het was goed dat Herbie dat voor hem had gedaan, want Frank geniet van zijn uienbroodjes, maar alleen wanneer hij ze versgebakken kan kopen in die kleine koosjere delicatessenzaak in Hillcrest. Hoe dan ook, het uienbroodje met ei is het hoogtepunt van zijn ochtendritueel.

'Normale mensen gaan zítten om te ontbijten,' zei Donna tegen hem.

'Ik zit ook,' antwoordde Frank. 'Ik zit te rijden.'

Hoe noemt Jill het? Die kinderen van tegenwoordig denken dat zij het doen van meer dingen tegelijkertijd hebben uitgevonden (ze hadden eens moeten proberen vroeger kinderen op te voeden, vóór de wegwerpluiers, de wasdrogers en de magnetrons), dus verzonnen ze er een duur woord voor. O ja, 'multitasking'. Ik ben net als de jongelui, denkt Frank, ik doe aan multitasking.

2

OCEAN BEACH Pier is de grootste pier van Californië.

Een grote hoofdletter T van beton en staal die een eind in de Grote Oceaan steekt, met een poot die zich bijna vijfhonderd meter uitstrekt voordat de dwarsbalk zich over bijna gelijke afstand naar het noorden en zuiden vertakt. Als je over de hele pier wilt wandelen, heb je het over een uitstapje van zo'n tweeënhalve kilometer.

Franks aaswinkel, O.B. Bait and Tackle, staat op ongeveer twee derde van de poot aan de noordkant, net ver genoeg van het Ocean Beach Pier Café om te zorgen dat de geur van de aaswinkel de eters niet stoort en de etende toeristen Franks vaste vissers niet storen.

In feite gaan een heleboel van zijn klanten ook regelmatig naar het OBP Café vanwege de eieren *machaca* en de kreeftomelet. Net als Frank trouwens, want het is niet makkelijk om aan een goede kreeftomelet (oké, überhaupt een kreeftomelet) te komen. Dus als er vlakbij een is, ben je geneigd daarvan te profiteren.

Maar niet 's morgens om kwart over vier, ook al is het OBP Café dag en nacht geopend. Frank werkt gewoon zijn broodje naar binnen, parkeert zijn pick-up en gaat te voet verder naar zijn winkel. Hij zou erheen kunnen rijden – hij heeft een pasje – maar als hij geen visgerei of zo bij zich heeft loopt hij graag. De oceaan op dit tijdstip van de dag is spectaculair, vooral 's winters. Het water is een koude grijze leisteen, deze ochtend beladen met de dreigende deining van een naderende storm. Het is net een zwangere vrouw in deze tijd van het jaar, denkt Frank – vol, temperamentvol, ongeduldig. De golven klotsen al tegen de betonnen pijlers, zodat kleine ontploffingen van de branding onder de pier het water doen opspatten.

Frank denkt graag aan de lange reis die de golven maken, beginnend bij Japan en dan duizenden kilometers over de noordelijke Grote Oceaan rollend om tegen de pier te breken.

De surfers zullen er en masse op uit gaan. Niet de meelopers, de aanstellers, de malloten – die zullen en moeten op het strand blijven en toekijken. Maar de echten, de kanonnen, zullen op deze deining afkomen. Hoge golven, gigantische brekers, die langs alle bekende plekken zullen denderen die zich laten lezen als een litanie tijdens een kerkdienst voor surfers:

Boil, Rockslide, Lescums, Out Ta Sites, Bird Shit, Osprey, Pesky's. Beide kanten van de Ocean Beach Pier – zuidkant, noordkant – dan langs de kust naar boven – Gage, Avalanche en Stubs.

Alleen al van het reciteren van die namen krijgt Frank een kick.

Hij kent ze allemaal; het zijn heilige plekken in zijn leven. En dat zijn nog maar de plekken rond Ocean Beach; ga verder langs de kust van San Diego naar onderen en de litanie wordt vervolgd, van noord naar zuid: Big Rock, Windansea, Rockpile, Hospital Point, Boomer Beach, Black's Beach, Seaside Reef, Suckouts, Swami's, D Street, Tamarack en Carlsbad.

Die namen zijn magisch voor een plaatselijke surfer. Het zijn meer dan zomaar namen; elke plek roept herinneringen op. Frank is op die plaatsen opgegroeid, in de gouden jaren zestig, toen de kust van San Diego een paradijs was, niet druk, niet ontwikkeld, toen er niet zoveel surfers waren en je nagenoeg iedereen kende die de zee op ging.

Dat waren écht de eindeloze zomers.

Elke dag leek eeuwig te duren, denkt Frank terwijl hij kijkt naar een golf die aanrolt en tegen de pier smakt. Je stond voor dag en dauw op, net als nu, en werkte de hele dag hard op je vaders tonijnboot. Maar rond de namiddag was je terug en ging je ervandoor om je maten te treffen op het strand. Je surfte tot het donker werd, lachend en zwetsend in de groep, elkaar de loef afstekend, je uitslovend voor de grietjes die vanaf het strand naar jullie keken. Dat waren de dagen van de *longboards*, zeeën van tijd en zeeën van ruimte. Dagen van 'hanging ten' en 'ho dadding' en van die vette Dick Dale-gitaarriffs en Beach Boys-songs, en ze zongen over jóú, ze zongen over jouw leven, jouw zoete zomerdagen op het strand.

En je stopte altijd om samen naar de zonsondergang te kijken. Jij en je maten en de meiden hadden dat ritueel, een gemeenschappelijke erkenning van... wat, verwondering? Een paar stille, eerbiedige momenten terwijl je de zon achter de horizon zag verdwijnen en het water gloeide, oranje, roze en rood, en je bij jezelf dacht dat je verdomd veel geluk had dat je op dat moment op die plaats was en je net genoeg verstand had om te weten dat je er maar beter van kon genieten.

Dan gleed het laatste reepje van de rode zon over de rand en ging je allemaal brandhout verzamelen om een kampvuur te maken en vis of hotdogs of hamburgers te roosteren of wat je maar kon opscharrelen en je ging rondom het vuur zitten eten en iemand haalde een gitaar tevoorschijn en zong 'Sloop John B' of 'Barbara Ann' of een oude folksong. En als je mazzel had sloop je weg van het vuur met een deken en een van de meiden en je vrijde en het meisje geurde naar zout water en zonnebrandlotion en misschien mocht je je hand onder haar bovenstukje laten glijden en er ging niets boven dat gevoel. En je bleef misschien de hele nacht met haar op die deken liggen en als je dan wakker werd rende je naar de haven, net op tijd om de boot te halen en aan het werk te gaan en het daarna allemaal nog eens over te doen.

Maar dat kon je in die tijd: een paar uur slapen, de hele ochtend werken, de hele middag surfen, de hele nacht spelen en het van je afschudden. Dat kun je niet meer; één korte nacht en alles doet zeer de volgende ochtend.

Maar dat waren de gouden dagen, denkt Frank, en opeens voelt hij zich triest. Nostalgie, zo noemen ze dat toch? denkt hij als hij zichzelf wakker schudt uit zijn dagdroom en naar de aaskeet loopt, op een kille, natte winterdag aan de zomer denken.

We dachten dat die zomers nooit zouden eindigen.

We dachten nooit dat we de kou ooit in onze botten zouden voelen.

Twee minuten nadat hij de winkel geopend heeft, beginnen de vissers binnen te druppelen.

Frank kent de meesten van hen, het zijn zijn vaste OBP-klanten, vooral op een doordeweekse dag, wanneer de weekendvissers naar het werk moeten. Dus op een dinsdagochtend krijgt hij zijn gepensioneerden, de vijfenzestigplussers, die niets beters te doen hebben dan in de kou en de nattigheid aan de haven staan om te proberen een vis te vangen. Verder, steeds meer in de loop van de jaren, heb je Aziaten, voornamelijk Vietnamezen, plus wat Chinezen en Maleisiërs, middelbare mannen voor wie dit werk is. Zo krijgen ze eten op tafel en ze lijken nog altijd enigszins verbaasd dat ze dit zowat voor niks kunnen doen, een visakte kopen en wat aas en een lijntje de oceaan in werpen en hun gezin voeden van de overdaad van de zee.

Maar verdomme, denkt Frank, dat hebben immigranten hier toch altijd gedaan? Hij heeft artikelen gelezen dat de Chinezen hier in de jaren vijftig van de negentiende eeuw een vloot vissersjonken hadden, tot de immigratiewetten dat onmogelijk maakten. En toen begonnen mijn eigen grootvader en de rest van de Italiaanse immigranten de tonijnvloot en ze doken naar zeeoor. En nu doen de Aziaten het opnieuw, hun gezin voeden van de zee.

Dus je hebt de gepensioneerden en de Aziaten en dan heb je de jonge blanke arbeiders, voor het merendeel werkzaam bij de nutsbedrijven, die uit de nachtdienst komen, de pier als hun voorouderlijke grond beschouwen en een hekel hebben aan de Aziatische 'nieuwkomers' die 'hun stek' afpakken. Zowat de helft van die gozers vist helemaal niet met een hengel, maar met een kruisboog.

Het zijn geen vissers, denkt Frank, het zijn jagers; ze wachten tot ze een flits in het water zien en schieten dan een pijl af die aan een lange lijn is vastgemaakt, zodat ze de vis binnen kunnen halen. En af en toe schieten ze wat te dicht in de buurt van een surfer die bij de pier binnenkomt en daar is al een paar keer over gevochten, dus er heerst wat spanning tussen de surfers en de kruisboogjongens.

Frank houdt niet van spanning op de pier.

Vissen en surfen en het water zouden plezier moeten opleveren, geen spanning. De oceaan is groot, jongens, en er is volop voor iedereen.

Dat is Franks filosofie en hij deelt haar gratis.

Iedereen mag Frank de Aasman.

De vaste klanten mogen hem omdat hij altijd weet welke vissen er zijn en waar ze op uit zijn en hij zal je nooit aas verkopen waarvan hij weet dat het niet werkt. De gelegenheidsvissers mogen hem om dezelfde reden en omdat, als ze zaterdags hun kind meebrengen, ze weten dat Frank het de juiste spullen zal geven en een plek zal zoeken waar het de meeste kans heeft om iets te vangen, zelfs als hij daarvoor een vaste klant even opzij moet duwen. De toeristen mogen Frank omdat hij altijd een glimlach paraat heeft en een grappig gezegde en een compliment voor de vrouwen dat een tikkeltje flirtend is, maar nooit te ver gaat.

Dat is Frank de Aasman, die zijn winkel elk jaar met Kerstmis versiert alsof die het Rockefeller Center is, die zich met Halloween verkleedt en snoep uitdeelt aan alle passanten en die elk jaar een viswedstrijd voor kinderen organiseert en elk kind dat meedoet een prijs geeft.

De plaatselijke bevolking mag hem omdat hij een juniorenteam sponsort, de uniformen van een lokaal kindervoetbalelftal betaalt, hoewel hij een hekel heeft aan voetbal en nooit naar een wedstrijd gaat, omdat hij advertentieruimte koopt in het programmablad van elke toneelvoorstelling van de middelbare school en de basketbalringen in het park heeft betaald.

Vanochtend haalt hij het aas voor zijn vroege klanten en dan begint de gebruikelijke rustige tijd, zodat hij zich kan ontspannen en naar de eerste surfers kan kijken die al op het water zijn. Het zijn de jonge, geharde knapen, die een rondje maken voordat ze naar hun werk gaan. Een paar jaar geleden zou ik daar geweest zijn, denkt hij met een steek van afgunst. Dan lacht hij om zichzelf. Een páár jaar? Doe normaal, man. Die jongelui met hun *shortboards* en hun draai terug naar een brekende golf. Jezus, áls je het al zou kunnen, zou je waarschijnlijk door je rug gaan en een week in bed liggen. Je bent twintig jaar te oud om je met die jongelui te kunnen meten. Je zou ze alleen maar hinderen en dat weet je best.

Dus lost hij zijn kruiswoordraadsel op, ook een geschenk van Herbie, die hem aan het puzzelen had gekregen. Hij denkt de laatste tijd vaak aan Herbie Goldstein, vooral vanochtend.

Misschien komt het door de storm, denkt hij. Stormen maken herinneringen wakker zoals ze wrakhout op het strand gooien. Dingen waarvan je denkt dat ze voorgoed verloren waren en dan ineens zijn ze er, vervaagd, versleten, maar terug.

Dus werkt hij aan de puzzels, denkt aan Herbie en wacht op het Herenuurtje.

Het Herenuurtje is een vaste gewoonte op elke surfplek in Californië. Het begint rond halfnegen, negen uur, wanneer de jonge kanonnen naar hun dagelijkse werk zijn vertrokken en het water overlaten aan mensen met een flexibeler agenda. Dan bestaat de groep uit artsen, juristen, vastgoedbeleggers, ambtenaren op wachtgeld, een paar gepensioneerde docenten, kortom, heren.

Het is uiteraard een oudere groep, de meesten met longboards en een rechtvooruitstijl, meer ontspannen, minder concurrentie, heel wat beleefder. Niemand heeft bijzonder veel haast, niemand zit in andermans vaarwater en niemand maakt zich druk als hij geen golf treft. Iedereen weet dat de golven er morgen ook nog zullen zijn en overmorgen en de dag daarna. Eerlijk gezegd, een groot deel van de actie bestaat uit rondhangen in de groep of zelfs op het strand staan, liegen over gigantische golven en ruige tuimelingen en vertellen over de goeie ouwe tijd, die elke keer mooier wordt.

Laat die jongelui het maar 'het geriatrisch uurtje' noemen; wat weten ze nou helemaal?

Het leven is als een grote sinaasappel, denkt Frank. Als je jong bent pers je hem hard en snel uit, om al het sap zo snel mogelijk te krijgen. Als je ouder bent, pers je hem langzaam uit en geniet je van elke druppel. Want, één, je weet niet hoeveel druppels je nog over hebt, en twee, de laatste druppels zijn de zoetste.

Dit denkt hij wanneer er aan de overkant van de pier ruzie ontstaat.

O, dit wordt een mooi verhaal voor het Herenuurtje, denkt Frank wanneer hij er aankomt en ziet wat er aan de hand is. Dit is schitterend – een kruisboogknul en een Vietnamese knaap hebben dezelfde vis gevangen en dreigen slaande ruzie te krijgen over wie hem het eerst heeft gevangen, of de kruisboogknul hem schoot toen hij aan de haak van de Vietnamese knaap hing, of dat de Vietnamese knaap hem aan de haak sloeg toen hij aan de pijl van de kruisboogknul zat.

De arme vis hangt in de lucht in de bovenste punt van deze onwaarschijnlijke driehoek terwijl de twee kerels een wedstrijdje touwtrekken doen met hun lijnen. Frank ziet in één oogopslag dat de Vietnamese knaap in zijn recht staat, aangezien diens haak in de bek van de vis zit. Frank betwijfelt of de vis dwars door zijn lijf is geschoten en toen pas bedacht dat hij trek had in een lekker aasvisje.

Maar de kruisboogjongen geeft een harde ruk en haalt de vis binnen.

De Vietnamese knaap begint tegen hem te schreeuwen, er ontstaat een oploopje en de kruisboogknul ziet eruit alsof hij de Vietnamese knaap tegen de pier zal slaan, wat hij makkelijk zou kunnen, want hij is groot, nog groter dan Frank zelfs.

Frank wringt zich door de menigte heen en stelt zich op tussen de twee ruziënde mannen.

'Het is zijn vis,' zegt Frank tegen de kruisboogknul.

'Wie ben jij, verdomme?'

Het is een onvoorstelbaar onnozele vraag. Hij is Frank de Aasman en iedereen die op de Ocean Beach Pier komt weet dat. En elke vaste gast zou ook weten dat Frank de Aasman een van de sheriffs van de pier is.

Want elk plekje water – strand, pier of golf – heeft een paar 'sheriffs' die, op grond van leeftijd en respect, de orde handhaven en ruzies beslechten. Op het strand is het meestal een strandwachter, een al wat oudere man die een legendarische levensredder is. In de groep zijn het een of twee knapen die al eeuwen surfen.

Op Ocean Beach Pier is het Frank.

Je redetwist niet met een sheriff. Je kunt je zaak voorleggen, je kunt je grieven uiten, maar je legt je neer bij zijn uitspraken. En je vraagt absoluut niet wie hij is, want dat dien je te weten. Niet weten wie de sheriff is bestempelt je onmiddellijk tot een buitenstaander, wiens onwetendheid er waarschijnlijk de oorzaak van is dat hij je ongelijk geeft.

En de kruisboogjongen straalt East County uit, van zijn gewatteerde bodywarmer tot de KEEP ON TRUCKIN'-honkbalpet en het matje daaronder. Frank schat dat hij uit El Cajon komt en hij vindt het altijd grappig hoe iemand die zestig kilometer van de oceaan woont er bezitterig over kan doen.

Dus Frank neemt niet eens de moeite de vraag te beantwoorden.

'Het is duidelijk dat hij hem eerst aan de haak heeft geslagen en dat jij hem schoot terwijl hij hem binnenhaalde,' zegt Frank.

Wat precies is wat de Vietnamese knaap zegt, snel, luid, aan één stuk door en in het Vietnamees, dus Frank wendt zich tot hem en vraagt hem zijn mond te houden. Hij heeft onwillekeurig respect voor de knaap omdat hij het niet opgeeft, hoewel hij een kop kleiner en een kilo of vijftien lichter is. Natuurlijk geeft hij het niet op, denkt Frank; hij probeert zijn gezin te voeden.

Dan wendt Frank zich weer tot de kruisboogknul. 'Geef hem gewoon zijn vis. Er zit nog veel meer in de oceaan.'

De kruisboogjongen heeft het niet meer. Hij kijkt Frank aan en één blik in zijn ogen maakt Frank duidelijk dat de knaap een junk is. Fantastisch, denkt Frank, een hoofd vol speed zal hem stúkken makkelijker te hanteren maken.

'Die vuile spleetogen pakken alle vis,' zegt de kruisboogknul terwijl hij zijn kruisboog opnieuw spant.

Nu mag de Vietnamese knaap niet veel Engels spreken, maar aan de blik in zijn ogen te zien kent hij het woord 'spleetoog'. Zeker vaak gehoord, denkt Frank opgelaten.

'Hé, East County,' zegt Frank. 'Zo praten we hier niet.'

De kruisboogknul wil iets terugzeggen en zwijgt dan.

Zwijgt gewoon.

Hij mag dan idioot zijn, hij is niet blind en hij ziet iets in Franks ogen wat hem het zwijgen oplegt.

Frank kijkt recht in de opgefokte ogen van de kruisboogknul en zegt: 'Ik wil je niet meer op mijn pier zien. Zoek een andere plek om te vissen.'

De kruisboogknul is niet meer in de stemming om te ruziën. Hij pakt zijn vangst en begint aan de lange wandeling over de pier.

Frank gaat terug naar de aaswinkel om zijn wetsuit aan te trekken.

3

'HÉ, ALS dat de rechtsbedeler niet is!'

Dave Hansen grijnst naar Frank vanaf zijn board in de groep. Frank peddelt naar hem toe en stopt naast hem. 'Heb je het al gehoord?'

'Kleine stad, Ocean Beach,' zegt Dave. Hij staart strak naar Franks longboard, een oude, twee meter tachtig lange Baltierra. 'Is dat een surfplank of een oceaanstomer? Heb je hofmeesters op dat ding? Ik wil graag reserveren voor de tweede zitting.'

'Grote golven, grote plank,' zegt Frank.

'Als we het er morgen over hebben, zullen ze nóg groter zijn,' zegt Dave.

'Golven zijn net buiken,' zegt Frank. 'Ze worden mettertijd groter.'

Maar niet die van Dave. Hij en Dave zijn misschien al wel twintig jaar bevriend en de lange agent heeft nog steeds een buik als een wasbord. Als Dave niet surft, rent hij en afgezien van een kaneelbroodje na het Herenuurtje eet hij niets waar geraffineerde suiker in zit.

'Koud genoeg voor jou?' vraagt Dave.

'Jawel hoor.'

Ja, dat is het, ook al draagt Frank een O'Neill-winterpak met een capuchon en hoge schoenen. Het water is verdomd koud, en eerlijk gezegd, Frank had er om die reden over gedacht het Herenuurtje vandaag over te slaan. Maar dat zou het begin van het einde zijn geweest, denkt hij, een erkenning dat je ouder wordt. Elke morgen eropuit gaan, dat houdt je jong. Dus zodra het joch Abe binnenkwam, dwong Frank zichzelf zijn wetsuit, capuchon en hoge schoenen aan te trekken voordat hij terug zou deinzen.

Maar het is inderdaad koud.

Toen hij de oceaan op peddelde en onder een golf moest duiken, was het alsof hij zijn gezicht in een ton vol ijs stopte.

'Het verbaast me dat je vandaag hier bent,' zegt Frank.

'Waarom dat?'

'Operatie G-Sting,' zegt Frank. 'Grappige naam, Dave.'

'En dan nog zeggen dat we geen gevoel voor humor hebben.' Alleen, G-Sting is geen grap, denkt Dave Hansen. Het gaat over de laatste restjes van de georganiseerde misdaad in San Diego, het omkopen van politieagenten, gemeenteraadsleden – er zou zelfs een congreslid bij betrokken kunnen zijn. G-Sting heeft niks te maken met strippers, maar met corruptie en corruptie is een kankergezwel. Het begint klein, met lapdances, maar dan groeit het. Dan gaat het over aanbestedingen, vastgoedtransacties, defensiecontracten zelfs.

Als een politicus eenmaal aan de haak is geslagen, is hij voorgoed verloren.

De maffia weet dat. Ze weet dat je een politicus maar één keer omkoopt. Daarna chanteer je hem.

'Buiten!' roept Frank.

Er komen een paar mooie golven binnen.

Dave gaat ervandoor. Hij is een sterke vent, met soepele, atletische bewegingen en Frank kijkt toe hoe hij de golf pakt en opstaat, zich dan laat vallen en de golf tot aan het strand berijdt en er dan in enkeldiep water af springt.

Frank pakt de volgende.

Hij ligt languit op zijn plank en peddelt hard, voelt hoe de golf hem optilt en gaat dan op zijn hurken zitten. Net als de golf kantelt gaat hij staan en richt de voorkant van zijn plank recht naar het strand. Het is de klassieke, ouderwetse rechttoe rechtaan longboardstijl, maar ondanks de duizenden keren dat Frank het heeft gedaan is het nog steeds de beste kick die er is.

Geen kwaad woord over Donna of Patty of een van de andere vrouwen die hij in zijn leven heeft bemind, maar er gaat niets boven dit. Nooit geweest en zal er ook nooit komen. Hoe ging dat oude liedje? 'Pak een golf en je zit boven op de wereld'. Dat is het: boven op de wereld zitten, nou ja, staan. En de wereld gaat zo'n vijftienhonderd kilometer per uur, koel en tintelend en mooi.

Hij berijdt de golf en springt eraf.

Hij en Dave peddelen samen terug.

'We zien er best goed uit voor oude mannen,' zegt Frank.

'Zeker weten,' zegt Dave. Wanneer ze weer op het strand

zijn zegt hij: 'Hé, heb ik je al verteld dat ik besloten heb ermee te kappen?'

Frank weet niet zeker of hij hem goed verstaan heeft. Dave Hansen met pensioen? Hij is verdorie van mijn leeftijd. Nee, niet waar, hij is een paar jaar jónger.

'Het Bureau biedt vervroegd pensioen aan,' zegt Dave. Een beetje voorzichtig, omdat hij de uitdrukking op Franks gezicht ziet. 'Al die jongelui die eraan komen. Al dat terrorismegedoe. Ik heb het er met Barbara over gehad en we hebben besloten het te doen.'

'Jezus, Dave, wat ga je doen?'

'Dit,' zegt Dave met een gebaar naar het water. 'En reizen. Meer tijd doorbrengen met de kleinkinderen.'

Kleinkinderen. Frank was vergeten dat Daves dochter, Melissa, een paar jaar geleden een kind heeft gekregen en in verwachting is van een tweede. Waar woont ze? Seattle? Portland? Een of ander regenachtig oord.

'Wauw.'

'Hé, ik blijf komen voor het Herenuurtje,' zegt Dave. 'Meestal. En ik hoef niet zo vroeg meer weg.'

'Nee, luister, gefeliciteerd,' zegt Frank. '*Cent'anni.* Alle geluk. Eh, wanneer...'

'Negen maanden,' zegt Dave. 'September.'

September, denkt Frank. De beste maand op het strand. Het weer is prachtig en de toeristen zijn naar huis.

Er komt opnieuw een golf aan.

Ze berijden hem en houden het dan voor gezien. Twee fikse golven op een dag als deze is genoeg. En een kop warme koffie en een kaneelbroodje klinken nu behoorlijk aantrekkelijk. Dus gaan ze naar boven en spoelen zich af onder de buitendouche achter de aaswinkel, kleden zich aan en nemen dan een tafel in het OBP Café.

Daar zitten ze, drinken koffie, consumeren vet en suiker en kijken hoe de winterstorm aanwakkert boven de horizon.

Donkergrijze lucht, steeds dichtere wolken, een wind die aanwakkert vanuit het westen.

Dat wordt een klapper.

4 NA HET Herenuurtje begint Frank aan zijn drukke dag.

Al zijn dagen zijn druk, met vier zaken, een ex-vrouw en een vriendin. De manier om het vol te houden is vasthouden aan een routine, of dat in elk geval proberen.

Hij heeft – zonder opvallend veel succes – geprobeerd deze eenvoudige managementtechniek uit te leggen aan de jonge Abe. 'Als je een vaste routine volgt,' heeft hij hem uitgelegd, 'kun je er altijd van afwijken als zich iets voordoet. Maar als je géén vaste routine hebt, bestaat álles uit dingen die zich voordoen. Snap je?'

'Gesnopen.'

Maar hij snapt het niet, weet Frank, want hij dóét het niet. Frank wel, scrupuleus. Méér dan scrupuleus in feite, zoals Patty hem onder ogen bracht de laatste keer dat hij in het huis was, om een lek onder de gootsteen te repareren. 'Je gaat nooit naar de kerk,' had ze gezegd.

'Waarom zou ik naar de kerk gaan,' had Frank gevraagd, 'en me door een priester die jonge jongens *schtuppt* de les laten lezen over zedelijkheid?'

Hij heeft dat woord van Herbie Goldstein en gebruikt het liever dan het alternatieve woord. Frank houdt niet van vulgaire woorden en in het Jiddisch klinkt het op de een of andere manier minder grof.

'Je bent verschrikkelijk,' had Patty gezegd.

Ja, ik ben verschrikkelijk, denkt Frank, maar de laatste paar keer dat hij haar chequeboek controleerde, zag hij dat ze niet zo veel meer aan de kerk schenkt als vroeger. Priesters zouden moeten weten wat Italiaanse mannen altijd al hebben geweten: Italiaanse vrouwen zullen altijd een manier vinden om je te straffen en meestal is dat via je portemonnee. Je maakt haar kwaad en ze blijft gewoon haar werk doen in de slaapkamer, maar dan gaat ze uit en koopt een nieuwe eethoek. En zegt er geen woord over en als je ook maar een beetje verstand hebt zeg jij ook niets.

En als priesters een beetje verstand hebben, gaan ze niet op de preekstoel staan om te kankeren over de teruglopende opbrengsten in de collecteschaal, want dan zullen ze er voortaan alleen maar kleingeld in zien liggen.

Hoe dan ook, de kerk hoort niet bij Franks routine.

Zijn linnenservice wel.

De eerste twee uur na de aaswinkel worden besteed aan rondrijden langs de verschillende restaurants die hij bedient om wat hij 'tevredenheidsbezoekjes' noemt af te leggen – dat wil zeggen met eigenaars en managers praten om zich ervan te vergewissen dat ze tevreden zijn over de service, dat de opdrachten goed zijn uitgevoerd, dat de tafellakens, servetten, schorten en theedoeken vlekkeloos schoon zijn. Als het restaurant tevens vis van hem afneemt, gaat hij naar de keuken om de chef-kok gedag te zeggen en zich ervan te vergewissen dat hij tevreden is over de geleverde kwaliteit. Gewoonlijk gaan ze het koelhuis in, waar Frank het product persoonlijk inspecteert en als de kok klachten heeft, noteert Frank het in zijn notitieboekje en regelt het meteen.

God zegene de mobiele telefoon, denkt Frank, want nu kan hij Louis vanuit de auto bellen en zeggen dat hij binnen nu en twintig minuten wat verse tonijn naar de Ocean Grill moet brengen, en zorgen dat het deze keer goed is.

'Waarom schrijf je het op als je meteen belt?' vraagt de jonge Abe hem.

'Omdat de klant ziet dat je het opschrijft,' legt Frank hem uit, 'en weet dat je zijn zaak serieus neemt.'

Tegen een uur of een heeft Frank een stuk of twaalf van de beste restaurants in San Diego bezocht. Vandaag werkt hij van het zuiden naar het noorden en eindigt dus in Encinitas, om met Jill te lunchen.

Ze is vegetariër, dus ze treffen elkaar in het Lemongrass Café vlak bij de Pacific Coast Highway, hoewel het restaurant geen klant van Frank is en hij er geen korting krijgt.

Ze zit al als hij aankomt.

Hij blijft even in de foyer staan en kijkt naar haar.

Heel lang hebben Patty en hij gedacht dat ze geen kinderen konden krijgen. Ze hadden zich erbij neergelegd, toen boem.

Jill.

Mijn mooie dochter.

Echt volwassen nu.

Lang, knap, kastanjebruine haren tot op haar schouders. Donkerbruine ogen en een Romeinse neus. Informeel maar goed gekleed in een blauwe spijkerbroek en een zwarte sweater. Ze leest *The New Yorker* en nipt aan een kopje waarvan hij weet dat het kruidenthee is. Ze kijkt op en glimlacht en die glimlach is hem alles ter wereld waard.

Ze zijn lange tijd van elkaar vervreemd geweest nadat hij en Patty uit elkaar waren gegaan, en hij neemt het haar niet kwalijk dat ze verbitterd was. Het waren moeilijke tijden, denkt Frank. Ik heb haar en haar moeder heel wat aangedaan. Het grootste deel van haar studietijd had ze amper met hem gepraat, hoewel hij het studiegeld en kost en inwoning betaalde. Toen, aan het eind van het derde jaar, was er een knop in haar omgegaan. Ze had hem gebeld en uitgenodigd voor een lunch en het was pijnlijk en gereserveerd en afschuwelijk geweest en van daaruit hadden ze hun relatie langzaam opnieuw opgebouwd.

Niet dat het nu *Vader weet het beter* is. Ze koestert nog altijd een beetje wrok en kan van tijd tot tijd wat vinnig zijn, maar ze hebben een vaste lunchafspraak op dinsdag en die zegt hij onder geen beding af, hoe druk hij het ook heeft.

'Papa.'

Ze legt het tijdschrift neer en staat op voor haar omhelzing en kus op de wang.

'Lieverd.'

Hij gaat tegenover haar zitten. Het restaurant is een typisch Zuid-Californische hippie-boeddhisten-vegetariërstent, met natuurlijke vezels op de tafels en aan de muren en obers die fluisterend praten, alsof ze in een tempel zijn in plaats van in een restaurant.

Hij bekijkt het menu.

'Probeer de tofoeburger,' zegt ze.

'Sorry, lieverd, maar ik eet nog liever zand.'

Hij ziet iets wat een auberginesandwich met zevengranenbrood zou kunnen zijn en besluit het daarop te houden.

Zij bestelt soep met tofoe en citroengras.

'Hoe gaan de zaken?'

'Zijn gangetje,' zegt hij.

'Heb je mama de laatste tijd nog gezien?'

'Natuurlijk.' Zowat elke dag, denkt Frank. Als het haar chequeboek niet is, is het de auto die een beurt moet hebben en er is altijd iets met het huis. Bovendien betaalt hij de alimentatie elke week contant.

'We hebben gisteren gegeten en gewinkeld,' zegt Jill. 'In het kader van mijn stugge maar vergeefse pogingen om haar een kledingstuk te laten kopen dat niet zwart is.'

Hij glimlacht en zegt niets over haar sweater.

'Sinds jij weg bent kleedt ze zich als een non,' zegt Jill.

Nou, dan hebben we de verplichte vermelding dáárvan in elk geval gehad, denkt Frank. En, voor de goede orde, lieverd, ik ben niet bij haar weggegaan – zij heeft mij eruit geschopt. Niet dat ze er geen reden toe had of dat ik het niet verdiende.

Gewoon voor de goede orde.

Maar hij zegt het niet.

Jill pakt iets van de stoel naast haar en geeft hem over de tafel heen een envelop. Hij kijkt haar nieuwsgierig aan.

'Maak maar open,' zegt ze. Ze straalt.

Hij pakt zijn leesbril en zet hem op. Ouder worden is maar niks, denkt hij. Ik zou er meteen mee moeten stoppen. De envelop is van de University of California. Hij haalt de brief eruit en begint hem te lezen. Maar hij moet ermee stoppen, omdat zijn ogen beginnen te tranen. 'Is dit...'

'Ik ben aangenomen,' zegt ze. 'De medische faculteit van de UCLA.'

'Lieverd,' zegt Frank. 'Wat fantastisch. Ik ben zo trots... blij...'

'Ik ook,' zegt ze en hij herinnert zich dat ze in haar betere momenten volmaakt argeloos is.

'Wauw,' zegt hij. 'Mijn kleine meid wordt dokter.'

'Oncoloog,' zegt ze.

Natuurlijk, denkt hij. Jill doet nooit iets half. Als ze in het water springt, is het altijd aan de diepe kant van het zwembad. Dus Jill wordt niet zomaar dokter, ze gaat kanker genezen. Nou, fijn voor haar en het zou hem geen moment verbazen als ze erin slaagt.

De medische faculteit van UCLA.

'Ik begin pas in het najaar,' zegt ze. 'Dus ik dacht deze zomer een paar baantjes te nemen en tijdens het collegejaar een deeltijdbaan. Ik denk dat ik het wel red.'

Hij schudt zijn hoofd. 'Werk komende zomer,' zegt hij. 'Maar je kunt geen medicijnen studeren en tegelijkertijd werken, lieverd.'

'Papa, ik...'

Hij steekt zijn hand uit, palm naar voren. 'Ik regel het wel.'

'Je werkt zo hard en...'

'Ik regel het wel.'

'Weet je het zéker?'

Ditmaal krijgt ze alleen de hand, geen woorden.

Maar het zullen vette rekeningen zijn, denkt Frank. Een heleboel aas, linnengoed en vis. En huurpanden – zijn middagen brengt Frank door met het runnen van zijn vastgoedbedrijf.

Ik zal in alles een tandje bij moeten zetten, denkt hij. Maar dat geeft niks. Ik kan een tandje bij zetten. Ik heb je een heleboel ellende gegeven, ik vind wel een manier om je dit te geven. Een dochter te hebben die dokter Machianno heet. Wat zou mijn vader hiervan gevonden hebben?

'Ik ben zo blij,' zegt hij. Hij staat op, buigt zich naar voren en kust haar boven op haar hoofd. 'Gefeliciteerd.'

Ze knijpt in zijn hand. 'Bedankt, papa.'

De bestelling arriveert en Frank verorbert zijn sandwich met gemaakt enthousiasme. Maar, denkt hij, ik wou dat ze me naar de keuken lieten gaan om ze te laten zien hoe je aubergines klaarmaakt.

Tijdens de rest van de lunch praten ze over koetjes en kalfjes. Hij vraagt naar haar vriendjes.

'Niemand in het bijzonder,' zegt ze. 'Trouwens, ik zal geen tijd hebben voor studeren én een liefdesleven.'

Typisch Jill, denkt hij. Die meid heeft altijd een heldere kop gehad.

'Nagerecht?' vraagt hij als ze klaar zijn met het hoofdgerecht.

'Ik neem niets,' zegt ze met een strakke blik op zijn buik. 'En dat zou jij ook moeten doen.'

'Het is de leeftijd,' zegt hij.

'Het is je dieet,' zegt ze. 'Het zijn alle *cannoli*.'

'Ik zit in de restaurantbranche.'

'In welke branche zit jij níét?'

'De tofoebranche,' zegt hij terwijl hij om de rekening wenkt. En wees maar blij dat ik in al die branches zit. Het zijn al die branches die je studie betaald hebben en een manier zullen vinden om je artsenopleiding te betalen.

Ik moet er alleen nog iets op verzinnen.

Hij loopt met haar mee naar haar kleine Toyota Camry. Die heeft hij gekocht toen ze naar college ging – veilig, goede kilometerstand, betaalbare verzekering. Hij is nog steeds in piekfijne staat, want ze onderhoudt hem. De oncoloog in spe kan het oliepeil controleren en bougies verwisselen en God helpe de monteur die Jill Machianno probeert te belazeren.

Nu kijkt ze hem heel ernstig aan. Die scherpe bruine ogen kunnen soms opmerkelijk warm zijn. Niet vaak, maar als ze het zijn...

'Wat?' vraagt hij.

Ze aarzelt, zegt dan: 'Je bent een goede vader geweest. En het spijt me als ik...'

'Spijt is voor gisteren,' zegt Frank. 'Al wat God ons geeft is vandaag, lieverd. En je bent een geweldige dochter en ik zou niet trotser op je kunnen zijn.'

Ze omhelzen elkaar een minuut lang stevig.

Dan zit ze in haar auto en is weg.

Met haar hele leven nog voor zich, denkt Frank. Wat dat kind gaat doen...

Hij zit amper weer in zijn pick-up als zijn mobiel overgaat. Hij kijkt op het schermpje. 'Hallo, Patty.'

'De afvalvermaler,' zegt ze.

'Wat is daarmee?'

'Hij vermaalt geen afval,' zegt ze. 'En de gootsteen is verstopt met... afval.'

'Heb je een loodgieter gebeld?'

'Ik heb jóú gebeld.'

'Ik kom vanmiddag langs.'

'Hoe laat?'

'Dat weet ik niet, Patty,' zegt hij. 'Ik heb een en ander te doen. Ik kom als ik kom.'

'Je hebt de sleutel,' zegt ze.

Dat weet ik, denkt hij. Waarom moet ze me daar elke keer aan herinneren? 'Ik heb de sleutel,' zegt hij. 'Ik heb net met Jill geluncht.'

'Het is dinsdag,' zegt ze.
'Heeft ze het je verteld?'
'Over haar medicijnenstudie?' vraagt Patty. 'Ze heeft me de brief laten lezen. Is het niet geweldig?'
'Zonder meer geweldig.'
'Maar waar betalen we het van, Frank?'
'Ik verzin wel iets.'
'Maar ik weet niet...'
'Ik verzin wel iets,' zegt Frank. 'Patty, ik ga nu ophangen...'
Hij drukt haar weg.
Geweldig, denkt hij, nu heb ik ook nog een verstopte afvalvermaler. Tien tegen een dat Patty aardappelen heeft staan schillen boven de gootsteen en geprobeerd heeft de schillen door de vermaler te spoelen. En hoewel ik minstens vier loodgieters ken die ik ernaartoe zou kunnen sturen, moet ik het zelf doen, anders gelooft Patty niet dat hij gerepareerd is. Ze is pas tevreden als ik onder het aanrecht zit en mijn knokkels openhaal aan een steeksleutel.
Hij slaat af bij een klein winkelcentrum in Solana Beach, gaat Starbucks binnen en bestelt een kleine cappuccino met magere melk en een kers, maar zonder slagroom, doet er een deksel op, klimt weer in zijn pick-up en rijdt naar het boetiekje van Donna.
Ze staat achter de toonbank.
'Magere melk?' vraagt ze.
'Ja, ik breng elke dag magere melk voor je mee,' zegt Frank, 'maar vandaag breng ik vólle melk mee.'
'Je bent een schat.' Ze glimlacht naar hem, neemt een slokje en zegt: 'Bedankt. Ik had vandaag geen tijd om te lunchen.'
Hoezo niet? denkt Frank, want een lunch is voor Donna een schijfje rauwe wortel, een blaadje sla en misschien een biet of zo. Maar ja, daardoor komt het dat ze tegen de vijftig loopt en er nog steeds uitziet als rond de vijfendertig en waarom ze nog steeds het lichaam van een showgirl uit Vegas heeft. Lange,

slanke benen, geen taille en een balkon dat, zo groot als het is, niet op instorten staat. Voeg daarbij haar vlammende rode haren, groene ogen, een gezicht om voor te sterven en een bijpassende persoonlijkheid en het is geen wonder dat hij haar een cappuccino brengt elke keer als hij in de buurt is.

En eens per week bloemen.

En met Kerstmis en op verjaardagen iets glimmends.

Donna is een duur wijf, zoals ze bereidwillig zal toegeven.

Frank begrijpt dat – kwaliteit en prijs gaan hand in hand. Donna zorgt goed voor Donna en ze verwacht dat Frank dat ook doet. Niet dat Donna zich laat onderhouden. Verre van dat. Ze heeft het grootste deel van haar verdiensten in haar tijd als showgirl opzijgezet, is naar San Diego verhuisd en heeft haar eigen prijzige boetiek geopend. Weinig op voorraad, maar wat ze heeft is topkwaliteit en enorm stijlvol en trekt een aantal vaste klanten aan, voornamelijk van *Ladies who lunch* uit San Diego.

'Je zou de zaak naar La Jolla moeten verplaatsen,' heeft hij eens tegen haar gezegd.

'Ken je de huren in La Jolla?' had ze geantwoord.

'Maar de meesten van je klanten wonen in La Jolla.'

'Ze kunnen best tien minuten rijden,' had ze gezegd.

Ze heeft gelijk, denkt Frank. En ze rijden inderdaad naar haar winkel. Op ditzelfde moment zijn er twee dames die rekken inspecteren en nog een in een pashokje. En het doet geen kwaad dat Donna haar eigen koopwaar draagt en er adembenemend uitziet.

Als de winkel leeg was, denkt Frank, zou ik haar mee willen nemen naar een van die pashokjes en...

Ze ziet de glinstering in zijn ogen.

'Je hebt het te druk en ik ook,' zegt ze.

'Ik weet het.'

'Maar wat doe je straks?'

Hij voelt een zwakke steek in zijn kruis. Die uitwerking

heeft Donna altijd op hem en ze zijn al, wat is het, acht jaar samen.

'Heb je met Jill geluncht?' vraagt ze.

Hij vertelt haar over Jills nieuws.

'Dat is geweldig,' zegt Donna. 'Ik ben zo blij voor haar.'

En ze meent het, denkt Frank, hoewel zij en Jill elkaar zelfs nooit ontmoet hebben. Frank heeft geprobeerd met zijn dochter over Donna te beginnen, maar ze legt hem elke keer het zwijgen op en begint over iets anders. Ze is loyaal tegenover haar moeder, denkt Frank, en hij heeft loyaliteit te respecteren. Dat doet Donna ook.

'Hé,' zei ze toen dit alles begon, 'als ze mijn kind was en mijn ex wilde dat ze zijn nieuwe liefje zou ontmoeten, zou ik ook willen dat ze zo deed.'

Misschien, dacht Frank indertijd, al is Donna wat romantiek betreft geraffineerder dan Patty. Maar het was lief dat ze het zei.

'Ze is een geweldige meid,' zegt Donna nu. 'Ze zal het vast goed doen.'

Ja, dat zal ze, denkt Frank.

'Ik moet ervandoor,' zegt hij.

'Ik ook,' zegt Donna met een blik op een klant die uit de paskamer komt met een outfit die haar rampzalig zou staan. Hij knikt en loopt net de deur uit als hij haar hoort zeggen: 'Lieverd, met zulke ogen als de jouwe... mag ik je iets laten zien?'

5 HUURPANDEN, DENKT Frank, is een beleefde manier om *aambeien* te zeggen.

Want ze zijn een jeukende, brandende pijn in je anus. Het enige verschil is dat huurpanden geld opbrengen en aambeien niet, tenzij je proctoloog bent, dan doen ze dat wel.

Dat denkt hij terwijl hij door Ocean Beach rijdt om het half dozijn flats, huizen en kleine appartementengebouwen te inspecteren dat hij onder zijn hoede heeft als stille vennoot van OB Property Management, een commanditaire vennootschap, die in wezen beperkt is tot Frank en Ozzie Ransom, wiens naam op alle documenten staat en die voor het geld zorgt. Zij het dat, nadat Ozzie het geld geteld heeft, Frank het nog een keertje overdoet om er zeker van te zijn dat Ozzie hem niet besteelt als een barkeeper. Niet dat hij Ozzie niet vertrouwt, maar hij wil zijn 'partner' niet in de verleiding brengen.

Frank is al even bezorgd over het morele welzijn van zijn 'partners' in de linnenhandel en de aashandel. Hij controleert hun boeken regelmatig en controleert ook henzelf 'onregelmatig', zoals hij het zelf noemt. Ze weten nooit wanneer Frank kan binnenvallen om de facturen te controleren, de kwitanties, de inventaris of de orderboeken. En elk kwartaal laat Frank zijn eigen boekhouder, Sherm 'The Nickel' Simon ('Een stuiver hier, een stuiver daar...') alle boeken nalopen om zijn belasting te berekenen en ervoor te zorgen dat ook al besteelt de regering hem zijn partners dat niet doen.

Frank is een fanatiek belastingbetaler.

Hij noemt het 'de Capone-factor'.

'Al Capone,' heeft Frank eens tegen Herbie Goldstein gezegd, 'leidde de grootste clandestiene slijterij in de geschiedenis, kocht politieagenten, rechters en politici om, ontvoerde, martelde en vermoordde mensen op klaarlichte dag in de straten van Chicago, en waarvoor draaide hij de bak in? Voor belastingontduiking.'

Het geldt nu nog even sterk als toen, denkt Frank: je kunt in dit land zowat álles doen zolang je maar afschuift aan de federale regering. Uncle Sam wil zijn deel en zolang hij dat maar krijgt kun je min of meer doen wat je wilt, zolang je het Uncle Sam maar niet onder de neus wrijft.

Frank is in beide opzichten uiterst nauwgezet.

Hij betaalt zijn belastingen en doet niets om de aandacht op zich te vestigen. Als The Nickel een aftrekpost voorstelt die op het randje is, haalt Frank er een streep door. Het laatste wat hij wil is belastingcontrole. En Frank houdt zich verre van branches die de aandacht van de federale regering trekken – afvalverwerking, de bouwwereld, bars, porno. Nee, hij is gewoon Frank de Aasman en zijn nevenactiviteiten zijn volkomen legaal. Hij houdt zich bezig met zijn linnenservice, zijn vis, zijn huurpanden.

Huurders zijn lastposten, vooral in een badplaats, waar de mensen sowieso vaak wat vluchtig zijn. Mensen komen naar het strand met de gedachte dat het een paradijs is en dat ze de hele dag zullen lanterfanten en de hele nacht zullen feesten en ze vergeten dat ze ergens te midden van dat alles nog altijd de kost moeten verdienen.

Ze denken altijd dat ze de huur kunnen opbrengen en merken dan dat ze dat niet kunnen, dus nemen ze een onderhuurder of vijf in huis, heel vaak mensen die ze in een bar hebben leren kennen, die op de eerste van de maand al dan niet het geld hebben voor de huur.

Niet dat Frank ze niet van advies dient, dat doet hij wel. Als hij een aanvraag krijgt, vraagt hij de eerste maand vooruit en een borgsom. Hij checkt hun kredietwaardigheid, vraagt een bankverklaring en referenties en meer dan de helft van de tijd vertelt hij ze dat ze zich gewoon niet kunnen veroorloven om aan het strand te wonen.

Maar de jongelui zijn niet naar Californië gekomen om níét aan het strand te wonen, dus nemen ze onderhuurders en gaan verplichtingen aan die ze niet kunnen waarmaken. Met als gevolg dat Frank een heleboel verloop heeft en verloop is de vloek van het huurpandenbeheer. Het betekent schoonmaakkosten, reparaties, adverteren, gesprekken voeren, kredietwaardigheid checken en referenties en dienstbetrekking nagaan. Anderzijds vang je wel de huur van de laatste maand en de borgsom, omdat die jongelui altijd schade aanrichten, meestal als gevolg van een feest.

Frank heeft deze middag de hele mikmak op zijn bord. Hij moet een appartement laten zien en een gesprek voeren met twee jongedames die ofwel serveersters ofwel strippers zullen zijn, of serveersters die binnenkort zullen concluderen dat er met strippen meer te verdienen is. Dan is er nog een keukenverbouwing die hij wil controleren. Daarna moet hij de schoonmaak controleren van een appartement dat tijdelijk leegstaat en zich ervan vergewissen dat de tapijtreinigers de kotsplekken van de vorige huurders/feestbeesten uit het tapijt hebben gestoomd.

Hij laat de twee jongedames het appartement zien. Het zijn inderdaad strippers en een aardig, semigetrouwd lesbisch stel, dus Frank hoeft niet bang te zijn dat ze de huur niet kunnen betalen of vunzige knapen van de striptenten als onderhuurder nemen. Ze willen het appartement en hij incasseert de borgsom ter plekke. De kredietwaardigheid zal een formaliteit zijn en hij zal de club even bellen voor een werknemersverklaring.

Vervolgens haast hij zich naar de flat om de keukenverbouwing te controleren, die er aardig goed uitziet met de nieuwe Sub-Zero-koelvriescombinatie en de keramische kookplaat. Daarna loopt hij er buiten omheen om te controleren of de landschapsarchitecten en de hoveniers de boel onderhouden, waarbij hij opmerkt dat het ijskruid gesnoeid moet worden.

Daarna gaat hij op 'koopjesjacht' en verkent de wijk op huurpanden die op een goede locatie staan, maar er wat haveloos of vervallen uitzien. Misschien hebben ze een likje verf nodig of het gazon is verwaarloosd of is er een ruit gebroken en niet vervangen. Hij noteert de adressen en zal de eigenaar opsporen, want wie weet heeft de eigenaar een beheerder nodig, of een andere beheerder. Of misschien is hij het gedoe dat eigendom met zich meebrengt beu en wil hij verkopen.

Hij vindt drie of vier mogelijkheden.

Daarna gaat hij naar Ajax Linnenservice, laat zich op de oude, houten draaistoel achter het Steelcase-bureau vallen en neemt de bestellingen van de week door. De bestelling van het Marine House voor keukendoeken is twintig procent lager en hij maakt een notitie dat hij moet uitzoeken of Ozzie misschien zijn eigen handdoeken verkoopt in plaats van die van de zaak. Maar de bestellingen van de rest van de klanten zijn gelijk of hoger, dus waarschijnlijk is het specifiek voor het Marine House en hij schrijft op dat hij erheen moet gaan om uit te zoeken hoe het zit. Hij controleert vluchtig de kwitanties van die dag en begeeft zich dan naar de haven en het kantoor van de Sciorelli Fish Company, waar hij de prijs van geelvintonijn noteert en vergelijkt met die van de concurrent en beslist dat ze voor hun beste klanten de prijs met twee cent per pond kunnen verlagen.

'Ze kopen voor deze prijs,' voert Sciorelli aan. 'Ze zijn tevreden.'

'Ik wil dat ze tevreden blíjven,' zegt Frank. 'Ik wil niet dat ze gaan rondkijken voor een betere deal. We géven ze de betere deal, voorkomen dat hun blik afdwaalt.' Hij geeft Sciorelli ook opdracht zoveel Mexicaanse garnalen te kopen als hij kan krijgen – door de storm zullen de garnalenboten een week of zo niet uitvaren en de *camarones* zullen topprijzen opleveren.

Dingen veranderen en toch weer niet, denkt hij als hij in de pick-up stapt en terugrijdt naar OB Pier. Mijn dochter wordt dokter, maar we verkopen nog altijd tonijn. En er zijn meer dingen die niet veranderen, denkt hij terwijl hij naar Little Italy rijdt, vanaf de luchthaven de heuvel op – ik repareer nog steeds dingen in het oude huis.

6 HET OUDE huis is precies dat – een oud huis, iets wat in het centrum van San Diego steeds zeldzamer wordt, zelfs hier in Little Italy, dat altijd een wijk met oude, goed onderhouden eengezinswoningen was, die nu plaatsmaken voor flatgebouwen, kantoorgebouwen, trendy hotelletjes en parkeergarages voor de luchthaven.

Franks oude huis is een mooi victoriaans huis van twee verdiepingen, wit met een gele rand. Hij parkeert op de smalle oprit, springt uit zijn pick-up en zoekt de juiste sleutel aan zijn grote sleutelring. Hij heeft de sleutel in het slot als Patty van binnenuit opendoet, alsof ze de pick-up heeft horen aankomen, wat misschien het geval is.

'Je hebt er lang over gedaan,' zegt ze terwijl ze hem binnenlaat.

Ze kan me nog steeds raken, denkt Frank met een steek van ergernis. En nog iets anders. Patty is nog altijd een aantrekkelijke vrouw. Ze is misschien een beetje een matrone geworden, rond de heupen, maar verder ziet ze er goedverzorgd uit en die bruine, amandelvormige ogen kunnen hem nog steeds, nou ja, raken.

'Ik ben er nu,' zegt hij terwijl hij haar op de wang kust. Hij loopt langs haar heen naar de keuken, waar de ene helft van de dubbele spoelbak eruitziet als vloed in een derdewereldhaven.

'Hij doet het niet,' zegt Patty, die achter hem aan komt.

'Dat zie ik,' zegt Frank. Hij snuift. 'Maak je gnocchi?'

'Hm-mm.'

'En heb je de aardappelen geschild en geprobeerd ze door de vermaler te halen?' vraagt Frank terwijl hij zijn mouwen oprolt, zijn handen in het drabbige water stopt en rondom de afvoer voelt.

'Aardappelschillen zijn afval,' zegt Patty. 'Ik probeerde het afval op te ruimen. Daar is een afvalvermaler toch voor gemaakt?'

'Het is een afvalvermaler,' zegt Frank. 'Geen álle-afvalvermaler. Ik bedoel, je doet er toch ook geen blikken in, of wel soms? Of wél?'

'Wil je koffie?' vraagt ze. 'Ik zal verse zetten.'

'Klinkt goed, graag.'

Hij loopt naar een gangkast om zijn gereedschapskist te pakken. Het is elke keer hetzelfde ritueel. Ze zet verse, slappe koffie in het Krups-apparaat dat hij ooit voor haar heeft gekocht en dat ze niet fatsoenlijk wil leren bedienen en hij neemt een beleefd slokje terwijl hij werkt en laat de rest in het kopje staan. Frank heeft ontdekt dat zulke rituelen nog belangrijker zijn voor een goede verstandhouding wanneer je gescheiden bent dan wanneer je getrouwd bent.

Maar als hij terugloopt door de gang hoort hij het snorren van een koffiemolen en als hij in de keuken komt, ziet hij dat er een cafétière op het fornuis staat, naast een waterketel. Hij trekt zijn wenkbrauwen op.

'Zo vind je hem tegenwoordig het lekkerst, is het niet?' zegt Patty. 'Jill zei dat je hem zo het lekkerst vindt.'

'Zo zet ik hem, ja.' Hij zegt geen woord als ze het kokende water opschenkt en de zuiger onmiddellijk naar beneden drukt in plaats van de vereiste vier minuten te wachten. Hij houdt zijn mond en kruipt in het gootsteenkastje, strekt zijn rug en zet de bahco op de zwanenhals van de afvalvermaler, waar de aardappelschillen natuurlijk vastzitten. Hij hoort dat ze de kop koffie naast zijn knie op de grond zet.

'Bedankt.'

'Je zou een minuut de tijd kunnen nemen om een kop koffie te drinken,' zegt ze.

Eigenlijk niet, denkt Frank. Hij moet nog terug naar de aaswinkel voor de avonddrukte, daarna naar huis, douchen, scheren en aankleden en Donna ophalen. Maar ook dat zegt hij niet tegen haar. Het onderwerp Donna zou voor Patty aanleiding kunnen zijn om de koffie per ongeluk omver te schoppen over zijn been of te proberen een hele rol papieren handdoeken door het toilet boven te spoelen. Of misschien om me gewoon tegen mijn ballen te schoppen terwijl ik kwetsbaar ben, denkt Frank.

'Ik moet terug naar de aaswinkel,' zegt hij. Maar hij kruipt achteruit, gaat zitten en neemt een slok koffie. Die smaakt zowaar niet slecht, wat hem verbaast. Hij is niet met Patty getrouwd vanwege haar kookkunst. Hij is eerder met haar getrouwd omdat ze op die filmster, Ida Lupino, leek en nog steeds lijkt, en omdat hij gek op haar was en zij, braaf Italiaans meisje als ze was, hem niet zonder ring langs het tweede honk wilde laten. Dus kookte Frank meestal toen ze getrouwd waren en ze waren al gescheiden toen de term 'controlfreak' in zwang kwam. Nu zegt hij: 'Dit is lekker.'

'Verrassing,' zegt ze en ze gaat naast hem op de grond zitten. 'Het is me toch wat met Jill, vind je ook niet?'

'Ik verzin wel een manier om het te betalen.'

'Ik zeur niet over geld,' zegt ze, een beetje gekwetst kijkend. 'Ik dacht alleen dat het leuk zou zijn om even tijd te nemen en wat ouderlijke trots te delen.'

'Je hebt goed werk geleverd met die meid, Patty.'

'Wij alle twee.'

Ze krijgt tranen in haar ogen en Frank voelt dat ook zijn ogen een beetje vochtig worden. Hij weet waar ze alle twee aan denken: aan de ochtend op de kraamafdeling, na de lange, zware bevalling, toen Jill eindelijk geboren was. Het was een drukke ochtend, een heleboel baby's, dus de artsen en de verpleegkundigen rondden het af en Frank was zo moe dat hij naast zijn vrouw en nieuwe baby in het bed kroop en ze allemaal samen in slaap vielen. Opeens staat ze op en zegt: 'Maak dat verdomde ding. Jij moet naar de aaswinkel en ik kom nog te laat op yoga.'

'Yoga?' zegt hij terwijl hij weer onder de gootsteen kruipt.

'Op onze leeftijd,' zegt ze, 'is het pompen of verzuipen.'

'Nee, luister, ik vind het prima.'

'Het zijn voornamelijk vrouwen,' zegt ze, zo snel dat Frank onmiddellijk doorheeft dat het voornamelijk vrouwen zijn, maar dat er minstens één man bij is. Hij voelt een zwakke steek van jaloezie. Wat onredelijk en oneerlijk is, houdt hij zichzelf voor. Jij hebt Donna; Patty zou ook iemand moeten hebben in haar leven. Niettemin, de gedachte bevalt hem niet. Hij maakt de zwanenhals los, steekt zijn vingers naar binnen en trekt er een prop doorweekte aardappelschillen uit. Hij laat ze haar zien en zegt: 'Patty, alsjeblieft? Gekóókt voedsel, niet rauw, en niet vijf pond in één keer, oké?'

'Oké,' zegt ze, maar ze kan niet nalaten eraan toe te voegen: 'Maar ze zouden die dingen degelijker moeten maken.'

Dus weet hij dat ze het nog eens zal doen, of iets soortgelijks, en hij denkt: laat je vriend het de volgende keer maar repareren. Met al die yoga past hij zonder moeite onder de gootsteen, toch?

Hij zet de zwanenhals er weer op, draait hem vast en kruipt achterwaarts het gootsteenkastje uit.

'Wil je de gnocchi proeven?' vraagt ze.

'Ik dacht dat je naar yoga moest.'

'Ik zou een keer kunnen overslaan.'

Hij denkt er een seconde over na en zegt dan: 'Nee, je moet ermee doorgaan. Pompen of verzuipen, zoals ze zeggen.'

Lul, denkt hij als hij haar ogen vinnig en koud ziet worden. Wat stom dat je zoiets zegt. En Patty zou Patty niet zijn als ze het erbij zou laten zitten. 'Je zou zelf best wat yoga kunnen gebruiken,' zegt ze met een blik op zijn buik.

'Ja, misschien kom ik wel in je klasje.'

'Daar zit ik echt op te wachten.'

Hij wast zijn handen en geeft haar dan opnieuw een vluchtige kus op haar wang, die ze probeert te ontwijken.

'Tot vrijdag,' zegt hij.

'Als ik niet thuis ben,' zegt ze, 'leg de envelop dan maar gewoon in de la.'

'Bedankt voor de koffie. Hij smaakte echt lekker.'

Hij is net op tijd terug in de aaswinkel voor de avonddrukte. De jonge Abe kan de slappe middag wel aan, maar hij raakt in paniek als er een rij avondvissers staat die aas willen hebben. Trouwens, Frank wil er zijn om de kas op te maken. Hij helpt Abe door de drukte heen, maakt de kas op, sluit de winkel af en haast zich naar huis om een snelle douche te nemen en de geur van vis van zich af te spoelen.

Hij doucht, scheert zich, trekt een pak met een wit overhemd met open kraag aan en haalt de Mercedes, niet de pick-up, uit de garage. Hij heeft tijd om langs drie nieuwe restaurants te gaan voordat hij Donna afhaalt. Zijn ritueel is elke keer hetzelfde: hij neemt een tonic aan de bar en vraagt of hij de manager of de eigenaar kan spreken. Dan laat hij zijn kaartje zien en zegt: 'Als u tevreden bent over uw linnenservice, sorry dat ik gestoord heb. Als u niet tevreden bent, bel me dan en ik vertel u wat ik voor u kan doen.'

Negen van de tien keer wordt hij gebeld.

Hij haalt Donna op in haar flat, in een groot complex met uitzicht op het strand. Hij parkeert op een parkeerplaats voor bezoekers en belt aan, hoewel hij een sleutel van haar flat heeft voor noodgevallen, of als ze op reis is en hij de planten water moet geven of als hij 's avonds laat komt en ze geen zin heeft om uit bed te komen.

Ze ziet er adembenemend uit.

Dat doet ze altijd, en niet alleen voor een vrouw van in de veertig, maar voor een vrouw van elke leeftijd. Ze draagt een eenvoudige zwarte jurk, net kort genoeg om haar benen te tonen en net diep genoeg uitgesneden om een beetje boezem te laten zien.

Vroeger, denkt Frank als hij het portier voor haar opent, zouden we haar een 'lekker stuk' hebben genoemd. Zo praat je natuurlijk niet meer, maar dat is wat Donna is. Altijd al geweest. Een showgirl uit Vegas die niet tippelde of peesde, niet verslaafd was aan drank of drugs, gewoon haar werk deed, haar geld opzijzette en wist wanneer het tijd was om er een punt achter te zetten. Nam haar spaargeld op, verhuisde naar Solana Beach en opende haar boetiek.

Leidt een leuk leven.

Ze rijden naar de kust, naar Freddie's by the Sea.

Het is een in San Diego vertrouwd adres aan het strand van Cardiff en soms, zoals vanavond, klotst het water tegen het restaurant. De gastvrouw kent Frank en geeft hun een tafel bij een raam. Met het naderende stormfront spoelen de golven al bijna tot aan de ruiten.

Donna kijkt naar de regen buiten. 'Nou, dat geeft me in elk geval de gelegenheid de inventaris op te maken.'

'Je zou een paar dagen vrij kunnen nemen.'

'Jij eerst.'

Het is een vaste grap tussen hen, en een constante bron van onenigheid, twee zakelijk denkende mensen die tijd proberen te vinden om vrij te nemen, al was het maar voor een paar dagen. Donna vindt het geen prettig idee dat iemand anders de boetiek runt en Frank is, nou ja, Frank. Drie jaar geleden zijn ze vijf dagen op Kauai geweest, maar sindsdien zijn ze niet verder gekomen dan een overnachting in Laguna en een weekend in Big Sur.

'We moeten af en toe stoppen en genieten,' zegt hij nu tegen haar.

'Je zou kunnen beginnen met twee banen te hebben in plaats van vijf,' zegt ze. Maar ze heeft het gevoel dat hun relatie misschien wel zo goed is doordat ze niet zo heel veel tijd voor elkaar hebben.

De ober komt en ze bestellen een fles rode wijn en dan, met het oog op de tijd, meteen ook maar het voorgerecht en het hoofdgerecht. Frank neemt vissoep en scampi's, Donna bestelt een groene salade – zonder dressing – en gebakken heilbot met tomaten.

‘De scampi’s zijn verleidelijk,’ zegt ze, ‘maar als ik boter eet, is dat daags daarna al te zien.’

Ze excuseert zich om naar het toilet te gaan en Frank neemt de gelegenheid te baat om de keuken binnen te vallen om de chef-kok gedag te zeggen, het gebruikelijke: Hoe was de vis? Klachten? Was die geelstaartvis vorige week niet geweldig? Hé, ik zeg het maar even, ik krijg volgende week een mooie voorraad garnalen binnen, storm of geen storm.

Als hij de keuken binnenkomt is John Heaney er niet.

Frank kent hem al jaren. Ze hebben samen heel wat gesurft, in de tijd dat John een eigen restaurant had in Ocean Beach. Maar John verloor de tent aan een *Monday Night Football*-weddenschap.

Frank was er die dinsdagochtend, tijdens het Herenuurtje, toen John de zee op peddelde, katterig en lijkbleek.

‘Wat is er met jou?’ vroeg Frank.

‘Twintig mille verloren met de Vikes,’ antwoordde John. ‘Ze maakten een extra punt. Eén extra klotepunt, verdomme.’

‘Heb je het geld?’

‘Nee.’

Dus dág restaurant.

John kreeg een baan in het Viejas Casino, wat net zoiets is als een alcoholist die in de distilleerderij van Jack Daniel’s gaat werken. Elke twee weken stond hij een maandsalaris in het rood en ten slotte stuurde het casino hem de laan uit. John rolde van de ene baan in de andere tot Frank hem deze baan bij Freddie’s bezorgde.

Wat doe je eraan? denkt Frank. Een vriend is een vriend.

John verdient goed bij Freddie’s, maar goed is nooit goed genoeg voor een verstokte gokker. Het laatste wat Frank hoorde wat dat John schnabbelde als nachtploegmanager bij Hunnybear’s.

‘Waar is Johnny?’ vraagt hij de souschef, die in de richting van de achterdeur knikt.

Frank snapt het: de chef staat bij de afvalcontainers om een sigaret te roken en misschien een snelle slok te nemen. Ga naar een willekeurige afvalcontainerplek achter een willekeurig restaurant en je vindt een hoop peuken en misschien een paar van die drankflesjes van luchtvaartmaatschappijen waarvoor het personeel te lui was om ze in de afvalbakken te gooien.

Johnny zuigt aan een saffie en staart naar de grond alsof die ergens antwoord op heeft, zijn lange, magere gestalte voorovergebogen als zo'n goedkope, van het ijzerdraad van kleerhangers gemaakte sculptuur.

'Hoe is het, Johnny?' vraagt Frank.

John kijkt geschrokken op, alsof hij verrast is dat hij Frank daar ziet staan. 'Jezus, Frank, je laat me schrikken.'

Johnny moet – hoe oud, midden of eind vijftig misschien zijn. Hij lijkt ouder.

'Wat is er?' vraagt Frank.

John schudt zijn hoofd. 'Goed klote momenteel, Frank.'

'Dat G-Sting-gedoe?' vraagt Frank. 'Is Hunnybear's daarbij betrokken?'

John legt zijn hand, met de palm omlaag, onder zijn kin. 'Stel dat ze de tent sluiten? Ik heb het geld verdomme nodig, Frank.'

'Het waait wel over,' zegt Frank. 'Dat doet het altijd.'

John schudt zijn hoofd. 'Ik weet het niet.'

'Je vindt altijd wel werk, John,' zegt Frank. 'Als je wilt dat ik ergens een goed woordje doe...'

Het zou niet moeilijk zijn John een tweede baan te bezorgen bij een goed restaurant. Hij is een goede kok en bovendien een populaire vent. Iedereen mag hem.

'Bedankt, Frank. Momenteel niet.'

'Laat het me weten.'

'Bedankt.'

Frank is net vóór Donna weer bij de tafel en hij zegent het feit dat er altijd een rij staat voor de dames en dat vrouwen veel meer tijd nodig hebben om al die ingewikkelde dingen uit en weer aan te doen.

'Hoe is het met de kok?' vraagt Donna als hij opstaat en haar stoel voor haar aanschuift. Frank gaat weer zitten en haalt met een blik van gekwetste onschuld zijn schouders op.

'Onverbeterlijk,' zegt Donna.

De regen zet echt door als ze aan het nagerecht zitten. Nou ja, Frank heeft een nagerecht – kwarktaart en een espresso – en Donna zwarte koffie. De bui begint met trage, dikke druppels tegen de ruit, wakkert dan aan en het duurt maar een minuut of zo voordat de wind regenvlagen tegen het glas jaagt.

De meeste gasten in het restaurant onderbreken hun gesprek om te kijken en te luisteren. Zo vaak regent het niet in San Diego – in feite minder dan gewoonlijk, de afgelopen jaren – en het regent zelden zo hard. De winter is nu echt begonnen, de korte moessontijd in dit mediterrane klimaat, en de gasten leunen achterover en kijken ernaar.

Frank kijkt naar de aanzwellende schuimkoppen.

Dat wordt morgen nog iets.

Donna's flat heeft geen zeezicht. Haar appartement ligt aan de achterkant van het gebouw, niet aan het strand, waardoor ze zo'n zestig procent korting kreeg. Frank maakt het niet uit; als hij naar Donna's huis gaat, wil hij alleen maar naar Donna kijken.

Ze vrijen volgens een vast ritueel. Donna is niet zo'n uit-met-die-kleren-en-hup-het-bed in-vrouw, ook al weten ze allebei dat het daarop uitdraait. Dus vanavond, zoals de meeste avonden dat hij komt, gaan ze naar de woonkamer en zet zij iets van Sinatra op. Dan gaat ze twee glazen brandy halen, ze gaan op de sofa zitten en vrijen een beetje.

Frank bedenkt dat hij in Donna's nekholte zou kunnen wonen, voor altijd. Die is lang en sierlijk en de parfum die ze er aanbrengt doet zijn hoofd tollen. Hij kust haar lange tijd in haar nek en begraaft zijn neus in haar rode haren, beweegt dan omlaag naar haar schouder en na enige tijd daar schuift hij het bandje van haar jurk van haar schouder en over haar arm naar beneden. Hij kust de bovenkant van haar borsten terwijl zijn hand de lange, langzame tocht over haar been naar boven maakt, kust dan haar lippen en hoort haar spinnen in zijn mond. Dan staat ze op, pakt hem bij de hand, leidt hem naar haar slaapkamer en zegt: 'Ik ga iets gemakkelijks aantrekken,' en ze verdwijnt in haar badkamer, hem volledig gekleed achterlatend op haar bed, terwijl hij afwacht wat ze aan zal hebben.

Donna heeft geweldige lingerie.

Die koopt ze tegen groothandelsprijzen van haar leveranciers. Zo verwent ze zichzelf. Nou ja, ze verwent míj, denkt Frank terwijl hij zich vooroverbuigt om zijn schoenen uit te trekken en vervolgens zijn das losmaakt. Eén keer, één keer maar, had hij al zijn kleren uitgetrokken en lag hij naakt in bed toen ze uit de badkamer kwam en ze vroeg: 'Wat denk je wel?' en vroeg hem te vertrekken.

Het wachten duurt eindeloos en hij geniet van elke seconde. Hij weet dat ze zich zorgvuldig kleedt om hem een genoegen te doen, haar make-up bijwerkt, parfum opdoet, haar haren borstelt.

De deur gaat open; ze doet het licht in de badkamer uit en komt naar buiten.

Ze beneemt hem altijd weer de adem.

Vanavond draagt ze een doorschijnend smaragdgroen negligé over een zwarte jarretelgordel en kousen en heeft schoenen met absurd hoge hakken aan. Ze draait zich langzaam in het rond om hem van alle kanten van haar te laten genieten en dan staat hij op en neemt haar in zijn armen. Hij weet dat ze wil dat hij het nu overneemt.

Hij weet dat je geen 'seks hebt' met Donna; je bedrijft de liefde met haar, langzaam, aandachtig, zoekend naar elk lekker plekje op haar adembenemende lichaam en daar talmend. En ze is een danseres, ze wil dat het een dans is, dus glijdt ze met de gratie en de erotiek van een danseres over hem heen, gebruikt haar borsten, haar handen, haar mond, haar haren, kleedt hem uit en maakt hem hard. Dan legt hij haar op het bed en beweegt langs haar lange lichaam omlaag, schuift het negligé omhoog en ze heeft parfum op haar dijen gedept, maar ze heeft daar geen parfum nodig, denkt Frank.

Hij neemt er alle tijd voor. Er is geen haast bij en zijn eigen behoefte kan wachten, wil wachten, want het wachten maakt het des te beter.

Het is als de oceaan, denkt hij later, als een golf die aanrolt en zich dan weer terugtrekt. Telkens opnieuw, en dan aanzwellend als de deining, dik en zwaar en steeds sneller. Hij houdt ervan naar haar gezicht te kijken wanneer hij de liefde met haar bedrijft, houdt ervan haar groene ogen te zien oplichten en de glimlach op haar sierlijke lippen en, vanavond, het geluid van de regen die tegen de ruiten klettert.

Nadien blijven ze lange tijd zo liggen en luisteren naar de regen.

'Dat was heerlijk,' zegt hij.

'Altijd.'

'Alles oké?'

Frank, de werkman, altijd zijn werk controlerend.

'O ja,' zegt ze. 'Met jou?'

'Dat schreeuwen, dat was ik,' zegt hij.

Hij ligt daar beleefd, attent, maar ze weet dat hij al rusteloos is. Van haar mag het; ze is niet zo'n knuffelaar en trouwens, morgen is het weer vroeg dag en ze slaapt beter in haar eentje. Dus geeft ze de standaardhint: 'Ik ga me even wassen.'

Wat betekent dat hij zich kan aankleden terwijl zij in de badkamer is en als ze eruit komt kunnen ze het comfortabele ritueel afwerken.

'O? Ga je weer?'

'Ja, ik denk het wel. Drukke dag morgen.'

'Je mag blijven als je wilt.'

En hij zal doen alsof hij het overweegt en dan zeggen: 'Nah, ik kan beter naar huis gaan.'

En dan zullen ze elkaar teder kussen en hij zal zeggen: 'Ik hou van je.'

'Ik ook van jou.'

En dan zal hij ervandoor gaan. Naar huis gaan, wat slapen en dan van voren af aan beginnen.

Het is het vaste ritueel.

Behalve dan dat het deze avond anders loopt.

7 DEZE AVOND rijdt hij naar huis en er staat een auto in de steeg.

Een auto die hij niet kent.

Frank kent de buren, kent al hun voertuigen. Geen van hen heeft een Hummer. En zelfs door de nu neergutsende regen heen ziet hij dat er twee mannen voorin zitten.

Het zijn geen beroeps, dat ziet hij zo.

Beroeps zouden nooit een zo opvallende auto als een Hummer gebruiken. En het zijn geen politieagenten, want zelfs de FBI heeft niet het budget voor zo'n voertuig. En bovendien, beroeps zouden weten dat ik van het leven hou en omdat ik van het leven hou, ben ik al in geen dertig jaar 's nachts mijn huis binnengegaan zonder eerst een rondje te rijden. Temeer omdat mijn garage-ingang in een steeg is, waar me de weg afgesneden zou kunnen worden.

Dus als die lui beroeps waren, zouden ze niet in de steeg staan, maar minstens een halve straat verderop, en wachten tot ik de steeg inreed en me dan achternakomen.

Maar ze hebben hem gezien toen hij langsreed.

Of ze dachten dat ze hem zagen.

'Dat was hem,' zegt Travis.

'Godverdeklote,' antwoordt J. 'Hoe weet je dat?'

'Nee, hij was het, Junior,' zegt Travis. 'Dat was Frankie Machine, verdomme. Een godvergeten legende.'

Parkeren is niet makkelijk in Ocean Beach en Frank heeft er dan ook een minuut of tien voor nodig om drie straten verder een plek te vinden. Hij parkeert, tast onder de bank en vindt zijn .38 S&W, stopt hem in de zak van zijn regenjas, zet zijn capuchon op en stapt uit. Loopt nogmaals een blok om, zodat hij de steeg vanuit het oosten nadert en niet vanuit het westen, waar ze hem misschien verwachten. Hij komt bij de steeg en de Hummer staat er nog steeds. Zelfs boven de regen uit kan hij de bas horen dreunen; de stomme klojo's zitten naar rapmuziek te luisteren.

Wat het makkelijker maakt.

Hij loopt de steeg in, stapt in de plassen en ruïneert de glans op zijn schoenen, en zorgt ervoor dat hij precies in het midden van de achterkant van de Hummer blijft, om de kans dat hij in een van de buitenspiegels wordt gezien zo klein mogelijk te maken. Als hij dichterbij komt ruikt hij de marihuana en hij weet nu dat hij met complete stommelingen te maken heeft – jongelui waarschijnlijk, drugsdealers – die in hun coole slee zitten, high worden en naar deuntjes luisteren.

Hij weet zelfs niet of ze hem horen als hij het achterportier opent, naar binnen glipt, een wapen tegen het achterhoofd van de bestuurder zet en de haan overhaalt.

'Ik zei toch dat hij het was,' zegt Travis.

'Frankie,' zegt J. 'Herken je me niet?'

Ja, misschien herkent Frank hem, hoewel het jaren geleden is. De jongeman – midden twintig misschien – heeft kort, zwart, met gel in pieken geplakt haar, een of andere sierspijker door zijn onderlip en oorringen in de bovenkant van zijn oren. Hij is uitgedost in surfkleding – een Billabong-shirt met lange mouwen onder een Rusty-fleece en een trainingsbroek.

'Mouse Junior?' vraagt Frank.

De ander grinnikt, maar houdt haastig zijn mond. Mouse Junior wordt niet graag Mouse Junior genoemd. Hij hoort liever 'J.', en dat zegt hij tegen Frank.

Ook de ander is gekleed als een mafketel. Hij heeft eveneens gel, en een dun sikje en hij heeft zo'n surfmuts op zijn hoofd, waar Frank zich aan stoort, want Frank draagt zo'n muts om zijn hoofd warm te houden als hij uit het koude water komt na echt gesúrft te hebben en niet om zogenaamd hip te lijken. En ze hebben alle twee een zonnebril op, wat misschien de reden is waarom ze niet zagen dat er een volwassen man achter hen verscheen. Maar dat vertelt hij ze niet en hij laat het wapen niet zakken, ook al is het een enorme inbreuk op het protocol om een wapen op de zoon van een baas te richten.

Geeft niks, denkt Frank. Hij wil niet dat er MAAR HIJ EERBIEDIGDE HET PROTOCOL op zijn grafsteen komt te staan.

'Wie ben jij?' vraagt hij de ander.

'Ik ben Travis,' zegt hij. 'Travis Renaldi.'

Zover is het al gekomen, denkt Frank. Italiaanse ouders die hun kinderen yuppienamen zoals Travis geven.

'Het is een eer u te ontmoeten, meneer Machianno,' zegt Travis. 'Frankie Machine.'

'Kop dicht,' zegt Frank. 'Ik weet niet waar je het over hebt.'

'Ja, hou verdomme je bek,' zegt Mouse Junior. 'Frankie, zou je dat wapen nu willen laten zakken? Kunnen we naar binnen gaan? En misschien kun je ons een biertje of een kop koffie of zo aanbieden?'

'Is dit een beleefdheidsbezoekje?' vraagt Frank. 'Midden in de nacht in de steeg staan wachten?'

'We wilden wachten tot je terugkwam van heukebeuken,' Frankie,' zegt Mouse Junior. Frank is er niet zeker van dat hij weet wat 'heukebeuken' is, maar hij kan het opmaken uit de schunnige klank in de stem van Mouse Junior. Hij heeft Junior waarschijnlijk in geen acht jaar gezien en het joch was tóén al een verwende waardeloze tiener. Hij is geen steek volwassener geworden. Frank zou hem graag een stevige draai om zijn oren geven voor de 'heukebeuk'-opmerking, maar er zijn grenzen aan wat je het kind van een baas kunt aandoen, zelfs een zo slappe baas als Mouse Senior.

Mouse Senior – Peter Martini – is de baas van wat er nog over is van de L.A.-familie, waartoe ook wat er nog over is van de San Diego-ploeg behoort. Peter kreeg de bijnaam 'Mouse' nadat politiecommissaris Daryl Gates de Westkustmaffia 'de Mickey Mouse-maffia' zou hebben genoemd. Hij werd Mouse Senior nadat hij een zoon had gekregen die hij Peter had genoemd.

Maar regels zijn regels: een kind van een baas raak je met geen vinger aan.

En je weigert hem geen gastvrijheid.

Maar het bevalt Frank niks als hij hun voorgaat naar zijn huis. Ten eerste vindt hij het maar niks dat ze een idee krijgen van de ligging, voor het geval ze later terugkomen om iets te proberen. En ten tweede is het geen goed idee ingeval ze ooit doorslaan en in de getuigenbank plaatsnemen. Hij zal moeilijker kunnen ontkennen dat ze elkaar ooit hebben ontmoet als ze nauwkeurig kunnen beschrijven hoe zijn huis er vanbinnen uitzag.

Anderzijds, hij weet dat hij thuis niet afgeluisterd wordt.

Hij beklopt ze allebei zodra ze binnen zijn.

'Neem me niet kwalijk,' zegt hij.

'Hé, tegenwoordig...' zegt Mouse Junior.

Je meent het, tegenwoordig, denkt Frank. Dit is trouwens waarschijnlijk precies de bedoeling van deze kleine bijeenkomst – Mouse Senior stuurt Mouse Junior om gerustgesteld te worden dat Frank nog steeds op zijn hoede is.

Omdat Mouse Senior niet is genoemd in verband met de Goldstein-moord, hoewel hij degene was die er de opdracht voor had gegeven en Frank dat weet.

Alsof Mouse Senior zo voorzichtig is, denkt Frank. Drie jaar lang, *drie jaar*, eind jaren tachtig, liep Bobby 'the Beast' Zitello met een microfoontje rond, terwijl Mouse Senior helemaal wég van hem was. Bobby's 'Greatest Hits'-album kreeg platina en bracht de halve familie voor vijftien jaar achter de tralies. Nu is Mouse Senior vrij en hij wil niet terug.

Maar de kwestie-Goldstein had ze allemaal voorgoed in de lik kunnen brengen. Arme Herbie werd in '97 omgelegd en een paar onderknuppels bekenden schuld. Maar moord verjaart niet en de Goldstein-moord is teruggekomen als een geest. De FBI is er de laatste tijd druk mee bezig, in het kader van operatie Button Down, hun poging om de laatste nagel in de doodskist van Mouse Senior te slaan. Waarschijnlijk is het zo gegaan dat die twee idioten tot de ontdekking kwamen dat ze de gevangenis niet zo leuk vonden en hebben ze besloten het op een akkoordje te gooien. Voor zover Frankie weet kan Mouse Senior net zo goed in staat van beschuldiging zijn gesteld en zelf proberen het op een akkoordje te gooien.

Dus fouilleert Frank Mouse Junior behoorlijk grondig.

Hij vindt geen zendertjes of microfoons.

Of wapens.

Dat zou de andere mogelijkheid zijn, dat Mouse Senior er absoluut zeker van wil zijn dat ik de FBI niet vertel wie er achter de kwestie-Goldstein zat. Maar Mouse zou een van de weinige soldaten hebben gestuurd die hij nog heeft. Zelfs Mouse zou zijn eigen zoon niet op een missie sturen om te proberen Frankie Machine koud te maken.

Je wilt dat je zoon jóú begraaft.

'Willen jullie koffie of bier?' vraagt Frank terwijl hij zijn regenjas uittrekt. Hij houdt het pistool in zijn hand.

'Bier, als je hebt,' zegt Mouse Junior.

'Heb ik,' zegt Frank. Mooi zo, denkt hij, dat bespaart me de moeite van een pot koffie zetten. Hij gaat naar de keuken, pakt twee Dos Equis, bedenkt zich en pakt in plaats daarvan twee goedkopere Corona's. Hij keert terug, geeft hun het bier en zegt: 'Gebruik een onderzetter.'

De twee jongelui zitten op de sofa als stoute leerlingen in het kantoor van het hoofd. Frank gaat in zijn stoel zitten, met het pistool op zijn schoot, en schopt zijn natte schoenen uit. Dat kan ik net gebruiken, denkt hij, een verkoudheid. Ze werken de voorronden af: 'Hoe maakt je vader het? Hoe maakt je oom het? Doe ze de groeten van me. Wat brengt jullie naar San Diego?'

'Papa stelde het voor,' zegt Mouse Junior. 'Hij zei dat ik met je moest gaan praten.'

'Waarover?'

'Ik heb een probleem,' zegt Mouse Junior.

Je hebt meer dan één probleem, denkt Frank. Je bent stom, je bent lui, je bent onopgevoed en je bent onvoorzichtig. Wat heeft die jongen gedaan, anderhalf jaar middelbare school voordat hij ermee kapte om 'papa te helpen in de zaak'?

'We...' begint Mouse Junior.

'Wie zijn "we"?' vraagt Frank.

'Ik en Travis,' legt Mouse Junior uit. 'We hebben een leuk pornobedrijfje, Golden Productions. We krijgen een deel van de helft van de distributie vanuit de Valley.'

Frank betwijfelt het. Als je de kranten leest weet je dat de San Fernando Valley elk jaar voor miljarden aan porno produceert en die jongens zien er niet uit als miljardairs. Misschien, heel misschien hebben ze de hand in een paar operaties, maar dan heb je het wel gehad.

Niettemin, het is lucratief. Hoe vaak heeft Mike Pella geprobeerd me over te halen om in de porno-industrie te investeren? En hoe vaak heb ik nee gezegd? Ten eerste was het vroeger puur maffiawerk, in de tijd dat het illegaal was. Ten tweede, zoals ik tegen hem zei: 'Ik heb een dóchter, Mike.'

Maar sinds porno geaccepteerd is, is het meeste geld dat erin omgaat strikt legaal. Je begint een bedrijf of je investeert, zoals je in elke andere branche zou doen. Dus...

'Roofkopieën,' legt Mouse Junior uit. 'We investeren in de studio, zodat we een goede moederband krijgen. We distribueren er een stel op de legale markt, maar voor elke film die we legaal verkopen, verkopen we drie roofkopieën.'

Dus ze verkopen één video van het bedrijf en drie van henzelf, denkt Frank. In wezen besodemieteren ze hun eigen partners.

'Met dvd's is het nóg makkelijker,' legt Travis uit. 'Die kun je vermenigvuldigen als pannenkoeken. De Aziaten krijgen geen genoeg van blondjes met grote tieten die neuken en pijpen.'

'Let op je woorden,' zegt Frank. 'Dit is mijn huis.'

Travis wordt rood. Hij vergat waarvoor J. hem had gewaarschuwd, dat Frankie Machine niet van vuilbekken houdt. 'Sorry.'

Frank richt zich tot Mouse Junior. 'Dus wat is jullie probleem?'

'Detroit.'

'Kun je iets preciezer zijn?' vraagt Frank.

'Een paar lui uit Detroit,' zegt Mouse Junior, 'vrienden van ons, hebben daar wat porno gedaan en oké, misschien hebben ze ons aan een paar mensen voorgesteld. Nu vinden ze dat we bij ze in het krijt staan.'

'Dat is ook zo,' zegt Frank. Hij kent de regels.

Trouwens, Detroit – alias 'de Combinatie' – heeft al eeuwen een stuk van San Diego, al sinds de jaren veertig, toen Paul Moretti en Sal Tomenelli overkwamen en in het centrum een aantal bars, restaurants en stripclubs openden. In de jaren zestig verhandelden Paul en Tony een heleboel heroïne via de tenten, maar na de moord op Tomenelli concentreerden ze zich op woeker, gokken, stripclubs, porno en pooieren.

In elk geval, ze hebben een positie verworven.

Vanwege Moretti's prestige kreeg zijn schoonzoon Joe Migliore een aandeel in San Diego, zonder te hoeven afdragen of zelfs maar verantwoording te hoeven afleggen aan L.A. Het was alsof Detroit zijn eigen afzonderlijke kolonie had in het Gaslamp District. Zo is het nog steeds; de zoon van Joe, Teddy, heeft nog altijd de bar Callahan's in de Lamp en runt zijn andere zaakjes vanuit de achterkamer.

'Als Detroit je die contacten heeft bezorgd,' zegt Frank tegen Mouse, 'sta je inderdaad in het krijt.'

'Niet voor zestig procent,' jammert Mouse Junior. 'Wij doen al het werk, maken de video's, organiseren de opslagplaatsen, maken de kopieën, gaan naar de Aziatische markt. En nou wil die vent een meerderheidsaandeel. Ik dácht het niet.'

'Wie is het?'

'Vince Vena,' zegt Mouse Junior.

'Je ligt overhoop met Vince Vena?' vraagt Frank. 'Dan heb je inderdaad een probleem, jongen.'

Vince Vena is een zware jongen.

Volgens de geruchten zou hij in de raad van bestuur van de Combinatie zitten. Geen wonder dat Mouse Junior bang is. De L.A.-familie is nooit erg sterk geweest – ze was ondergeschikt aan New York en later aan Chicago en nu bestaat er een machtsvacuüm, nu de Oostkustfamilies worden geteisterd door ouderdom, slijtage en de Racketeer Influenced and Corrupt Organizations ofwel RICO-wetten. Dus nu maakt Detroit zich op om wat er over is van de Westkust over te nemen, een van de weinige overgebleven winstgevende centra. En het is handig dan met de zoon van Mouse te beginnen, want als je dat voor elkaar krijgt heb je iets bewezen: Mouse Senior is zo verzwakt door de Goldstein-aanklacht dat hij niet meer de kracht heeft om zijn eigen zoon te beschermen.

Als Vena erin slaagt Mouse Junior zestig procent af te persen, zou de L.A.-familie wel eens volledig de geest kunnen geven. Van mij mag het, denkt Frank. New York, Chicago, Detroit, het is allemaal één pot nat. Het gaat trouwens allemaal de dinosauriërs achterna. Het maakt niet uit wie het licht uitdoet – donker is het toch.

'Waarom kom je naar mij toe?' vraagt Frank, hoewel hij het antwoord al weet.

'Omdat jij Frankie Machine bent,' zegt Mouse Junior.

'Wat betekent dat nou weer?'

Het betekent, legt Mouse Junior uit, dat ze een bijeenkomst met Vena hebben 'geagendeerd' om een deal te sluiten.

'Doen,' zegt Frank. 'Als Vena zestig zegt, neemt hij genoegen met veertig, misschien zelfs vijfendertig. Je geeft hem een punt van de taart en dan ga je weg en maakt een grotere taart, klaar is Kees. Er is genoeg voor iedereen.'

Mouse Junior schudt zijn hoofd. 'Als we niet meteen stoppen...'

'Als je niet meteen stopt,' zegt Frank, 'ben je in oorlog met Detroit.'

En laat me je vertellen wat je ouweheer al weet, jongen. Je hebt de manschappen niet. Maar Mouse Junior is te jong om dat te weten. Er stuitert te veel testosteron rond.

Mouse Junior zegt: 'Ik ga niet voor die vent op mijn rug liggen.'

'Dan niet,' zegt Frank.

Het is niet mijn probleem.

Ik ben met pensioen.

'Vijftig mille,' zegt Mouse Junior.

Dat is inderdaad veel, denkt Frank. Er moet meer geld in dat pornogedoe zitten dan ik dacht. Het bewijst dat ze de middelen hebben, maar het bewijst ook hoe zwak ze zijn. Normaliter betaal je niet om zoiets gedaan te krijgen; je laat het over aan een van je soldaten in ruil voor latere zakelijke kwesties, of misschien om een rekening te vereffenen.

Maar L.A. heeft niet veel soldaten over. Geen goeie in elk geval, knapen die zo'n klus aankunnen.

Vijftig mille is een smak geld. Goed belegd zou ik er heel

wat studies van kunnen betalen.

'Ik pas ditmaal,' zegt Frank.

'Papa zei dat je het misschien zou afwijzen.'

'Je vader is een wijs man.'

Eigenlijk is hij een klootzak, maar wat dondert het?

'Hij zei dat ik moest zeggen,' gaat Mouse verder, 'dat hij het als een persoonlijke gunst zou beschouwen, een kwestie van loyaliteit.'

'Dat wil zeggen?'

Frank wil het hem horen zeggen.

'Gezien alles wat er in Vegas gebeurt,' zegt Mouse Junior, met trillende stem, bang. 'Dat Goldstein-gedoe... Papa wil graag weten dat je, je weet wel, bij het team hoort.'

Dat is het dus, denkt Frank. Twee vliegen in één klap. Mouse Senior lost zijn Detroit-probleem op en krijgt een verzekeringspolis op mijn stilzwijgen over Goldstein, want ik kan niet naar de FBI stappen met vers bloed aan mijn handen. En als ik de Vena-klus niet doe, maak ik mezelf verdacht als een mogelijke verrader. Dus ofwel ik leg Vena om of ik maak van mezelf een schietschijf. Maar als Mouse Senior niet de soldaten heeft om Vince zelf voor zijn rekening te nemen, waarom denkt hij dan dat hij de middelen heeft om míj te grazen te nemen? Niemand van de Mickey Mouse Club heeft er de bekwaamheid of het lef voor.

Wie zou hij kunnen sturen?

Hij zou buiten de familie zoeken. New York, misschien Florida, misschien zelfs de Mexicanen.

Hij zou het voor elkaar kunnen krijgen.

Het is moeilijk.

'Weet je wat,' zegt Frank. 'Ik zorg dat je geen last meer hebt van Vena, op de een of andere manier. Maak een afspraak met hem. Als hij me daar ziet, zal hij redelijker zijn. Zo niet...'

Hij laat het in de lucht hangen. De rest spreekt voor zich.

Travis ziet het wel zitten. 'Dat moet lukken, J.,' zegt hij. 'Als

Vena ziet dat we Frankie *Machine* in het team hebben, schijt-ie in zijn broek.'

'Nee, dat doet hij niet,' zegt Frank, 'maar hij zal over redelijker dingen onderhandelen.' Hij wendt zich tot Mouse Junior. 'Je wilt geen oorlog als je het kunt verhinderen, jongen. Ik heb het meegemaakt. Vrede is beter.'

Iets wat je zult leren als je wat ouder bent, denkt Frank, als je niet voor die tijd vermoord wordt. Jongelui, ze willen altijd bewijzen hoe hard ze zijn. Komt door de testosteron. Ouderen zien de schoonheid van het compromis. En bewaren de testosteron voor leukere dingen.

Mouse denkt erover na. Aan zijn gezicht te zien is het een afmattend karwei. Dan vraagt hij: 'En die vijftig mille?'

'De vijftig is voor het oplossen van je probleem,' zegt Frank. 'Op welke manier ook.'

'De helft nu,' zegt Mouse Junior, 'de helft wanneer de klus geklaard is.'

Frank schudt zijn hoofd. 'Alles meteen.'

'Dat is ongehoord.'

'Dít is ongehoord.'

Dat wil zeggen dat ze hem rechtstreeks benaderen. Volgens het protocol hadden ze het via Mike Pella moeten doen, de capo van wat er nog over is van San Diego, die commissie zou hebben gekregen.

Het zou goed zijn met Mike over deze Vena-kwestie te praten, zijn mening te vragen. Mike Pella is een maffioso van de oude stempel, een van de laatsten van een uitstervend ras. Hij en Frank kennen elkaar al eeuwen. Mike is zijn vriend geweest, zijn vertrouweling, zijn partner, zijn baas. Mike zou hem de stand van zaken kunnen geven, hem wegleiden van de landmijnen.

Maar Mike, met zijn overlevingsinstinct, houdt zich in de luwte sinds die kwestie-Goldstein opnieuw begon.

Goeie plek, Mike.

Blijf waar je bent.

'Twee derde, een derde,' zegt Mouse Junior.

'Ik onderhandel niet met je, jongen. Ik geef je de voorwaarden waaronder ik werk. Als het je dat waard is, prima. Zo niet, ook prima.'

Het geld ligt in de Hummer.

Mouse Junior stuurt Travis weg om het te halen. Hij komt terug met een aktetas met vijftig mille in gebruikte biljetten, met niet-opvolgende nummers.

'Papa zei al dat je alles meteen zou willen,' zegt Mouse Junior glimlachend.

'Waarom probeerde je dan te sjacheren?' vraagt Frank. Omdat je een flikflooiende, betweterige kluns bent, denkt hij, die probeert te bewijzen hoe slim en hard hij is. En dat ben je geen van beide. Als je slim was, had je je niet zo in de nesten gewerkt. Als je hard was, had je het zelf opgelost.

'Puur zakelijk,' zegt Mouse Junior. 'Niks persoonlijks.'

Frank wou dat hij een dubbeltje had gekregen voor elke keer dat hij dat smoesje heeft gehoord. Die maffiosi hebben het allemaal in de eerste *Godfather* gehoord en ze vonden het mooi. Nu gebruiken ze het allemaal. Net als het woord 'godfather' trouwens; tot de film uitkwam had Frank het woord nooit in die context gehoord. De baas was gewoon de 'baas'. Het waren goeie films en zo – nou, twéé ervan – maar ze hadden niets te maken met de maffia, niet de maffia die Frank kent tenminste.

Misschien is het gewoon iets van de Westkust, denkt hij. Wij hadden helemaal niets met al dat zwaarwichtige 'Siciliaanse' gedoe.

Of misschien is het hier gewoon te warm voor al die hoeden en jassen.

'Meneer Machine?' zegt Travis.

Frank kijkt hem vuil aan.

'Meneer Machianno, bedoel ik,' zegt Travis. 'Er is nog iets.'

'Wat dan?'

'De bijeenkomst is vanavond,' zegt Mouse Junior.

'Vanavond?' vraagt Frank. Het is al na middernacht. Over drie uur en vijfenveertig minuten moet hij eruit.

'Vanavond.'

Frank zucht.

Mij zijn is een hele klus.

8 MOUSE JUNIOR geeft hem een mobiele telefoon.

'Hij zit onder een voorkeuzetoets,' zegt hij terwijl hij de toets voor hem indrukt.

Vena neemt pas na vijf keer op.

'Hallo?' Het klinkt alsof de telefoon hem heeft gewekt.

'Vince? Met Frank Machianno.'

Er valt een lange stilte, wat Frank verwachtte. Vince zijn hoofd zal tollen, vermoedt hij, terwijl hij zich afvraagt waarom Frankie Machine aan de telefoon is, hoe hij aan zijn nummer komt en wat hij wil.

'Frankie! Dat is lang geleden.'

'Te lang,' zegt Frank, maar hij meent het niet.

Als hij Vince Vena nooit meer had gesproken zou hij dat prima hebben gevonden. Hij kent Vince van vroeger, de jaren tachtig in Vegas, toen dat braakliggend terrein was en ieders speelplaats. Vince was een vaste gast in de Stardust, hoorde praktisch bij het meubilair. Als hij niet aan de blackjacktafel zat, liep hij de shows van de komieken af en irriteerde dan iedereen door hun nummers na te doen. Vince vleide zich met de gedachte dat hij een aardig goede Dangerfield imiteerde, wat niet zo was, wat hem er helaas nooit van weerhield het te doen.

Arme Rodney, denkt Frank nu. Dat was een écht leuke man.

'Hé, Vince,' zegt Frank. 'Die kwestie met Mouse Ju... de zoon van Pete.'

'J.,' souffleert Mouse Junior.

Vince klinkt nijdig. 'Wat is daarmee? Is Mousepik Junior bij je komen uithuilen?'

'Hij heeft contact gezocht.'

Frank kiest deze woorden weloverwogen, omdat ze een heel specifieke betekenis hebben: *Ik ben er nu bij betrokken. Je hebt met mij te maken.*

Vince hoort het. 'Ik wist niet dat je in de dvd-branche zat, Frank. Als ik het had geweten was ik eerst naar jou toe gekomen. Geen gebrek aan respect, hè?'

'Ik zit er niet in, Vince. Het is alleen maar, nou ja, de zoon van de baas neemt contact met me op, wat moet ik dan doen?'

'De baas?' Vince lacht, zingt dan: 'Wie is de leider van de club voor jou en mij? M-I-C-K-E-Y M-O-U-S-E.'

'Hoe dan ook,' zegt Frank. 'Ik kom mee naar de bijeenkomst, als je geen bezwaar hebt.'

En anders ook.

'Die jongelui,' gaat Frank verder, 'ze weten niet hoe het hoort,' – hij werpt de twee idioten tegenover hem een scherpe blik toe en ze kijken naar de vloer – 'maar jij en ik, ik weet zeker dat we het kunnen regelen.'

Dat weet hij wel zeker. Hij wil tien van de vijftig mille meenemen bij wijze van gebaar en dan met Vince onderhandelen tot vijftien procent over de rest van de deal. Dat is een eerlijk bod, dat Vince zou moeten accepteren. Zo niet, dan heeft Mouse Senior een reden om in Detroit te klagen over Vena, hem in het gareel te krijgen. Als dat allemaal niet werkt...

Frank wil er zelfs niet aan denken.

Het zal werken.

'Hé, zoals het hoort, Frankie,' zegt Vince.

Wat betekent dat hij zich redelijk zal opstellen, denkt Frank. Hij zegt: 'Ik zie je zo, Vince.'

'Geef me een halfuur,' zegt Vince. 'Ik en dit kippetje maken wat deining, als je begrijpt wat ik bedoel.'

'Ik weet niet wat je bedoelt,' zegt Frank. En wie zegt er tegenwoordig nog 'kippetje'?

'Heeft Mousepik Junior je dat niet verteld?' zegt Vince. 'Ik zit op een boot. Hier in San Diego.'

'Een boot?'

'Een motorjacht,' zegt Vince. 'Ik heb het gehuurd.'

'Het is wínter, Vince.'

'Een vriend van ons heeft me een mooie deal gegeven.'

Maffioso ten voeten uit, denkt Frank. Zolang ze denken dat ze een mooie deal krijgen doen ze het. Dus je hebt een goedkope kermisartiest op een boot die hij niet kan gebruiken, in de regen.

Klassiek.

Hij weet wat er komen gaat.

Vince stelt hem niet teleur. 'Dus als de boot stampt,' zegt hij, 'blijf dan uit de buurt van mijn hut.'

'Drink jullie bier op,' zegt Frank. 'En laten we dit gaan regelen.'

Hij loopt naar de keuken, opent een lade en haalt er een envelop uit. Hij gaat terug naar de woonkamer, neemt tienduizend van de vijftigduizend, stopt dat in een envelop en steekt die in zijn jaszak.

'Wat doe je?' vraagt Mouse Junior.

'Hebben je ouders je geen manieren geleerd?' vraagt Frank. 'Je gaat nooit met lege handen op visite.'

In diezelfde geest checkt hij het magazijn van zijn .38 en stopt hem achter zijn broeksband, onder het achterpand van zijn jas. Hij kijkt de jongens aan. 'Gewapend?'

'Natuurlijk.'

'Uiteraard.'

'Laat de ijzerwinkel in de auto liggen,' zegt Frank.

Wanneer ze tegensputteren zegt hij: 'Als er iets misgaat – wat ik niet verwacht, maar het zou kunnen – is het laatste wat ik wil dat jullie me per ongeluk door mijn kop schieten. Als de pleuris uitbreekt laat je je vallen en blijft liggen tot het heel stil is en je me hoort zeggen dat je kunt opstaan. Als je me niet hoort zeggen dat je kunt opstaan, is dat omdat je dood bent en dan maakt het niks meer uit. En je laat míj het woord doen. *Capisce?*'

'Gesnopen.'

'Uiteraard.'

'En zeg niet steeds "uiteraard",' zegt Frank tegen Travis. 'Het irriteert me.'

'Uiter...'

'We gaan met jouw auto,' zegt Frank tegen Mouse Junior. Ik heb geen zin om míjn benzine te verstoken, denkt hij, met de huidige benzineprijzen.

Zelfs in de regen houdt Frank van het zicht op San Diego vanaf de haven.

De lichten van de hoge gebouwen in de binnenstad weerkaatsen rood en groen in het water en aan de horizon glanzen de lichten van de Coronado Bay Bridge in de nachtelijke lucht als de diamanten van een collier om de hals van een elegante vrouw.

De regen maakt alles alleen nog maar sprankelender.

Hij houdt van deze stad.

Altijd al zo geweest.

Ze vinden zonder moeite een parkeerplaats en de steiger waar Vena's motorjacht ligt aangemeerd. Terwijl ze over de drijvende steiger lopen brengt Frank ze in herinnering: 'Denk eraan, laat alles aan mij over.'

'Maar we zouden kunnen helpen,' zegt Mouse Junior.

'Als het uit de klauwen loopt,' verduidelijkt Travis.

'Niet helpen,' zegt Frank.

Waar leren ze zo praten? De film, denk ik, of tv. Hoe dan ook, het enige wat er 'uit de klauwen loopt' is Vena's percentage, dat automatisch met tien punten zal zakken enkel en alleen door mijn aanwezigheid. Hij weet wat Vena zal doen: proberen Frank alleen te spreken en zeggen dat als hij zorgt dat Mouse veertig procent geeft hij Frank vijf zal geven.

En ik zal het bod afwijzen omdat het de zoon van een baas is, wat Vince zal begrijpen; daarna beginnen we aan het echte *hondeling*. Ook een woord dat Herbie zaliger gedachtenis me geleerd heeft.

Hij vindt de boot, de *Becky Lynn*. De naam zegt alles: twee kerels krijgen van hun vrouw eindelijk toestemming om samen een boot te kopen en noemen hem naar hun beider echtgenotes, zodat ze niet jaloers worden. Niet op elkaar, niet op de boot.

Wat nooit werkt, denkt Frank.

Vrouwen en boten gaan samen als...

Als vrouwen en boten.

Hij stapt van de steiger op het achterdek. De hut is helemaal afgesloten tegen de regen, maar er brandt licht en Frank hoort binnen muziek.

'Ahoi!' roept hij, omdat hij het niet kan laten.

De deur gaat open en Vince Vena's lelijke gezicht verschijnt. Nooit een knappe vent geweest, Vince. Heeft zo'n mager gezicht met oude acnelittekens en zijn ogen staan een beetje te dicht bij elkaar. Nu grijpt hij hem bij de kraag van zijn overhemd, geeft er een ruk aan en zegt, à la Rodney: 'Mijn vrouw en ik waren twintig jaar heel gelukkig...'

Toen ontmoetten we elkaar, denkt Frank.

'Toen ontmoetten we elkaar,' zegt Vince en hij lacht. 'Blijf niet in de regen staan, Frank. Bewijs dat ze het mis hebben met wat ze over je zeggen.'

Vince gaat weer de hut in en laat de deur openstaan.

Frank stapt naar binnen, de deur gaat dicht en de garrot ligt om zijn hals en snijdt in zijn keel voordat hij zijn handen omhoog kan brengen. Wat maar goed is ook, want instinctief probeer je ze tussen de draad en je keel te krijgen en dat is het laatste wat je moet doen; het eindigt ermee dat je vingers tegelijk met je luchtpijp worden doorgesneden.

Het is een reus van een vent. Frank voelt zijn lengte en zijn omvang en weet dat hij qua spierkracht niet tegen hem op kan. Dus brengt hij zijn hand achter zich en ramt zijn vingers in de ogen van zijn aanvaller, die hem daardoor niet loslaat, maar wel naar adem hapt, en Frank gebruikt die seconde om in elkaar te duiken, de man bij zijn pols te pakken, zich om zijn as te draaien en de man over zijn heup tegen het dek te smijten.

Zijn would-be wurger landt met een smak op de kleine eettafel en Frank rolt door en duikt onder de tafel net op het moment dat Vince een pistool trekt en in elkaar duikt om hem neer te schieten.

Franks wapen glijdt in één soepele beweging tevoorschijn. Hij ziet alleen de benen van Vena, dus mikt hij iets hoger en schiet twee keer, ziet de benen van Vince achteruit wankelen en tegen de wand in elkaar zakken en hij hoort Vince gillen: 'O godver, o godver.'

Frank doet zijn ogen dicht en schiet drie keer door het tafelblad heen. Multiplexsplinters raken zijn gezicht en dan is alles stil. Frank opent zijn ogen en ziet bloed omlaag druppelen.

Hij blijft onder de tafel voor het geval er een derde is.

Hij hoort rennen op de steiger, twee paar voeten die ervandoor gaan en hij vermoedt dat het Mouse Junior en Travis zijn.

Uiteraard.

Frank dwingt zichzelf dertig seconden te wachten voordat hij onder de tafel vandaan kruipt.

De would-be wurger is dood, twee kogelgaten en een hoop multiplexsplinters in zijn gezicht. Hij is reusachtig groot – zeker honderd kilo. Frank inspecteert wat er over is van zijn gezicht. Hij herkent hem ergens van, maar weet niet precies waarvan.

Vince ademt nog; hij zit met zijn rug tegen de wand en probeert met zijn handen zijn ingewanden binnen te houden.

Frank hurkt naast hem. 'Vince, wie heeft je gestuurd?'

Vinces ogen staren de ruimte in. Frank heeft die blik vaker gezien; Vince gaat het niet halen. Of hij nu naar het witte licht kijkt of wat dan ook, hij heeft dit hotel al verlaten en wat hij op dit moment ook hoort, het is niet Franks stem.

Toch doet Frank nog een poging. 'Vince, wie heeft je gestuurd?'

Niets.

Frank zet de loop op Vinces hart en haalt de trekker over. Dan gaat hij zitten om op adem te komen, verbaasd en boos dat zijn hart bonst. Hij dwingt zichzelf enkele keren lang en diep in te ademen om zijn hartslag omlaag te brengen.

Dat duurt een minuut.

Je wordt er niet jonger op, denkt hij. En je was bijna ook niet meer ouder geworden. En je verdient het ook niet, als je zo stom en zo slordig bent.

Je door een ettertje zoals Mouse Junior in de val laten lokken.

En dat is wat hij gedaan heeft. Hoe zeggen die jongelui dat tegenwoordig. Hij 'piepelde' je. Werkte op je ego en lokte je in de val.

Frank staat op en werpt een lange blik op de man op de tafel.

Hij heeft de garrot nog in zijn handen. Ouderwets, denkt Frank, ijzerdraad gebruiken. Maar ze wilden waarschijnlijk niet het lawaai van een wapen riskeren, tenzij ze niet anders konden. Gebruik dan een demper. Tenzij de garrot bedoeld was om het langzaam en pijnlijk te maken, in welk geval het persóónlijk was.

Maar wie haat me zo erg?

Wees reëel, houdt hij zichzelf voor, het is een lange lijst.

Frank start de motor. Dan gaat hij naar buiten en maakt de boot los van zijn ligplaats. Gelukkig zijn de boten aan weerszijden verlaten, opgelegd voor de winter. Hij gaat weer naar binnen, laat de motoren warmdraaien en vaart dan achteruit.

Hij stuurt de boot naar de vaargeul en zet koers naar zee.

9 GEEN GOEDE nacht om buitengaats te zijn.

Te veel deining en korte golfslag en de stormgolven stuwen de boot terug naar de kust.

Frank slaagt er niettemin in een kilometer of vijftien de oceaan op te komen. Hij heeft als kind honderden keren in deze wateren gevist. Hij kent elke stroming en geul en hij weet precies waar hij de lijken wil dumpen, zodat als ze ooit aanspoelen, het in Mexico zal zijn.

De *federales* zullen denken dat het om een verkeerd afgelopen drugsdeal gaat en circa twee minuten besteden aan het oplossen van de zaak.

Evengoed is het klote hierbuiten, met de wind en de regen en de deining, en Franks grootste angst is dat hij een boot van de kustwacht zal tegenkomen die hem zal aanhouden en zal willen weten wat voor idioot er op een avond zoals deze met een boot op uit gaat.

Ik hou me van de domme, denkt Frank.

Wat niet moeilijk moet zijn, gezien mijn prestaties van vanavond.

Zijn hals doet pijn van het ijzerdraad. Maar pijn is goed, denkt hij, als je nagaat dat hij eigenlijk niets meer zou moeten voelen.

Het moet Mouse Senior zijn, denkt hij, die er zeker van wil zijn dat ik niet doorsla over de moord op Goldstein.

Niet aan denken nu, houdt hij zichzelf voor.

Eén ding tegelijk.

Hij vindt de stroming die hij zoekt, zet een anker uit en dooft de boordlichten.

Het is een heel karwei om twee lijken overboord te zetten. Vandaar de uitdrukking *dood gewicht*, denkt hij als hij zijn armen onder die van Vince steekt en hem naar het achterdek sleept. Gelukkig is het een sportvissersboot, met een verlaagd achterdek, zodat hij hem niet over de reling hoeft te tillen, maar hem gewoon naar achteren kan slepen en hem eraf kan schoppen.

De ander is een groter probleem, letterlijk, en Frank heeft er tien minuten voor nodig om hem naar het dek te slepen, over hem heen te stappen en het lijk in het water te rollen.

Wat nu? denkt Frank.

Je moet een tijdje van de radar verdwijnen, tot je weet wie je dood wil en wat je eraan kunt doen. Je kunt deze van bloed doordrenkte boot niet gewoon terugbrengen naar zijn ligplaats en wegwandelen, want je weet niet wie je daar misschien opwacht. De beste optie zou de politie zijn, en dat is absoluut geen optie. Geen mens zal geloven dat 'Frankie Machine' uit zelfverdediging twee maffiafiguren heeft neergeschoten.

Dus...

Hij gaat weer de hut in en kijkt om zich heen. Hij heeft geluk in een opslagkast, waar hij een duikuitrusting en tanks vindt en daaronder een klavertjevier in de vorm van een wetsuit dat hem past. Hij kleedt zich uit, wurmt zich in de wetsuit, die heel strak zit. Maar beter strak dan los, denkt Frank. Dan stopt hij zijn kleren, een handdoek, de envelop met de tien mille en het wapen van Vince in een waterdichte zak. Hij veegt zijn eigen wapen af en gooit het dan met tegenzin overboord. Hij zal de .38 missen, maar het is een moordwapen, in elk geval in de vooringenomen ogen van de wet.

Daarna stuurt hij naar de kust, brengt de boot tot op zo'n vijfhonderd meter van het strand en zet de motoren af. Hij draait het roer weer in de richting van de open oceaan, zet er een klamp op, start de motor weer, bindt de waterdichte zak aan zijn enkel en laat zich overboord zakken.

Het water is koud, zelfs met de wetsuit aan, en een schok voor zijn onbedekte hoofd. Vijfhonderd meter zwemmen is een heel eind in deze omstandigheden en hij wil langzaam beginnen en dan versnellen. Maar hij weet precies waar hij is en zwemt naar een stroming die hem naar de punt van Ocean Beach bij Rockslide zal dragen. Het is de kunst door de branding heen te komen zonder tegen de rotsen te worden geslagen, dus hij zwemt langzaam en laat de stroming het werk doen.

Frank is een goede zwemmer en voelt zich meer dan op zijn gemak in de oceaan, zelfs 's nachts in ijskoud water. Hij blijft in de stroming, richt zich op de lichten van de kust en begint pas hard te zwemmen als hij de golven hoort breken.

Het zal zwaar worden en hij kan zich niet ten zuiden van Rockslide laten trekken, want de volgende halte is Mexico. Dus trekt hij zich uit de stroming, brengt zijn hoofd omlaag en begint een krachtige Australische crawl recht de branding in. Hij voelt dat een golf hem optilt en naar het strand stuwt, en dat is goed, maar dan meerdert de golf vaart en trekt hem recht naar de rotsen en hij kan er niets aan doen, behalve hopen dat zijn geluk standhoudt.

Dat doet het.

De golf breekt een dikke twintig meter van de rotsen en hij slaagt erin te gaan staan en de rest van de afstand te waden. Hij gaat op handen en knieën zitten en kruipt over de glibberige rotsen aan land.

De lucht is kouder dan het water, door de wind en de regen, en hij wurmt zich haastig uit de wetsuit, droogt zich af en trekt zijn eigen kleren weer aan. Dan stopt hij de wetsuit in de zak en gaat op weg.

Maar niet naar huis.

Degene die geprobeerd heeft hem te grazen te nemen zal het opnieuw proberen, móét het opnieuw proberen, en zijn enige voorsprong is dat Mouse Junior en zijn vriendje naar huis zijn gerend en gezegd zullen hebben: 'Frankie Machine is naar de kelder gegaan.'

Mooi, dat geeft me even tijd. Een paar uur, hooguit, want als ze geen telefoontje van Vena krijgen dat 'het gepiept is', zullen ze zichzelf vragen gaan stellen. Als ze een beetje verstand hebben – en je moet ophouden ze te onderschatten – zullen ze het ergste veronderstellen.

Maar goed, het geeft me heel even tijd om van de radar te verdwijnen.

Elke voorzichtige professionele huurmoordenaar heeft een onderduikadres en Frank is meer dan voorzichtig. Het zijne is een leegstaand appartement in Narragansett Street, een kleine, eenvoudige flat op de eerste verdieping van een huis tien minuten lopen hiervandaan. Het heeft een eigen ingang via een achtertrap. Hij heeft het twintig jaar geleden gekocht, toen vastgoed nog goedkoop was, het te huur gezet en nooit verhuurd. Ging er alleen om de paar maanden naartoe om de boel te controleren en bleef dan maar een paar minuten, nadat hij gecontroleerd had of hij gevolgd was.

Niemand weet van het bestaan ervan – Patty niet, Donna niet, Jill niet.

Zelfs Mike Pella niet.

Hij loopt erheen en gaat naar binnen.

Het eerste wat hij doet is een douche nemen.

Hij blijft lange tijd onder de straal staan, aanvankelijk rillend, tot het hete water hem eindelijk verwarmt. Het duurt even, want hij is verkild tot op het bot. Met tegenzin stapt hij eronderuit, droogt zich stevig af, trekt dan een dikke badstoffen badjas aan en loopt naar de slaapkamer/woonkamer/keuken, waar hij de onderste lade van een kast opentrekt, er een dik sweatshirt en een trainingsbroek uit haalt en aantrekt. Dan gaat hij naar de kast en opent een kluisje dat achter wat jassen en jacks aan de vloer is bevestigd.

In de kluis zit zijn 'parachutepak' – een rijbewijs van Arizona, een American Express Gold-kaart en een Visa Gold-kaart, allemaal op naam van Jerry Sabellico. Om de maand of zo doet hij een telefonische aankoop met de kaarten om ze geldig te houden en hij betaalt met cheques van zijn Sabellico-rekening. Er zit ook tienduizend dollar in contanten in, in verschillende biljetten.

En een nieuwe, schone .38 Smith & Wesson met reservemunitie.

Hij opent een luik naar een kruipruimte boven het plafond. Hij tast rond en vindt snel wat hij zoekt, een foedraal met een Beretta SL-2 kaliber 12 jachtgeweer met een afgezaagde loop van dertig centimeter.

Wat je nu nodig hebt is slaap, denkt hij.

Een vermoeid lichaam en een door vermoeidheid beneveld brein worden je dood. Je moet scherp denken en handelen, dus je gaat nu eerst slapen. Het is een kwestie van wilskracht, paranoia uitschakelen, rationeel denken en weten dat je hier veilig bent. Een amateur zou de hele nacht wakker liggen, bij elk geluid schrikken, geluiden verzinnen die er niet zijn.

Hij heeft op genoeg mensen gejaagd om te weten dat hun eigen hoofd hun grootste vijand kan zijn. Ze gaan dingen zien die er niet zijn en dan, nog erger, dingen níét zien die er wél zijn. Ze piekeren en piekeren en vreten zichzelf op tot ze bijna dankbaar zijn als je ze hebt gevonden. Tegen die tijd zijn ze in gedachten al zo vaak gedood dat het een opluchting is als het zover is.

Dus gaat hij naar bed, sluit zijn ogen en slaapt binnen tien seconden.

Moeilijk is het niet; hij is doodop.

Hij slaapt elf volle uren en wordt uitgerust wakker, zij het dat hij wat pijn in zijn armen heeft van het lange zwemmen. Hij zet koffie – goedkope gemalen koffie uit een koffiezetapparaat – en ontbijt met een paar mueslirepen die hij als een mormoon heeft bewaard.

Het appartement heeft één klein raam op het westen en de regen roffelt tegen de ruit. Frank gaat aan de kleine, goedkope tafel zitten en begint aan zijn probleem te werken.

Wie wil me dood hebben?

Mike, waar ben je? Jij zou me kunnen vertellen wat er gaande is.

Maar Mike is er niet; misschien is Mike ook dood, want hij en Frank hebben vaak samengewerkt. Samen hebben ze heel wat lui in het stof doen bijten.

Frank begint bij het begin.

10 ZIJN EERSTE opdracht was een vent die al dood was.

Dat was het bizarre ervan. Nou ja, alles eraan was volledig bizar, denkt Frank nu, terwijl hij naar de buiten neerkomende regen kijkt.

Dat hele gedoe met de vrouw van Momo.

Marie Anselmo was een lekker wijffie.

Zo zouden we haar in 1962 genoemd hebben, denkt Frank. De jongelui hebben het inmiddels afgekort tot 'een lekkertje', maar het idee is hetzelfde.

Marie Anselmo was lekker en ze was klein. Tenger, maar met een mooi balkon achter die strakke blouse en een paar welgevormde benen die Franks negentien jaar oude ogen omhoogleidden naar een achterwerk waarvan hij op slag een stijve kreeg. Niet dat dat zo moeilijk was, herinnert Frank zich. Toen je negentien was kreeg je overal een stijve van.

'Ik kreeg 's morgens een stijve als ik naar school reed,' heeft hij Donna eens verteld, 'gewoon door het hotsen van de auto. Twee jaar lang heb ik een relatie gehad met een Buick uit '57.'

Ja, maar Marie Anselmo was geen Buick. Ze was puur Thunderbird, met dat lijf, die donkere ogen en die volle lippen. En die stem, die rokerige kom-naar-me-toe-stem waar Frank gek van werd, zelfs als ze alleen maar zei dat hij zich moest omdraaien.

Wat ongeveer alles was wat Marie ooit had gezegd tegen Frank, wiens taak het indertijd was haar in de auto van Momo rond te rijden, omdat Momo het te druk had met het geld dat hij op straat had uitstaan of met het runnen van zijn gokbedrijfje om boodschappen te gaan doen met zijn vrouw of naar de kapper of de tandarts of wat dan ook te gaan.

Marie bleef niet graag thuis.

'Ik ben niet zo'n doorsneespaghettivreetster,' had ze eens tegen Frank gezegd toen hij een paar maanden chauffeur had gespeeld, 'die thuisblijft, baby's produceert en de pasta maakt. Ik ga graag uit.'

Frank had geen antwoord gegeven.

Ten eerste omdat hij een stijve had waarmee je stenen kon breken, zodat het grootste deel van zijn bloed niet geconcentreerd was in het deel dat verantwoordelijk is voor de spraak. En ten tweede, hij wilde het bloed in zijn lichaam behouden, wat problemen kon opleveren als je persoonlijke kwesties besprak met de vrouw van een maffiabaas.

Dat was iets wat niet hoorde, zelfs niet in de meer dan informele maffiacultuur van San Diego, waar nauwelijks een maffia bestond.

In plaats daarvan zei hij: 'Gaan we naar Ralph's, mevrouw A.?'

Hij wist het al, ook al was Marie anders gekleed dan de meeste vrouwen zich kleden als ze naar de supermarkt gaan. Die dag had Marie een strakke jurk aan waarvan de drie bovenste knoopjes openstonden, zwarte kousen, en een parelsnoer om haar hals dat je blik regelrecht naar haar decolleté trok. Alsof haar decolleté dat niet op eigen houtje kon, dacht Frank terwijl hij er een stiekeme blik op wierp en zich afvroeg of ze onder die jurk een zwarte beha aanhad. Toen hij een parkeerplaats bij Ralph's opreed en de auto tot stilstand bracht, kroop haar rok op terwijl ze uitstapte en kon hij een blik werpen op die blanke dijen onder het zwarte slipje.

Ze trok haar rok omlaag en glimlachte naar hem.

'Wacht op me,' commandeerde ze.

Het wordt vanavond een lange worsteling met Patty op de parkeerplaats bij Ocean Beach, zeker weten, dacht hij. Hij ging op dat moment al een jaar met Patty en alles wat hij mocht voelen was een beetje tiet aan de buitenkant van haar blouse, als hij tenminste deed alsof het een toevallige aanraking was. Patty had ook een paar stevige, maar haar beha was gebouwd als een fort en wat omláág gaan betreft, vergeet het maar, daar kwam niks van in.

Patty was een braaf Italiaans meisje, en goed katholiek, dus de ramen besloegen wel als ze met hem tongde omdat ze al een jaar vaste verkering hadden, maar daar bleef het bij, ook al zei ze dat ze hem graag met de hand zou bevredigen, waar hij al zo lang om smeekte.

'Ik heb blauwe ballen,' zei hij tegen haar. 'Ze doen pijn.'

'Als we verloofd zijn,' beloofde ze hem, 'trek ik je af.'

Maar het wordt een lange avond vanavond, dacht Frank terwijl hij naar de kont van mevrouw A. keek die over de parkeerplaats deinde. Hoe een zo lelijke vent als Momo Anselmo dát aan de haak had geslagen was een eeuwigdurend mysterie.

Momo was een magere, wat gebogen vent met een gezicht als een bloedhond. Marie was dus beslist niet gevallen op zijn uiterlijk. En het kon ook niet vanwege zijn geld zijn; Momo deed het aardig, maar hij deed het niet fantastisch. Hij had een leuk huis en zo en de vereiste gangster-Cadillac en voldoende geld om de bink uit te hangen, maar Momo was geen Johnny Roselli of zelfs Jimmy Forliano. Momo was een hele piet in San Diego, maar iedereen wist dat San Diego in feite vanuit L.A. werd gerund en dat Momo dik moest afschuiven aan Jack Drina, ook al ging het gerucht dat de L.A.-baas kanker had.

Maar Frank mocht Momo en het zat hem dus niet lekker dat hij op diens vrouw geilde. Momo gaf hem kansen, liet hem meedoen, al was het dan als boodschappenjongen, maar zo deden de meesten mee. Dus vond Frank het niet erg om koffie en donuts te gaan halen, of sigaretten, of om Momo's Caddy te wassen en zelfs niet om zijn vrouw naar de supermarkt te brengen. Hij hoefde in elk geval niet mee naar binnen om het winkelwagentje te duwen – zelfs van een leerling-gangster werd dat niet verwacht – dus bleef hij rondhangen, wachtte in de auto en luisterde naar de radio. Ook al kankerde Momo dat de accu dan leegliep, hij hoefde dat niet te weten.

Wat stukken beter was dan zich het schompes werken op de tonijnboten, wat hij zou hebben gedaan als Momo hem geen kans had gegeven. Dat was wat Franks ouweheer deed en wat zijn ouweheer had gedaan en wat zijn ouweheer had gedaan. De Italianen waren naar San Diego gekomen en hadden de tonijnvisserij overgenomen van de Chinezen en dat was wat de meesten nog altijd deden en wat Frank had gedaan vanaf de tijd dat hij groot genoeg was om aas op te graven.

Buitengaats op een tonijnboot voordat de zon opkwam, koud en nat, tot je ballen in een stinkend visruim of, erger nog, de spuigaten schoonmaken. Toen hij groter werd was hij bevorderd tot werken aan het net en toen zijn ouweheer dacht dat hij een mes kon hanteren zonder zijn eigen hand eraf te snijden had hij de vis schoongemaakt en als hij klaagde dat het walgelijk en smerig was, had zijn ouweheer gezegd dat dat de reden was waarom hij zijn middelbare school moest afmaken.

Dus dat deed Frank. Hij haalde zijn diploma, maar wat moest hij ermee? Zijn keus leek zich te beperken tot de mariniers en de tonijnvloot. Hij wilde niet op de tonijnboten blijven of zijn kop kaal laten scheren in een opleidingskamp. Wat hij eigenlijk wilde was op het strand rondhangen, surfen, over de Pacific Coast Highway heen en weer rijden, zijn maagdelijkheid proberen te verliezen en nog wat meer surfen.

En waarom verdomme niet? Dat deed je nou eenmaal als je een jonge vent in San Diego in die tijd was. Je surfte met je maten, je reed heen en weer over de boulevard en je zat achter de meiden aan.

Een van de velen die een manier probeerden te vinden om het luie leventje te rekken.

En dat was niet de tonijnboot of de mariniers.

Dat was Momo.

De ouweheer vond het maar niks.

Natuurlijk vond-ie het maar niks. De ouweheer was van de ouwe stempel. Je zoekt een baan, je werkt je de pleuris, je trouwt en je onderhoudt je gezin, einde verhaal. En er waren dan wel niet veel maffiosi in San Diego, de ouweheer had niet bepaald veel op met de paar die er wel waren, Momo inbegrepen.

'Ze bezorgen ons een slechte naam,' zei hij.

En dat was zo'n beetje alles wat hij zei, want wat kón hij zeggen? Frank wist maar al te goed waarom de ouweheer een goede prijs kreeg van de visopkopers, waarom zijn vangst werd uitgeladen terwijl hij nog vers was en waarom de vrachtwagenchauffeurs hem rechtstreeks naar de markten brachten. Als de Momo's van deze wereld er niet geweest waren, zouden de brave, eerlijke, hardwerkende burgers van het zakenleven de Italiaanse vissers genaaid hebben als een goedkope snol in een ezelshow in Tijuana. Vraag maar eens wat er gebeurde met de dokwerkers in deze stad toen ze een fatsoenlijk loon probeerden te bedingen en een vakbond begonnen zonder dat de maffiosi ze steunden. De politie ranselde ze af en schoot op ze tot het bloed door Twelfth Street stroomde als een rivier naar de zee, dát gebeurde er. En dat gebeurde niet met de Italianen, en dat kwam niet doordat ze zo hard werkten (wat ze deden) om hun gezin te onderhouden.

Dus toen Frank steeds minder tijd op de boot doorbracht en niet bij de mariniers ging, maar in plaats daarvan bij Momo tekende, zeurde de ouweheer een beetje, maar meestal hield hij zijn mond. Frank verdiende, hij betaalde kost en inwoning en de details wilde de ouweheer niet weten.

Die details waren eigenlijk tamelijk saai.

Tot dat met Momo's vrouw gebeurde.

Het begon goed.

Frank hing op een dag wat rond toen Momo naar buiten kwam en zei dat hij de Caddy moest wassen en poetsen omdat ze naar het station gingen om een speciale bezoeker af te halen.

'Wie, de paus?' vroeg Frank, die indertijd dacht dat hij grappig was.

'Nog beter,' zei Momo. 'De baas.'

'DeSanto?'

De ouwe Jack Drina was eindelijk gestorven en de nieuwe baas, Al DeSanto, had het overgenomen in L.A.

'Menéér DeSanto voor jou,' zei Momo, 'áls je je mond al opendoet, wat je beter niet kunt doen als hij je niet rechtstreeks iets vraagt. Maar inderdaad, de nieuwe koning komt op bezoek in de provincie.'

Frank wist niet precies wat Momo daarmee bedoelde, maar hij ving een toon op en wist evenmin wat die betekende.

'Jezus, rij ik de baas rond?'

'Je poetst de auto voor míj om de baas rond te rijden,' zei Momo. 'Ik breng hem naar het restaurant; jij haalt Marie op en brengt haar later daarheen.'

Nadat ze het over zaken hadden gehad, wist Frank.

'En kleed je fatsoenlijk,' zei Momo, 'niet als zo'n surfschooier.'

Frank dofte zich op. Eerst poetste hij de auto tot hij blonk als een zwarte diamant, daarna ging hij naar huis, douchte zich, boende zijn huid tot het pijn deed, schoor zich nogmaals, kamde zijn haren en trok zijn enige pak aan.

'Moet je jou zien,' zei Marie toen ze opendeed.

Moet je míj zien? Moet je jóú zien, dacht Frank. Haar zwarte cocktailjurk was diep uitgesneden, zowat tot haar tepels, en haar volle borsten werden opgeduwd door wat een strapless beha moest zijn. Onwillekeurig keek hij ernaar.

'Vind je mijn jurk mooi, Frank?'

'Hij is leuk.'

Ze lachte, liep naar haar kaptafel, nam een haal van haar sigaret en nog een slok van de martinicocktail die op de tafel stond te beslaan. Iets in haar gedrag maakte Frank duidelijk dat het die avond niet haar eerste drankje was. Ze was niet dronken, maar ze was ook niet broodnuchter. Ze draaide zich weer naar hem om en bekeek hem van top tot teen, duwde haar gelakte haren keurig in haar nek, pakte haar zwarte tasje en zei: 'Dus je denkt dat ze nu klaar zijn?'

'Daar weet ik niets van, Mrs. A.'

'Zeg maar Marie.'

'Dat kan ik niet doen.'

Ze lachte opnieuw. 'Heb je een vriendin, Frank?'

'Ja, Mrs. A.'

'Ach ja,' zei ze. 'Dat meisje van Garafalo. Ze is knap.'

'Dank u.'

'Dat is niet jóúw verdienste,' zei ze. 'Doet ze het?'

Frank wist niet wat hij moest zeggen. Als een meisje het deed, zei je dat niet en als ze het niet deed, zei je het evenmin. Trouwens, het ging Mrs. A. niks aan. En waarom vroeg ze het eigenlijk?

'We kunnen maar beter naar de club gaan, Mrs. A.'

'We hebben geen haast, Frank.'

Jawel, dat hebben we wel, dacht Frank.

'Mag een meisje haar glas niet eens leegdrinken?' vroeg ze terwijl ze haar zoenlippen tot een pruilmondje vormde. Ze tastte achter zich, pakte haar glas en dronk eruit, hem strak aankijkend, en het was alsof ze hem pijpte, iets wat Frank nooit was overkomen, maar waar hij over gehoord had. Het was net een scène uit een van de pornoboekjes die hij las, alleen, van

zo'n boekje lezen ging-ie niet dood en hiervan misschien wel.
Ze dronk haar glas leeg, keek hem strak aan, lachte toen weer en zei: 'Oké. We gaan.'
Zijn hand trilde toen hij de deur opende.
Ze zag het en het deed haar blijkbaar plezier.
Ze praatten niet onderweg naar de club.

Het was de duurste club in de hele stad.
Momo zou de baas uit L.A. nergens anders mee naartoe nemen dan naar de beste gelegenheden; bovendien was de club eigendom van een vriend van hem. Een vriend van hén. Dus kregen ze een grote tafel vooraan, vlak bij het podium, en de meeste maffiosi uit San Diego waren er met hun vrouw, de vriendinnen waren achtergebleven in hun appartement, met strikte orders om hun haren te wassen of zoiets en zelfs niet in de búúrt van de club te komen. Dit was een staatsbezoek, wist Frank, om te bevestigen dat DeSanto de nieuwe baas van Los Angeles was en dus ook de baas van San Diego.
Alleen, DeSanto had zijn vrouw niet meegebracht. Net als de handvol mannen die hij had meegebracht. Nick Locicero, DeSanto's tweede man, was er, en Jackie Mizzelli en Jimmy Forliano, allemaal heel zware jongens die aan die tafel zaten, allemaal kerels die verwachtten dat ze die avond een nummertje zouden maken. Frank was blij dat hij díé baan niet had, maar hij wist dat alles geregeld was, dat een paar van de serveersters al hadden toegezegd dat ze na afloop met die kerels mee zouden gaan, maar tot die tijd uit de buurt van de tafel moesten blijven.
Net als Frank. Niet dat hij verwacht had dat hij aan tafel zou zitten. Hij wist dat hij zo'n zevenendertig sporten lager op die ladder stond en dat zijn taak eruit bestond dat hij in de kamer rondhing voor het geval Momo opkeek alsof hij iets wilde.
Momo zat aan het midden van de tafel, naast DeSanto uiteraard.

Alleen, DeSanto praatte niet met Momo.

Hij praatte met Marie.

En hij zei ook iets grappigs, want Marie lachte luidkeels, boog zich naar hem toe en liet hem een heleboel tiet zien.

En DeSanto keek ook, nam niet eens de moeite om het te verbergen. En ze gaf hem volop kansen, leunde naar hem toe zodat hij haar sigaret kon aansteken, haar parfum kon ruiken, heel dicht naar hem toe terwijl ze deed alsof ze hem door de muziek en het geroezemoes niet kon verstaan.

Frank sloeg het gedoe gade; hij kon zijn ogen niet geloven.

Er bestonden regels voor maffiosi en hun vrouwen, verschillende regels voor zussen, nichten, minnaressen en vrouwen. Je behandelde de *gumar* van een maffiabaas niet zoals DeSanto Momo's *vrouw* behandelde. En als iemands vriendin met een ander flirtte zoals Mrs. A. met DeSanto deed, haalde die vriendin zich een stevig pak slaag op de hals als ze thuiskwamen.

Er zijn regels, dacht Frank, zelfs voor een baas.

Hij had bepaalde voorrechten, maar daar hoorde dit niet bij.

Dus was Frank nijdig namens Momo, maar hij moest toegeven dat hij ook een beetje jaloers was. Shit, dacht Frank, twee uur geleden legde ze het nog met mij aan. Toen voelde hij zich schuldig dat hij zo over Momo's vrouw dacht.

Hij zag haar weer lachen, met schuddende tieten, zag dat DeSanto zich over haar nek boog en iets in haar oor fluisterde. Haar ogen werden groot en ze glimlachte, tikte hem toen speels op zijn wang en hij lachte ook.

DeSanto ziet er niet slecht uit, dacht Frank. Hij is geen Tony Curtis, maar hij is ook geen Momo. Hij droeg een bril met een dik, zwart montuur en had zijn grijzende haren met Brylcreem strak achterovergekamd, met een spuuglok in het midden van zijn kalende voorhoofd, maar hij was niet lelijk. En hij moest charmant zijn, dacht Frank, want reken maar dat hij Mrs. A. charmeert.

Momo leek minder gecharmeerd.

Hij kookte.

Hij was niet zo stom dat hij het liet merken, maar Frank kende Momo intussen goed genoeg; hij merkte dat hij nijdig was. Frank voelde de spanning opstijgen van de hele tafel – alle mannen dronken een heleboel, lachten een beetje te hard, en de vrouwen, de vrouwen waren pisnijdig. Het was moeilijk te zeggen op wie ze nijdiger waren, op DeSanto of op Mrs. A., maar ze hadden een stijve nek van het niet kijken terwijl ze er hun ogen niet van af konden houden. En ze leunden naar voren en fluisterden tegen elkaar zoals vrouwen dat doen en er was niet veel fantasie voor nodig om te weten waar ze over praatten.

Toen Momo opstond om naar het toilet te gaan, ging een van de mannen uit San Diego, Chris Panno, met hem mee. Frank wachtte tot ze naar binnen gingen, toen liep hij de gang in en bleef buiten wachten.

'Hij is je baas.'

'Baas of geen baas, er zijn regels!' zei Momo.

'Praat niet zo hard.'

Momo liet zijn stem enigszins dalen, maar Frank kon hem desondanks horen zeggen: 'L.A. pist op ons. Ze pissen ons helemaal onder.'

'Als Bap hier was...' hoorde Frank iemand zeggen.

'Bap is er niet,' zei Momo. 'Bap zit.'

Frank wist dat ze het over Frank Baptista hadden, die de tweede man in San Diego was geweest tot hij vijf jaar kreeg omdat hij geprobeerd had een rechter om te kopen. Frank had Bap nooit ontmoet, maar hij had beslist over hem gehoord. Bap was al sinds de jaren dertig een legendarische klusjesman. Het was niet te zeggen hoeveel kerels Bap om zeep had geholpen.

'Jack zou het niet gepikt hebben,' zei Momo.

'Jack is dood en Bap zit in de nor,' zei Panno. 'Alles is anders nu.'

'Bap komt binnenkort vrij,' zei Momo.

'Maar niet vanavond,' zei Chris Panno.

'Dit klopt niet,' zei Momo.

Toen zag Frank Nick Locicero de gang in komen.

Shit, wat nu?

Hij nam snel een besluit en liep het herentoilet binnen. De mannen keken hem aan alsof ze wilden zeggen: wel verdomme.

'Eh...' zei Frank. Hij knikte in de richting van de gang. 'Locicero.'

De mannen keken hem even aan en trokken toen hun gezicht in de plooi.

Locicero kwam binnen.

'Wat zijn we, meiden?' vroeg hij. 'Moeten we allemaal tegelijk naar de meisjestoiletten?'

Iedereen lachte.

Locicero keek Frank aan. 'Of zijn dit de jóngenstoiletten?'

'Ik ga al,' zei Frank.

'Kwam je om te pissen?' vroeg Momo aan Frank. 'Pis dan.'

Frank had het er moeilijk mee. Hij ritste zijn gulp open, ging voor het urinoir staan, maar er kwam niets. Maar hij deed alsof er wel iets kwam, schudde zijn pik af, borg hem weer op. Hij zag tot zijn opluchting dat alle mannen zorgvuldig hun handen stonden te wassen en niet op hem letten.

'Leuk feest,' zei Locicero.

'De baas schijnt zich te vermaken,' zei Momo.

Locicero keek hem aan om te zien of hij hem vernachelde of het meende. Toen zei hij: 'Ja, ik geloof het ook.'

Frank wilde alleen maar wegwezen. Hij liep naar de deur.

'Frankie,' zei Momo.

'Ja?'

'Was je handen!' zei Momo. 'Heb je geen opvoeding genoten?'

Frank bloosde en de mannen lachten. Hij liep terug, waste zijn handen en wist de deur weer te bereiken toen Momo zei:

'Jongen, er komt verder niemand binnen, oké?'

Jezus, dacht Frank terwijl hij in de gang de wacht hield. Wat gaat daarbinnen gebeuren? Hij verwachtte min of meer schoten te horen, maar hij hoorde alleen maar stemmen.

Nicky Locicero zei: 'Momo, we zijn gekomen om aardig te zijn.'

'Wat daarginds gebeurt is áárdig?'

'Jullie zijn hier te lang jullie eigen gang gegaan,' zei Locicero. 'Het wordt tijd om weer in het gareel te stappen.'

'Toen Jack...'

'Jack is dood,' zei Locicero. 'De nieuwe baas wil dat jullie begrijpen dat jullie geen eigen familie vormen, jullie zijn gewoon een L.A.-ploeg, honderdvijftig kilometer verderop, meer niet. Hij wil jullie respect.'

Chris Panno bemoeide zich ermee. 'Als hij respect wil, Nick, moet hij respect tónen. Het klopt niet wat daar gebeurt.'

'Ik geef je geen ongelijk,' zei Locicero.

Er kwam een man de gang in om de herentoiletten te gebruiken.

'U kunt niet naar binnen,' zei Frank, hem de weg versperrend.

De man was een burger. Hij snapte het niet. 'Hoe bedoel je?'

'Ze zijn defect.'

'Allemaal?'

'Ja, allemaal. Ik laat het je wel weten, oké?'

De man keek even alsof hij ertegen in wilde gaan, maar Frank was een forse jongen, met spieren die zichtbaar waren onder zijn jack, en de man draaide zich om. Frank hoorde Locicero zeggen: 'Luister, Momo, met alle respect, maar je vrouw heeft een slokje te veel op. Laat die jongen haar naar huis brengen, dan is er geen enkel probleem.'

'Er is wél een probleem, Nick,' zei Momo, 'als die kerel die respect wil onze vrouwen als hoeren behandelt.'

'Wat wil je dat ik zeg, Momo? Hij is de baas.'

'Er zijn regels,' zei Momo.

Hij kwam het toilet uit, pakte Frank bij zijn elleboog en zei: 'Mrs. A. gaat naar huis. Jij brengt haar.'

God nog aan toe, dacht Frank.

'Zeg tegen de portier dat hij de auto haalt,' zei Momo.

Frank moest door het restaurant om buiten te komen. Hij keek in de richting van de tafel en zag dat DeSanto weer tegen Mrs. A. zat te fluisteren, maar nu lachte ze niet. En de handen van de baas lagen niet op tafel. Frank kon ze niet zien onder het lange, witte tafellaken, maar hij kon raden waar ze waren.

Ze waren beneden.

Vijf minuten later sleurde Momo Mrs. A. de club uit. Frank stapte uit en hield het portier voor haar open.

'Wat ben je toch een zakkenwasser,' zei ze tegen Momo.

'Stomme trut, stap in.'

Hij duwde haar in de auto. Frank sloot het portier.

'Breng haar naar huis en blijf bij haar tot ik terug ben,' droeg Momo hem op.

Frank hoopte maar dat hij gauw thuis zou komen. Marie zei onderweg geen woord. Geen woord. Ze stak een sigaret op en begon te paffen, zodat de auto vol rook stond. Toen hij bij Momo's huis aankwam, sprong hij uit de auto en hield het portier voor haar open en ze liep tamelijk snel naar haar eigen deur en bleef ongeduldig staan terwijl hij met de sleutel van de voordeur klungelde.

Toen hij hem open had, zei ze: 'Je hoeft niet binnen te komen, Frankie.'

'Momo zei van wel.'

Ze keek hem raar aan. 'Dan zal het wel moeten.'

Eenmaal binnen liep ze regelrecht naar de bar en begon een manhattan te mixen.

'Wil je er ook een, Frankie?'

'Ik ben nog te jong om te drinken.' Het zou nog meer dan twee jaar duren voordat hij legaal drank kon krijgen.

Ze glimlachte. 'Ik wed dat je niet te jong bent voor ándere dingen, is het niet?'

'Ik weet niet wat u bedoelt, Mrs. A.'

Maar hij wist het natuurlijk wel en het joeg hem de stuipen op het lijf. Hij stond voor het blok: als hij opstond en wegging, wat hij wilde, zou hij zwaar in de problemen zitten. Maar als hij bleef en Mrs. A. bleef flirten, zou hij nog zwaarder in de problemen zitten.

Hij dacht er diep over na toen ze zei: 'Weet je, Momo kan me niet naaien.'

Frank wist niet wat hij moest zeggen. Hij had een vrouw nog nooit *naaien* horen zeggen, laat staan wat Mrs. A. hem vertelde.

'Hij kan elke goedkope hoer in San Diego en Tijuana naaien,' ging ze verder, 'maar zijn vrouw kan hij niet naaien. Wat vind je daarvan?'

Alleen al het hóren hiervan kan mijn dood zijn – dat was wat Frank ervan vond. Als Momo er ooit achter zou komen dat ik dit weet, zou hij me koud maken, zodat ik het tegen niemand kan zeggen. Waar Momo zich echt geen zorgen over hoeft te maken, want ik zeg het niet eens tegen mezelf. Maar dat maakt geen verschil. Als Momo wist dat ík weet dat hij het niet met zijn vrouw doet, zou hij me vermoorden, gewoon omdat hij me niet zou kunnen aankijken.

'Een vrouw heeft behoeften,' zei Marie. 'Snap je wat ik bedoel, Frankie?'

'Ik denk het wel.'

Patty had ze schijnbaar niet.

'Je denkt van wel.' Nu klonk ze boos.

Maar Frankie had het idee dat ze niet al te boos kon zijn, want ze begon haar jurk van haar linkerschouder te schuiven.

'Mrs. A...'

'"Mrs. A.,"' bauwde ze hem na. 'Ik weet dat je de hele avond naar mijn tieten hebt staan gluren, Frankie. Ze zijn mooi, niet? Je zou ze eens moeten voelen.'

'Ik ga weg, Mrs. A.'

'Maar Momo zei dat je moest blijven.'

'Toch ga ik weg, Mrs. A.,' zei hij. Hij kon de bovenkant van haar borst in de zwarte brassière nu zien. Hij was rond en blank en mooi, maar waar hij naar greep was de klink van de deur, met de gedachte: als je de vrouw van een maffiabaas neukt, snijden ze je ballen af en laten je ze opeten. Dat wil zeggen: vóórdat ze je koud maken.

Zo waren de regels.

'Wat is er, Frankie?' vroeg ze. 'Ben je een mietje?'

'Nee.'

'Dat moet wel,' zei Mrs. A. 'Volgens mij ben je een mietje.'

'Niet waar.'

'Ben je bang, Frankie, is dat het?' vroeg ze. 'Hij komt de eerste uren niet thuis. Je weet hoe dat gaat. Hij zal wel bij een of andere hoer zijn.'

'Ik ben niet bang.'

Haar gezicht verzachtte zich. 'Ben je maagd, Frankie? Is dat het? O, schatje, je hoeft nergens bang voor te zijn. Ik zal je zo'n lekker gevoel geven. Ik zal je alles laten zien. Ik zal je laten zien hoe je me een plezier moet doen, maak je geen zorgen.'

'Dat is het punt niet. Het punt is...'

'Vind je me niet mooi?' vroeg ze een beetje gepikeerd. 'Vind je dat ik te oud voor je ben?'

'U bent heel mooi, Mrs. A.,' zei Frank. 'Maar ik moet gaan.'

Hij deed de klink omlaag toen ze zei: 'Als je weggaat zeg ik dat je het gedaan hebt. Ik krijg sowieso een pak slaag, dus ik zeg gewoon dat je me hebt geneukt tot ik gilde. Ik zeg dat je me suf hebt genaaid.'

Frank wist het, hoe lang, veertig jaar later nog, hoe hij daar stond, met zijn hand op de klink en zijn kin op zijn borst en dacht: wat zegt dat zatte mens? Dat als ik haar niet neuk, ze tegen haar man zegt dat ik het wél heb gedaan?

Maar als ik haar wel neuk...

Je bent er hoe dan ook geweest, dacht hij.

Frank voelde de paniek opstijgen in zijn borst toen hij naar die hitsige kleine Marie Anselmo keek zoals ze daar stond, met haar zwarte jurkje half uit, een met lippenstift besmeurd glas manhattan aan haar zoenlippen terwijl haar parfum om hem heen zweefde als een sexy, dodelijke wolk.

Zijn redding was de deur die openging.

Ze draaide van hem weg en trok haar jurk weer aan net toen Momo de kamer binnenkwam.

Hij zag er niet goed uit.

Ze hadden hem beurs geslagen.

Nicky Locicero duwde hem de kamer in en beval hem op de bank te gaan zitten. Momo deed het omdat Locicero een .38 in zijn hand had. Locicero keek Frank aan en zei: 'Haal wat ijs voor je baas.'

Frank liep naar de ijsemmer op de bar.

'IJsblókjes,' zei Locicero, 'uit de diepvries, oen. In de keuken.'

Frank struikelde naar de keuken, haalde een bakje uit de diepvries en brak een paar blokjes in de gootsteen. Hij vond een theedoek in een la, deed het ijs in de doek en vouwde hem dicht. Toen hij de woonkamer binnenkwam was Al DeSanto er. Hij had een vette grijns op zijn maffe smoel.

Marie glimlachte niet. Ze stond erbij alsof ze zelf een ijsblok was. Bevroren, broodnuchter nu.

Frank ging naast Momo zitten en hield het ijs tegen zijn kapotte, gezwollen oog.

'Hij kan het zelf wel,' zei Locicero.

Frank hoorde hem, maar luisterde niet. Hij bleef de theedoek tegen Momo's oog drukken. Er sijpelde een straaltje bloed langs en Frank draaide de doek om om te voorkomen dat het op de bank kwam.

'We hebben het niet afgemaakt,' zei DeSanto tegen Marie.

'Nee, dat is zo,' zei Marie.

'Ik ben het er niet mee eens,' zei DeSanto. 'Zo speel je niet met een man, om hem dan op een droogje te laten zitten. Dat is niet aardig.'

Hij pakte haar pols beet. 'Waar is de slaapkamer?'

Ze antwoordde niet. Hij sloeg haar in haar gezicht. Momo wilde opstaan, maar Locicero richtte het wapen op zijn gezicht en Momo ging weer zitten.

'Ik vroeg je iets,' zei DeSanto tegen Marie, zijn hand weer geheven.

Ze wees naar een deur in de woonkamer.

'Dat is beter,' zei DeSanto. Hij draaide zich om naar Momo. 'Ik ga je vrouw gewoon geven wat ze wil, *paisan*. Je vindt het toch niet erg, hè?'

Locicero zette het pistool grijnzend tegen Momo's slaap.

Momo schudde zijn hoofd.

Frank zag dat hij beefde.

'Kom, schatje,' zei DeSanto. Hij trok haar mee naar de slaapkamer en duwde haar naar binnen. Hij ging zelf naar binnen, wilde de deur dichtdoen, bedacht zich toen en liet hem op een kier staan.

Frank zag dat hij Marie voorover op het bed gooide. Zag dat hij haar met zijn ene hand bij haar nek pakte en met de andere haar jurk openscheurde. Zag dat ze in haar zwarte lingerie op het bed knielde terwijl DeSanto haar slipje omlaag trok en zijn gulp openritste. Hij was al hard en hij schoof zichzelf in haar.

Frank hoorde haar kreunen, zag haar lichaam trillen onder DeSanto's gewicht.

'Eigen schuld, Momo,' zei Locicero. 'Je had een te grote mond.'

Momo zei niets, legde alleen zijn hoofd op zijn handen. Bellen snot en bloed biggelden langs zijn neus. Locicero zette de loop van het pistool onder Momo's kin en tilde zijn hoofd op, zodat hij wel moest kijken.

DeSanto had de deur open laten staan, zodat Momo moest toekijken hoe hij de haren van Marie naar achteren trok en haar hard bereed. Frank zag het ook. Zag Maries gezicht, haar uitgelopen lippenstift, haar mond verwrongen tot een uitdrukking die Frank nooit eerder had gezien. DeSanto trok met zijn ene hand aan haar haren en kneedde haar borsten met de andere. Hij kreunde van inspanning en zijn bril stond scheef op zijn gezicht doordat hij vanwege het zweet langs zijn neus omlaag gleed.

'Dit wou je toch, is het niet, slet?' vroeg DeSanto. 'Zeg op.'

Hij rukte haar hoofd achterover.

Ze mompelde: 'Ja.'

'Wat?'

'Ja.'

'Zeg "Neuk me, Al."'

'Neuk me, Al,' gilde Marie.

'Zeg alsjeblieft. "Alsjeblieft, neuk me, Al."'

'Alsjeblieft, neuk me, Al.'

'Dat is beter.'

Frank zag dat hij haar gezicht in de matras duwde en haar kont optilde, zodat hij harder in haar kon duwen. Hij ramde hem gewoon in haar en Frank hoorde dat Marie geluiden begon te maken. Hij kon niet zeggen of het van genot of pijn of allebei was, maar Marie begon te kreunen en toen te gillen en Frank zag dat haar kleine vingers in de sprei klauwden terwijl ze gilde.

'Jezus, Momo,' zei Locicero, 'je vrouw is lekker heet.'

DeSanto kwam klaar en haalde hem eruit. Hij veegde zichzelf af aan haar jurk, trok zijn rits weer omhoog en stapte van het bed. Hij keek omlaag naar Marie, die met haar gezicht naar beneden en zwoegende borsten nog op het bed lag. 'Als je meer van hetzelfde wilt, schatje,' zei hij, 'je hebt mijn nummer.'

Hij kwam weer de woonkamer binnen en vroeg: 'Heb je die slet horen klaarkomen?'

Locicero zei: 'Verdomme, ja.'

'Heb jíj het gehoord, Momo?'

Locicero gaf Momo een por met zijn pistool.

'Ik heb het gehoord,' zei Momo. Toen vroeg hij: 'Waarom schiet je me niet gewoon dood?'

Frank had het gevoel dat hij moest overgeven.

DeSanto keek op Momo neer. 'Ik schiet je niet dood, Momo, omdat ik wil dat je geld blijft binnenbrengen. Wat ik níét wil is nog meer van dat San Diego-gezeik. Wat van mij is, is van mij en wat van jou is, is van mij. Capisce?'

'Capisce.'

'Mooi zo.'

Frank kon hem alleen maar aanstaren. DeSanto zag het en vroeg: 'Wat, jongen, is er iets?'

Frank schudde zijn hoofd.

'Dat dacht ik ook.' DeSanto keek in de richting van de slaapkamer. 'Als je een nummertje wilt maken, Momo, van mij mag het.'

Hij en Locicero lachten en vertrokken toen.

Frank bleef geschokt zitten.

Momo stond op, trok een la open, haalde er een gemeen uitziende .25 revolver uit en liep naar de deur.

Frank hoorde zichzelf zeggen: 'Ze vermoorden je, Momo!'

'Kan me niet verrekken.'

Toen stond Marie in de gang, tegen de deurstijl aan, haar jurk nog omlaag getrokken, haar make-up uitgesmeerd over haar gezicht als een krankzinnige clown, haar haren een warboel. 'Je bent geen man,' zei ze, 'dat je hem dit met me laat doen.'

'Je vond het lekker, trut.'

'Hoe kon je...'

'Hij heeft je klaar laten komen.'

Hij hief het pistool op.

'Momo, nee!' gilde Frank.

Momo zei: 'Ze kwam klaar bij hém.'

Hij schoot op haar.

'Jezus!' schreeuwde Frank toen Maries lichaam in het rond tolde en toen op de grond zakte. Hij wilde toeschieten en het pistool afpakken, maar hij was te bang en toen stapte Momo van hem weg, zette het wapen tegen zijn eigen hoofd en zei: 'Ik hield van haar, Frankie.'

Frank keek een seconde lang naar die bedroefde hondenogen, toen haalde Momo de trekker over.

Zijn bloed spatte over Kennedy's glimlachende gezicht.

Raar, denkt Frank nu, dat herinner ik me beter dan wat ook – dat bloed op John Kennedy. Later, toen Kennedy werd vermoord, vond hij het niet zo verrassend. Het was alsof hij het al eerder gezien had.

Marie Anselmo overleefde het – het bleek dat Momo haar in de heup geraakt had. Ze rolde krijsend over de vloer terwijl Frank verhit de politie belde. De ambulance nam Marie mee en de politie nam Frank mee. Hij vertelde hun bijna alles wat hij had gezien – dat wil zeggen, dat Momo zijn vrouw had neergeschoten en toen zichzelf. Hij zei geen woord over DeSanto of Locicero en was opgelucht toen hij later hoorde dat ook Marie haar mond had gehouden over de verkrachting. En als de politie van San Diego kapot was van Momo's zelfmoord, verborg ze dat aardig goed, tenzij openlijk lachen hun manier was om hun verdriet te verbergen.

Marie lag wekenlang in het ziekenhuis en toen ze eruit kwam, hinkte ze nauwelijks merkbaar, maar ze leefde nog. Uit respect voor Momo bezorgde Frank boodschappen bij haar thuis en toen ze voldoende hersteld was reed hij haar nog steeds naar de supermarkt.

Maar sindsdien was Frank ontgoocheld. Alles wat Momo hem had geleerd over 'dat ding van ons' – de code, de regels, de eer, de 'familie' – was regelrecht gelul. Hij had hun verrekte eer gezien, die avond in Momo's huis.

Hij ging weer aan het werk op de tonijnboten.

En dat zou waarschijnlijk mijn leven zijn geweest, denkt hij nu terwijl hij uit het raam kijkt naar de grijze oceaan en de schuimkoppen, als Frank Baptista niet, zes maanden later, was verschenen.

11

BAP VERSCHEEN op de werf op een avond toen Frank net klaar was met het opruimen van het dek en zich opmaakte voor een douche en een avond vechten tegen Patty's kuisheid. Je zag niet veel lui in pak en stropdas op de werf, dus Frank signaleerde Bap onmiddellijk als iets anders, maar hij wist niet wie hij was.

Alleen, de man scheen Frank te kennen.

'Ben jij Frankie Machianno?' vroeg Bap.

'Ja.' Frank was bang dat hij van de politie was en dat Marie misschien besloten had toch een aanklacht tegen DeSanto in te dienen.

De man stak zijn hand uit. 'We hebben dezelfde voornaam. Ik ben Frank Baptista.'

Frank was geschokt. Die vent zag er beslist niet uit als een beruchte klusjesman – rond, mollig, zacht lichaam, halskwabben, jampotbril voor uilige ogen. Kalend, met vet achterovergekamd haar. Vergeleken met Bap zag Momo eruit als Troy Donohue.

Is dit de man, dacht Frank verbaasd, die Lew Brunemann, 'Russian Louie' Strauss en Red Sagunda heeft gedood toen de maffia van Cleveland San Diego probeerde over te nemen? Is dit de man die hier sinds de jaren veertig de baas was, tot hij wegens omkoping de lik in ging?

'Kan ik je iets te drinken aanbieden?' vroeg Bap. 'Een kop koffie?'

Ik had nee moeten zeggen, denkt Frank nu. Ik had moeten zeggen: neem me niet kwalijk, meneer Baptista, maar ik doe daar niet meer aan mee. Ik heb genoeg gezien. Maar dat zei ik niet. Ik ging een biertje drinken met de Bap.

Frank volgde hem naar Pacific Beach en een van de tenten bij de Crystal Pier. Ze namen een box achterin, waar Bap een kop koffie voor zichzelf bestelde en een bier voor Frank. Bap nam er ruimschoots de tijd voor om melk en suiker door zijn koffie te roeren en vroeg toen: 'Vond je Momo aardig?'

'Ja, ik vond hem aardig.'

'Ik hoorde dat je nog steeds boodschappen bezorgt bij Marie,' zei Bap. 'Dat pleit voor je. Daaruit blijkt dat je respect hebt.'

'Momo is altijd goed voor me geweest.'

Bap verwerkte dit en begon toen over koetjes en kalfjes, maar het was Frank duidelijk dat de voormalige baas niet echt geïnteresseerd was in een praatje, dus hij dronk zijn bier op en zei dat hij een afspraakje had. Bap bedankte hem voor zijn tijd en zei dat het leuk was geweest hem te ontmoeten. Frank dacht dat het daarbij zou blijven, maar zowat een maand later verscheen Bap opnieuw op de werf en zei: 'Kom, we gaan een eindje rijden.'

Frank volgde hem naar een Cadillac die langs Ocean Avenue geparkeerd stond. Bap gooide hem de sleutels toe en ging voorin op de passagiersstoel zitten. Frank ging achter het stuur zitten en startte de motor. 'Waar wilt u naartoe?'

'Doet er niet toe. Rij maar wat.'

Frank sloeg af bij Sunset Drive en reed naar het zuiden, langs zijn surfplekken.

'Je rijdt goed,' zei Bap. 'Je bent vanaf nu mijn chauffeur.'

En dat was dat. Frank ging werken voor Bap. Hij reed hem overal naartoe – naar de kruidenier, de kapper, naar clubs, naar Momo's oude huis om Marie te bezoeken, naar de baan als er paardenrennen waren in Del Mar. Hij bracht Bap naar alle bookmakers, alle woekeraars, alle oplichters in San Diego.

DeSanto vond het maar niks.

De baas uit L.A. wist dat Bap vrij was en dat hij zijn oude territorium terug zou willen hebben. Hij zou een deel van het geld willen hebben dat op straat omging, bij het gokken, bij alles wat ze in San Diego op poten hadden gezet en DeSanto wilde het hem niet geven. Bap was een grote naam, een ambitieuze vent en L.A. wilde geen sterke man in San Diego die weer zijn eigen gang wilde gaan.

'We hebben die indianen net terug in het reservaat,' zei DeSanto tegen Nick Locicero. 'Het laatste waar we behoefte aan hebben is dat daar iemand rondrent die denkt dat hij een opperhoofd is.'

Dus probeerde hij Bap enkele kruimels toe te gooien en Bap was niet te verlegen om zijn ongenoegen te uiten.

Dat was altijd Baps probleem: hij kon zijn grieven nooit verkroppen. Ze kwamen altijd over zijn lippen. Uiteindelijk werd het zijn dood. Frank wist nog hoe Bap indertijd in '64 zijn mening rondbazuinde op de renbaan van Del Mar, met de helft van alle maffiosi in Zuid-Californië binnen gehoorsafstand. 'Wat ben ik, een hond? Hij gooit me een paar bótten toe?'

Frank wedde voor Bap bij het loket en het ging Bap niet voor de wind. Geen wonder dat hij geld nodig heeft, dacht Frank; hij heeft een voorkeur voor trage paarden. Bap liet opnieuw een handvol briefjes aan zijn voeten vallen en zei: 'Ik heb drie jaar in de nor gezeten, niets verdiend. Die vent moet me te eten geven, verdomme.'

Hij zei het recht in het gezicht van drie mannen uit L.A. die gekomen waren voor het renseizoen, dus hij wist gegarandeerd dat het regelrecht zou worden doorgebriefd aan DeSanto zodra ze een telefoon konden vinden. En de baas in L.A. zou niet blij zijn met dit gezeik van Bap.

Zeker niet toen Bap vervolgens zei: 'Misschien moet ik verdomme voor mezelf beginnen.'

Waarmee Bap gewoon smééékte om te worden omgelegd.

DeSanto draalde niet met het inwilligen van het verzoek. Hij regelde een ontmoeting waarbij Bap gedood zou worden.

En zijn chauffeur ook, als het zo uitkwam.

Ze ontmoetten elkaar op een braakliggende lap grond in Orange County.

Orange County, herinnert Frank zich, was in die tijd niet veel meer dan dat: sinaasappelbomen met Disneyland als toetje. Het geheugen is een raar ding, want hij kan de sinaasappelen van die avond nog ruiken.

Hoe dan ook, hij stopte op die lap rode grond naast een sinaasappelplantage langs een afgelegen weg. DeSanto en Locicero waren er al, Locicero achter het stuur van DeSanto's zwarte Cadillac, de baas achter hem op de achterbank.

'Maak je niet druk,' zei Bap toen hij de bange blik in Franks ogen zag. 'Nick heeft me verzekerd dat het veilig is.'

Bap stapte uit en liep naar de Cadillac. Locicero stapte uit, trapte zijn sigaret uit in het zand en kwam naar hem toe. Bap stak zijn armen op en Locicero beklopte hem, knikte toen en Bap stapte achterin naast DeSanto.

Locicero leunde achterover tegen de motorkap en hield Frank in de gaten. Knikte naar Frank en glimlachte.

Terwijl hij dat deed stopte er nog een auto op het terrein, vlak achter Frank, zodat hij in de val zat. Het zweet brak hem uit. Hij keek in de spiegel en zag dat er twee mannen voor in de Lincoln zaten. Eén van hen herkende hij als Jimmy Forliano, de ander kende hij niet.

Het was een jongere vent, van ongeveer zijn eigen leeftijd. Maar deze jongen had een zelfverzekerde blik, waardoor hij ouder leek.

Toen zag Frank iets wat op een bliksemschicht leek achter in DeSanto's Caddy en het duurde even voordat hij zich realiseerde dat het mondingsvuur was.

Locicero glimlachte en stak een nieuwe sigaret op.

Je was doodsbang, herinnert Frank zich nu. Je probeerde de auto te starten, maar je hand beefde om de sleutel en je kon geen kant op, dus je wilde het portier openen en proberen weg te komen, maar Forliano stond al naast het raampje.

'Rustig, jochie.'

'Ik heb niets gezien.'

Forliano glimlachte slechts.

En toen ging het achterportier van de Caddy open en...

Bap stapte uit. Wenkte je.

Forliano opende het portier voor je en je liep naar Bap, trillend op je benen, met knikkende knieën, en toen gaf Bap je het wapen.

'Momo was je vriend, nietwaar?'

'Ja...'

'Hij was ook mijn vriend,' zei Bap. 'Die klootzak moest verdwijnen.'

Een báás koud maken? Ook Frank wilde het DeSanto betaald zetten voor Momo, maar een baas koud maken was zelfmoord. Zelfs als je erin slaagde hem te grazen te nemen, had je alle families in de staat achter je aan. En Bap was vroeger dan wel de baas in San Diego geweest, maar hij was tot gewoon soldaat gedegradeerd toen hij de nor in ging.

'Je moet er een paar in hem pompen,' zei Bap.

'Het is wel goed zo,' zei Frank.

'Nee, het moet,' zei Bap, 'dan kun je geen getuige zijn. We moeten in hetzelfde schuitje zitten.'

Hij nam Frank mee naar de andere kant van de Caddy en opende het portier. DeSanto's lichaam, met twee gaten in het hoofd, tuimelde half naar buiten. Zijn bril gleed van zijn neus en viel in het zand.

'Schiet er twee in zijn borst,' zei Bap.

Frank aarzelde.

'Ik mag je, jongen,' zei Bap. 'Ik wil je niet hier met hem achterlaten.'

Bap liep weg. Frank wist dat hij luisterde of hij schoten hoorde, op de knallen wachtte. Hij probeerde het wapen op te heffen en te schieten, maar hij kon het domweg niet. Toen hoorde hij iemand achter zich.

'De eerste keer?'

Het was de jonge vent uit de auto achter hem. Gitzwart haar, gemiddelde lengte, brede schouders op een verder slank lichaam.

'Ja,' zei Frank.

'Ik help je wel,' zei de jongen. 'Het is makkelijker dan je denkt.'

De jongen hielp hem het wapen op DeSanto's lichaam te richten.

'Nu gewoon de trekker overhalen.'

Frank deed het. Zijn hand trilde, maar op die afstand kon hij niet missen.

Maar het lichaam schokte bij elk schot. Toen gleed het uit het geopende portier in het zand, zodat er een stofwolkje opsteeg. De jongen naast Frank pakte zijn eigen wapen en schoot er nog eens twee in DeSanto's lijk.

'Nu,' zei de jongen, 'zijn we er alle twee bij betrokken. Jij en ik.'

Bap kwam dichterbij en piste op het lichaam.

Dat was jaren voor al dat DNA-gedoe, dus niemand maakte zich er indertijd druk om. Bap zwiepte gewoon zijn ding naar buiten en piste in DeSanto's openhangende mond.

'Dit is voor Marie,' zei hij. Hij stopte, ritste zijn broek dicht en zei toen tegen Frank: 'Breng me naar huis.'

Frank wankelde min of meer terug naar de auto. Forliano hield hem tegen en pakte het wapen uit zijn hand. 'Wij regelen het wel.'

'Oké.'

'Je hebt het goed gedaan, jongen,' zei Forliano. 'Je bent oké.'

Ook de jongere vent stond naar Frank te glimlachen alsof hij het onderwerp was van een practical joke. 'Maak je niet druk,' zei hij. 'Goed gedaan.'

Hij had een East Coast-accent.

'Bedankt,' zei Frank. 'Je weet wel, voor je hulp.'

'Graag gedaan.' De jongen stak zijn hand uit. 'Mike Pella.'

'Frank Machianno.'

Ze gaven elkaar een hand.

Locicero stapte met Forliano en Pella in de auto en ze reden weg. Frank ging achter het stuur zitten en slaagde er ditmaal in de contactsleutel om te draaien. De wielen slipten in het zand toen hij gas gaf.

'Langzaam rijden, niet snel,' instrueerde Bap hem. 'Hou je altijd aan de maximumsnelheid als je wegrijdt van een klus. Het laatste wat je wilt is aangehouden worden voor een snelheidsovertreding, dan weet de politie dat je in de buurt was. Rij gewoon naar de snelweg, voeg je in het verkeer.'

Frank deed wat hem werd opgedragen. Ze waren een kilometer of dertig over de 5 naar het zuiden gereden toen Bap zei: 'Ik ben in Chicago geweest.'

Oké, dacht Frank.

'Je snapt me niet,' zei Bap. 'Ik bedoel, ik heb daar met bepaalde mensen gepraat.'

Wat Frank niet wijzer maakte.

'L.A. runt San Diego,' legde Bap uit, 'maar L.A. runt L.A. niet. L.A. is nooit echt zelfstandig geweest. Vroeger legde het verantwoording af aan New York, aan de Joden, Siegel en Lansky. Nu mag L.A. zijn eigen pik afzwiepen als het gepist heeft, het hoeft niet eerst met Chicago te bellen.'

'Dat wist ik niet.'

'Omdat je het niet hoort te weten,' zei Bap. 'L.A. wil niet dat San Diego-mensen uithuilen bij Chicago, ze hebben een probleem met L.A.'

Maar dat heb je nou net gedaan, dacht Frank.

'Ik ga terug,' zei Bap, alsof hij Franks gedachten las. 'Ik werkte al voor Chicago toen DeSanto nog koffie haalde voor Jack Drina. Ik heb met bepaalde mensen daar gesproken en ze mochten die lul evenmin.'

'Ze gaven het groene licht?' Frank was geschokt.

'Zo werkt het niet,' zei Bap. 'Ze zeggen geen ja. Ze zeggen alleen geen nee. Dat betekent, als er iets met de man in L.A. gebeurt, zullen ze er niets aan doen. Als het je geruststelt: Detroit zei hetzelfde.'

Nu had Frank het door. 'En Locicero is de nieuwe baas.'

'Iedereen heeft zijn prijs, Frank,' zei Bap. 'Vergeet dat nooit.'

Frank vergat het niet.

Dus dat was dat, denkt Frank nu.

Locicero werd de baas, Bap kreeg San Diego, zij het als kapitein binnen de L.A.-familie.

Alleen, daar bleef het niet bij, toch?

Op een middag had je de bestelling van Marie Anselmo opgehaald bij de kruidenier en je bracht die naar het huis en ze deed open. Ze wilde niet dat je de tassen zoals gewoonlijk naar binnen bracht, maar je kon door de deuropening kijken.

Bap, in de gang, terwijl hij zijn broek aantrok.

Zes maanden later trouwde hij met Marie.

Daarna zei niemand meer een woord over wat DeSanto die avond bij Momo had gedaan.

Frank in elk geval niet.

Hij besloot het rechte pad op te gaan. Dus reed hij op een dag naar Oceanside, zag het rekruteringskantoor en zat een minuut of vijf later bij de mariniers.

Net als in dat nummer van de Surfaris dat toen zo populair was:

Surfer Joe joined Uncle Sam's Marines today
They stationed him at Pendleton, not far away...

Grappig, denkt Frank nu.

Ik heb mijn opleiding gekregen van de federale regering.

12

FRANK KEERT zich af van het raam, loopt naar de telefoon en belt de aaswinkel.

De jonge Abe neemt na één keer overgaan op.

'Frank, alles goed? Toen ik aankwam was de winkel gesloten.'

'Weet je wat, Abe?' zegt Frank. 'Laten we hem een paar dagen sluiten.'

Een ongelovige stilte, dan: 'Sluiten?'

'Ja, met deze storm zullen we sowieso niet veel zaken doen.' zegt Frank. 'Laten we een paar dagen vrij nemen. Ik bel je als ik weer openga. Waarom ga je niet naar Tijuana, naar je vader en moeder of zo.'

Dat laat Abe zich geen twee keer zeggen.

Patty zal een hardere noot zijn.

'Patty, met Frank.'

'Ik herken de stem.'

'Patty, ik heb zitten denken, je hebt je zus al een hele tijd niet gezien, is het niet?' Patty's zus Celia en haar man zijn tien jaar geleden naar Seattle verhuisd, in het kielzog van de vliegtuigindustrie. Ze hebben een huis in – waar ook weer? Bellingham misschien?

'Frank, je hebt de pést aan mijn zus.'

'Ga naar haar toe, Patty,' zegt Frank. 'Vandaag.'

Ze hoort de klank van zijn stem. 'Alles goed, Frank?'

'Prima,' zegt Frank. 'Ik wil alleen dat je gaat.'

'Frank...'

'Ik voel me prima,' herhaalt Frank.

'Hoe lang blijf ik weg?'

'Dat weet ik nog niet,' zegt Frank. 'Niet lang. Ga naar boven en pak je koffers.'

'Ik bén boven.'

'Pak dan je koffers.'

'Frank?'

'Wat?' snauwt hij. Hij wil niet te lang aan de telefoon blijven, voor het geval ze haar lijn afluisteren.

'Wees voorzichtig, ja?' zegt ze. 'Ik hou van je.'

'Ik ook van jou.'

Vervolgens belt hij Donna.

'Magere *latte*, twee lepels espresso,' zegt ze wanneer ze zijn stem hoort. 'Alsjeblieft.'

'Luister,' zegt Frank, 'en doe nou eens één keer precies wat ik zeg, zonder tegenwerpingen of discussie. Sluit de zaak, ga naar huis en pak je koffers, neem een vliegtuig naar Hawaï. Het Grote Eiland, Kauai, maakt niet uit, gá gewoon. Vandaag. Neem je mobiel mee. Zeg tegen niemand waar je naartoe gaat en kom niet terug voordat je iets van me hebt gehoord. Geen bóódschap van me, van mij persóónlijk. Zul je dat doen?'

Het blijft stil terwijl ze dit alles in zich opneemt, dan zegt ze eenvoudig: 'Ja.'

'Mooi. Bedankt. Ik hou van je.'

'Ik ook van jou,' zegt ze. 'Zie ik je weer?'

'Uiteraard.'

Nu is het al zover dat ík het zeg, denkt hij.

Hij belt Jill en krijgt haar antwoordapparaat. *Hai, ik ben skiën in Big Bear. Ben je niet jaloers? Laat een bericht achter en ik bel je terug.* Hij probeert haar mobiel en krijgt ongeveer dezelfde boodschap. O, nou ja, denkt hij, ze is veilig in Big Bear – zelfs als 'ze', wie ze ook mogen zijn, haar te pakken willen nemen, vinden ze haar daar niet.

Dus de mensen van wie ik hou zijn veilig.

Wat op zichzelf al goed is en me bovendien bewegingsvrijheid geeft.

En het is tijd voor actie.

Hij stopt het geweer en wat kleren in een sporttas, doet een schouderholster voor de .38 om, trekt zijn regenjas aan en gaat de deur uit. Hij neemt een taxi naar het centrum, gaat naar Hertz en gebruikt zijn Sabellico-identiteit om een onopvallende Ford Taurus te huren.

Hij rijdt over de Pacific Coast Highway naar het noorden.

Richting L.A.

13 DAVE HANSEN loopt over het strand.

Het natte zand is net donker, glanzend marmer en de koude regen striemt in zijn gezicht. Drieduizend kilometer kustlijn, denkt hij, en die drijver moet uitgerekend op federale grond aanspoelen, in dit weer. Hij is aan de rand van Amerika, letterlijk. Point Loma is de laatste halte op het Noord-Amerikaanse continent, het eind van de lijn.

De drijver heeft het net gehaald.

Eén meter de andere kant op en het lijk zou een Mexicaans probleem zijn geweest.

Er hebben zich een paar zeelui van het kustwachtstation en enkele politieagenten uit San Diego rond het lichaam verzameld.

'We hebben hem niet aangeraakt,' zegt de brigadier van politie tegen Dave. 'Dit is jouw district.'

Hij kan zijn lol blijkbaar niet op.

'Bedankt,' zegt Dave.

Eigenlijk mogen ze Hansen wel bij de politie van San Diego. Hij doet niet moeilijk, voor een federaal agent. De brigadier zegt: 'Er zijn geen vermisten aangegeven. Dat gebeurt meestal wel bij een verdrinking. Ik heb het ook nagetrokken bij de kustwacht. Noppes.'

'Hij is niet verdronken,' zegt Dave. 'Hij is niet blauw.'

De huid van drenkelingen wordt, zelfs als ze maar een paar minuten in het water hebben gelegen, akelig blauw. Als je het ooit gezien hebt, vergeet je het nooit meer. Dave gaat op zijn hurken naast het lichaam zitten. Hij maakt het jack van de man open en ziet de grote schotwond precies waar vroeger zijn hart zat. Hij zoekt verder en vindt de andere schotwond in de maag.

Degene die deze onbekende heeft vermoord, heeft hem in zijn maag geschoten, het wapen vervolgens tegen zijn borst gezet en het karwei afgemaakt. Zelfs na een onbekend aantal uren in het water zijn de kruitplekken op zijn kleren onmiskenbaar.

'Waarschijnlijk een verkeerd afgelopen drugsdeal,' zegt de brigadier.

'Waarschijnlijk,' zegt Dave. Hij onderzoekt de kleren van de man. De schutter heeft ook het identiteitsbewijs van de onbekende meegenomen. Geen portefeuille, geen horloge, geen ring, niets. Dave bekijkt aandachtig het gezicht van het slachtoffer, of wat daarvan over is nadat de vissen aan de ogen hebben geknaagd. Hij herkent hem niet, had dat ook niet verwacht, maar hij heeft iets vaag bekends.

Een vage herinnering, of een oude droom, aangespoeld als een stuk wrakhout.

Het is bizar.

Maar het is ook een bizarre dag geweest, denkt Dave. Ligt vast aan het weer; die hogedrukgebieden schijnen alles en iedereen een beetje gek te maken. Mensen doen gekke dingen die ze anders niet zouden doen.

Frank Machianno bijvoorbeeld.

Frank arriveert elke ochtend met de regelmaat van de klok in de aaswinkel, zolang Dave zich kan herinneren, en opeens vandaag verschijnt hij niet. En Frank, die al langer dan Dave stamgast is bij het Herenuurtje, vertoont zich ook niet bij de beste golven van het jaar.

Dave dacht dat hij ziek was en belde zijn huis om hem te jennen met de geweldige golven die hij miste, maar er werd niet opgenomen. Probeerde Franks mobiel, hetzelfde liedje. Dus ging hij naar de aaswinkel, waar hij Abe trof, die aan het afsluiten was.

'Moest van Frank,' zei Abe. 'Zei: neem een paar dagen vrij.'

'Fránk zei neem een paar dagen vrij?'

'Dacht ik ook,' zei Abe. 'Zei dat ik een tijdje naar huis moest gaan.'

'Waar is thuis?'

Abe wees in zuidelijke richting. 'TJ.'

Natuurlijk, waar anders?

Dus reed Dave naar Franks huis. Zijn pick-up en zijn Mercedes in de garage, het huis afgesloten, geen Frank.

Dus het was een rare dag geweest.

Een moordslachtoffer dat volgens de regels van het normale getij en de stroming langs de kust van Baja California had moeten drijven, slaagt erin aan de laatste punt van Amerika te blijven haken.

Toen Dave hoorde dat ze een drijver hadden, was hij bang dat het Tony Palumbo was. De kroongetuige in G-Sting was al jaren undercover als uitsmijter bij Hunnybear's en hij had Dave eerder die ochtend zullen ontmoeten.

Hij was niet gekomen.

Hij was nergens te bekennen en een vent van tweehonderd kilo zie je niet makkelijk over het hoofd.

Dus Tony Palumbo is door een zwart gat verzwolgen.

En Frank verdwijnt van de radar.

14 JAMES 'JIMMY the Kid' Giacamone loopt de bar van de Bloomfield Hills Country Club in een buitenwijk van Detroit binnen en zoekt zijn vader. Hij ziet Vito William Giacamone, alias 'Billy Jacks', in een cabine bij het raam zitten en triest naar de besneeuwde achttiende green staren.

Billy Jacks draait zich om en ziet zijn zoon. Die jongen komt de club binnen in een slobberbroek en een oude sporttrui met opgeslagen capuchon. Alsof ie een van die rappers is – hoe heet die blanke ook alweer, dat plaatselijke joch...? Een of ander snoepgoed... M&M's.

Zijn zoon denkt dat hij M&M's is.

Aan de andere kant, denkt Billy, het joch heeft net een fikse straf uitgezeten – vijf jaar voor afpersing. En de jongen heeft nog een paar andere dingen gedaan waarvoor de FBI hem, de heilige Antonius zij dank, niet heeft geklist. De knaap mag er dan uitzien als een mafketel, maar hij is een harde werker.

En hij is bij me terug, dus laat hem er maar uitzien zoals hij wil. Dat leven van ons, je weet nooit hoeveel tijd je hebt met je kinderen, dus waarom zeiken?

Jimmy glijdt naast hem in de cabine en wenkt de barkeeper om hem het gebruikelijke te brengen.

'Het gaat maanden duren,' zegt Billy, 'voordat we naar buiten kunnen.'

Jimmy maakt het niet uit. Golf is voor ouwe lullen.

Een kelner zet een wodka-tonic voor Jimmy neer en loopt weg.

'Iets gehoord van Vince?' vraagt Billy.

Jimmy schudt zijn hoofd. 'De B-compagnie komt niet terug.'

Zo gaat het, denkt Jimmy, als je iemand zoals Vince op een legende zoals Frankie Machine afstuurt.

Billy legt zich erbij neer. Wat kan hij anders? Als Vince nog leefde, zou hij zich gemeld hebben. Dat heeft hij niet en de stilte kan slechts één ding betekenen – Vince Vena kan maar beter hopen dat hij op tijd was met zijn akte van berouw.

Maar wel verdomd jammer van Vince. Komt na een dienstbaar leven eindelijk in de bestuursraad van de Combinatie en wordt slechts een paar weken later koud gemaakt. Anderzijds, het betekent dat er een vacature is in het bestuur.

Jimmy luistert naar het knarsen van zijn vaders hersenen die overuren maken. Hij ziet hoe de oude man de rouwfasen afwerkt. Eerst aanvaarding: Vince is dood. Dan woede: godver, Vince is dood! En dan ambitie: Vince is dood en iemand krijgt zijn plaats aan tafel.

Het zijn net hyena's, die ouwe mannen, denkt Jimmy, die in de nor heel wat programma's op Animal Planet heeft gezien. Ze trekken samen op, ze jagen in meutes, ze delen de prooi, maar als er een sneuvelt vreten de anderen zijn botten op en zuigen het merg eruit.

En er zit sappig merg in Vince' botten.

Er zijn maar twee straatbazen, denkt Jimmy, mijn pa en de ouwe Tony Corrado, dus een van de twee promoveert. En als pa zijn San Diego-deal kan redden, wordt hij het.

'Ze hadden míj moeten sturen,' zegt Jimmy.

'Je hebt het gevraagd,' zegt Billy.

Jimmy haalt zijn schouders op. Dat is zo, hij heeft er een heel drama van gemaakt tegenover Jack Tominello, maar het hoofd van de raad, de echte baas, vond ook dat Vince het moest doen. San Diego zou tenslotte Vince' territorium worden, dus hij moest zijn eigen zaakjes opknappen.

Alleen, hij kon het niet.

'Wat nu?' vraagt Billy.

Hij is op de leeftijd gekomen dat hij zijn eigen zoon om raad vraagt. Maar de jeugd moet van het leven genieten en Jimmy the Kid is een rijzende ster, op zijn zevenentwintigste al de beste verdiener van de Combinatie, en er is praktisch een stoel voor hem gereserveerd aan de bestuurstafel.

Als het zijn beurt is, te zijner tijd. En de eerste stap zou zijn dat ik in de raad zou komen, dan krijgt Jimmy mijn aandeel.

'Wat nu?' vraagt Jimmy. 'Ik vermoord Frankie Machine, dát nu.'

Billy Jacks schudt zijn hoofd.

'Pa,' zegt Jimmy, 'we kunnen niet toestaan dat die vent een lid van de raad van bestuur vermoordt en ermee wegkomt. Bovendien hebben we bepaalde mensen beloofd...'

'Ik weet wat we beloofd hebben,' zegt Billy. Hij kijkt weer naar de sneeuw en wordt dan opnieuw kwaad vanwege Vince.

'Een stelletje Californische strandschooiers,' zegt Jimmy.

'Mag ik je eraan herinneren,' zegt Billy, 'dat een van die "strandschooiers" Vince Vena heeft gedood?'

'Je denkt dat ik hem niet aankan?'

Frank Machianno, Frankie Machine, verdomme, denkt Jimmy. Die vent moet al over de zestig zijn. Hij mag dan een legende zijn en zo, maar een stel ouwe oorlogsverhalen maakt de man niet kogelbestendig.

Het bevalt Jimmy wel dat Frankie Machine een legende is.

Als je een legende doodt, word je zelf een legende.

Je bent pas een man als je de man doodt die de man wás.

Dat heeft zijn oom hem geleerd.

Tony Jacks was een mán. Oom Tony regelde het op de oude manier, verjoeg de oude Jewish Navy uit Detroit, vocht toen verdomme mee in de lange oorlog tussen de oostkant en de westkant die uitmondde in de Combinatie. Het was Tony Jacks die Hoffa erbij haalde en het was Tony Jacks die ten slotte, met tegenzin, opdracht gaf om hem koud te maken.

Maar oom Tony is met pensioen en zit zijn tijd uit in Gods wachtkamer in West Palm.

Dat is het probleem met dat ding van ons tegenwoordig: niet genoeg mánnen zoals oom Tony. Jimmy houdt van zijn vader, maar de oude man is net als de meeste oude mannen tegenwoordig: uitgeblust, moe en onwillig om de trekker over te halen. Het heeft generaties lang geduurd om dit ding van ons op te bouwen en nu geven de oude mannen het gewoon weg aan de nikkers en de Jamaicanen en de Russen.

Of aan strandschooiers ginds aan de Westkust.

We zijn gewoon slap tegenwoordig.

Maar Jimmy the Kid is een atavisme. Hij is van de oude stempel – hij is niet bang om de trekker over te halen. Hij vindt dat het tijd is dat de nieuwe generatie hun ding overneemt en in de oude staat terugbrengt.

En de beste manier om op te klimmen en dat te doen is erop af te stappen, denkt Jimmy.

Een legende zoals Frankie Machine koud te maken.

Ze te laten weten dat er een nieuwe in de stad is.

15 DAVE HANSEN loopt Callahan's binnen.

De populaire bar ligt in het hart van het Gaslamp District in het centrum van San Diego. Ooit een ruige buurt van sekshotels, stripclubs en pornozaken, een toeristenattractie van pseudo-verval geworden.

Callahan's heeft veel geld verdiend aan die verandering.

Dave Hansen is bij Callahan's ongeveer even welkom als een koortslip.

Twee maffiosi krijgen hem in de smiezen zodra hij binnenkomt en ze schuifelen snel naar de achterkamer, waar Teddy Migliore kantoor houdt. De maffia-afstamming van de jonge Teddy zou niet degelijker kunnen zijn; hij is de zoon van de oude Joe Migliore en de kleinzoon van Paul Moretti. Teddy heeft een paar jaar geleden gezeten wegens woeker, maar heeft tot voor kort zijn stoep schoongehouden.

Tot operatie G-Sting een paar hinderlijke verbanden blootlegde. Zoals het feit dat Teddy de stille eigenaar is van Hunnybear's en enkele andere stripclubs in de buurt. Zoals het feit dat John Heaney nachtmanager is bij Hunnybear's.

Teddy komt zijn kantoor uit.

'Mijn advocaat komt over vijf minuten,' zegt hij.

'Dan ben ik alweer weg,' zegt Dave.

'Kun je er vier van maken?'

'Geloof me,' zegt Dave, 'ik zal geen seconde langer in dit rattenhol doorbrengen dan nodig is.'

'Mooi,' zegt Teddy. 'Wat wil je? Ik ben het spuugzat, die pesterijen van de FBI alleen omdat ik een Italiaanse achternaam heb en een Migliore ben.'

'Tony Palumbo wordt vermist,' zegt Dave.

Hij let op Teddy's reactie.

Teddy glimlacht. 'Volg een spoor van Twinkie-wikkels, dan vind je hem vast.'

'Heb je hem vermoord?'

'Je trekt wel erg snel conclusies, vind je ook niet?' vraagt Teddy. 'Een, dat hij dood is, twee, dat ik hem dood wil hebben, drie, dat als ik hem dood zou willen hebben, ik het eigenhandig op zou lossen.'

Dave stapt op hem af.

Teddy's twee jongens komen dichterbij, tot Dave zegt: 'Ja, waarom ook niet? Ik heb een pestbui en ik heb vandaag nog niet getraind.'

De FBI-agent is een meter negentig en gespierd.

Ze druipen af.

Dave gaat recht voor Teddy staan.

'Als ik ontdek dat je hem vermoord hebt,' zegt Dave, 'kom ik terug. En dan zal ik zorgen dat Ruby Ridge en Waco eruitzien als SpongeBob SquarePants.'

'Is dat een dreigement?'

'Nou en of.'

'Ik procedeer je arm.'

'Je érfgenamen, zul je bedoelen,' zegt Dave. Hij draait zich om en loopt naar buiten.

'Je zoekt de verkeerde,' zegt Teddy tegen zijn rug. 'Misschien

moest je Frank Machianno maar eens zoeken.'
Dave draait zich om.
'Je surfmaatje,' voegt Teddy eraan toe.
Frankie Machine.

16 JIMMY THE Kid huurt op de luchthaven een auto en rijdt naar zijn oom in West Palm.

Het is leuk om in Florida te zijn. Leuk om in een cabriolet te rijden, wat zon te krijgen. Jimmy strijkt door zijn blond geverfde haren. Zijn nieuwe uiterlijk bevalt hem wel – helblond, bijna een tondeusekapsel.

Leuk ook om in kortemouwenweer met zijn tatoeages te pronken.

Hij heeft wat van die Chinese symbolen laten zetten – 'Kracht', 'Moed', 'Trouw'. En een grote sloopkogel op zijn rechteronderarm die recht op een of andere mafkees in een ouwe Caddy af zwiept.

'De Slooploeg.'

Leuk.

Het is smoorheet in Tony's bungalow. Het is sowieso al heet en Jimmy durft te zweren dat de oude man die verdomde verwarming heeft aangezet. Hij kijkt op de thermostaat en die staat op dertig.

En oom Tony heeft een trui aan.

Het is zijn bloedsomloop, denkt Jimmy. Zijn bloed stroomt niet meer. En oude mannen worden kouwelijk.

Jimmy omhelst zijn oom en kust hem op beide wangen. De huid voelt op zijn lippen aan als perkament.

Tony Jacks is blij zijn neef te zien.

'Kom, ga zitten.'

Ze gaan naar de woonkamer. Jimmy gaat op de bank zitten

en zijn benen plakken door de warmte aan de plastic bekleding.

'Wil je iets drinken?' vraagt oom Tony. 'Ik zal het meisje roepen.'

'Laat maar.'

Ze praten een paar minuten over de verplichte koetjes en kalfjes en dan komt Tony Jacks ter zake. 'Wat brengt je hierheen, Jimmy?'

'Die puinhoop in San Diego.'

Tony Jacks schudt zijn hoofd. 'Als ze het mij hadden gevraagd, had ik ze gezegd dat Vince die klus niet aankon.'

'Heb ik ook gezegd.'

'Ik ken Frankie al van kindsbeen af,' zegt Tony Jacks. 'Hij heeft ooit voor me gewerkt, indertijd. Een harde noot om te kraken.'

'Ik wil het doen, oom Tony.'

Tony Jacks kijkt hem een paar tellen aan en zegt dan: 'Dat beslist Jack Tominello, neef. Hij is de baas.'

'Jíj zou de baas moeten zijn,' zegt Jimmy. 'Of mijn vader. Het zou een Giacamone moeten zijn, geen Tominello. Ik denk dat als ik dit doe, ik overneem wat Vince in San Diego had.'

'Wat weet je daarvan?'

'Iets met stripclubs.'

'Het gaat veel verder dan een paar strippers.'

'Vanwaar die wrok tegenover Frankie Machine?' vraagt Jimmy. 'Waarom willen we hem laten verdwijnen?'

Tony Jacks buigt zich naar voren. Zijn stem daalt tot een schor gefluister. 'Wat ik je ga vertellen, Jimmy, weet je vader niet. Zelfs Jack weet het niet. En als ik het je vertel, mag je het zolang als je leeft aan niemand doorvertellen.'

'Ik zeg niets.'

'Zweer het.'

'Ik zweer het bij God,' zegt Jimmy.

Tony Jacks vertelt hem een verhaal. Het gaat over lang geleden en het duurt lang.

Wanneer Jimmy the Kid ten slotte het huis van zijn oom verlaat, is hij overdonderd.

Volkomen overdonderd.

17

MOUSE JUNIOR opsporen is een makkie.

Frank belt gewoon Inlichtingen, krijgt het nummer van Golden Productions en draait het.

'Hé,' zegt hij tegen de receptionist, 'ik doe de catering voor de opnamen van vandaag en ik kan het niet vinden. Kunt u me vertellen...'

Het is in de Valley natuurlijk.

De San Fernando Valley is de pornohoofdstad van de wereld. Je kunt in de Valley geen tennisbal laten kaatsen zonder een blote kont te raken die wacht tot hij op moet. Het gebied hoort bij Los Angeles, maar heeft een paar jaar geleden geprobeerd zich los te maken, waarschijnlijk, denkt Frank als hij de 101 neemt en in de richting van de Valley rijdt, om zichzelf uit te roepen tot de Republiek Porno.

Dus je hebt Hollywood en dan, iets noordelijker, heb je Snollywood. Homo's met viagra-erecties die drugsverslaafde meiden neuken op kale matrassen op gazons in Encino.

Net zo erotisch, denkt Frank, als een darmbacterie.

Maar het feit ligt er dat de 'volwassenenindustrie' sneller groeit dan Hollywood, de honkbal-, football- en basketbalcompetitie samen. Er wordt grof geld verdiend en waar grof geld wordt verdiend, vind je de gozers.

Hij vindt de set zonder problemen. Het is een groot huis in Chatsworth, met een ommuurde achtertuin en het onvermijdelijke zwembad. Hij weet dat hij goed zit, want de Hummer van Mouse Junior staat in de straat, waaruit weer eens blijkt hoe slordig dit ding de laatste tijd is geworden, als je een aanslag doet op iemand, het mislukt en je blijft je eigen auto gebruiken alsof er geen vuiltje aan de lucht is.

Tenzij het een hinderlaag is, denkt Frank.

Hij rijdt rond, zoekend naar een werkauto, maar hij ziet er geen. En hij ziet ook geen kerels op de hoek staan. Als Mouse Junior beveiliging heeft, staan ze allemaal naar de actie te kijken. Wat behoorlijk stom is, denkt Frank terwijl hij de heuvel oprijdt van waaruit hij in de achtertuin kan kijken. Hij parkeert, pakt zijn kijker en checkt de omgeving.

Als ik Mouse Junior koud wilde maken, kon ik het zó vanuit de auto doen, met één geweerschot, en alles wat zijn beveiliging dan voor hem kon doen, was zijn lijk van het natte gras tillen.

Want daar staat het stomme ettertje, met zijn nog stommere hulpje, Travis, om met de regisseur en de crew te overleggen waar ze moeten opnemen nu het regent. De acteurs en de crew staan neerslachtig op een kluitje op de overdekte patio en de regisseur bekijkt zo te zien hoe ze daar kunnen opnemen en jawel hoor, een paar technici lopen naar buiten en rollen een ligstoel naar de patio. Een productieassistent zoekt een handdoek en veegt hem af.

Wat attent, denkt Frank; de acteurs mogen in elk geval op een dróge tuinstoel werken.

Frank stelt de kijker scherp op Mouse Junior. Het zou makkelijk zijn hem koud te maken, maar Frank is niet op zijn bloed uit, hij wil informatie. Dus moet hij hier blijven zitten en zijn kans afwachten.

Er zijn vijf dingen die maken dat mensen je een kans geven:

Slordigheid.

Vermoeidheid.

Gewoonte.

Geld.

Seks.

Dat is het. Dat is alles.

Mouse Junior heeft zich al schuldig gemaakt aan slordigheid en dat zou genoeg zijn om hem te doden, maar Frank wil hem niet dood. Dus moet hij nu wachten tot Mouse Junior een van de vijf andere doodzonden begaat.

Frank gokt op seks.

Wat niet zo'n wilde gok is, als je ziet hoe Mouse Junior daar staat te kijken naar een jongedame die op ditzelfde moment seks heeft met zichzelf. Ze is een tenger blondje met een enorme boezem, joekels van tieten als het ware. En ze heeft de vereiste tatoeage boven haar bil, het 'slettenstempel', zoals Mike Pella het noemt.

Een in de golven dartelende dolfijn.

Frank is beledigd namens de dolfijnen.

Hij heeft verdorie gesúrft met dolfijnen. Dat doen ze soms, met de surfers meezwemmen, gewoon voor de lol. En enkele van de mooiste herinneringen van zijn leven hebben te maken met kijken hoe dolfijnen bij zonsondergang spelen in de branding. Hij hoeft ze niet afgebeeld te zien op de rug van een pornoactrice.

Frank ziet dat hele tatoeagegedoe trouwens niet zitten, hij ziet het aantrekkelijke er niet van in. Hij vindt ze al niks op een jong lichaam en wat gebeurt er als de zwaartekracht zijn onvermijdelijke tol eist en de tekeningen gaan afzakken?

Geen leuk beeld.

Mouse Junior heeft zijn blik gericht op het Dolfijnmeisje.

Zij heeft haar blik gericht op hem.

Pornokalverliefde.

Best lief, als het niet zo walgelijk was.

Ze speelt met zichzelf en kreunt en lonkt buiten beeld naar Mouse Junior, die van het ene been op het andere steunt en grijnst als de geboren debiel die hij is.

Intussen bezorgt een andere jongeman de mannelijke pornoster een stijve en die loopt nu de set op en Dolfijnmeisje neemt de pijpklus over. De mannelijke pornoster bewijst haar een wederdienst en vervolgens werken ze een langdradige reeks standjes af, als seksatleten die hun verplichte figuren uitvoeren, wat culmineert in de verplichte spermastraal in haar gezicht, die ze met duidelijk enthousiasme, zo niet regelrechte dankbaarheid ontvangt.

Dan is het lunchtijd.

Frank weet niet of er een vakbond van 'volwassenenentertainers' bestaat, maar ze lijken aardig stipt met de lunchpauze en gaan op de patio in de rij staan om naar de lange tafel te schuifelen.

Mouse Junior wacht terwijl een productieassistent Dolfijnmeisje een vochtig doekje geeft om haar gezicht af te vegen, stapt dan naar voren en slaat een badstof kamerjas om haar schouders, om te bewijzen, neemt Frank aan, dat ridderlijkheid inderdaad nog bestaat. Hij kijkt toe terwijl ze zich afscheiden van de groep en hun lunch opeten bij de afgedekte barbecue.

En waarover praten? vraagt Frank zich af.

Over de scène die ze net gespeeld heeft. Of die ze dadelijk gaat spelen? Over haar vertolking, haar techniek? Enkele aanwijzingen van de 'producent'? Carrièreaantekeningen? Wat?

Doet er niet toe.

Frank wacht tot de lunchpauze voorbij is, rijdt dan dichter naar het huis en vindt een parkeerplaats in de straat.

Een uur of twee later komt Dolfijnmeisje naar buiten en stapt in een Ford Taurus. Frank volgt haar als ze de straat uitrijdt naar de oprit van de 101. Hij blijft enkele auto's achter haar terwijl ze naar het zuiden rijdt en bij Encino afslaat. Ze woont in een van die twee verdiepingen tellende flatgebouwen zoals duizenden andere in en rond L.A. Frank rijdt achter haar aan de parkeerplaats op, waar ze op haar eigen plek parkeert. Hij vindt een leeg vak en parkeert en kijkt dan terwijl ze naar de tweede verdieping gaat en zichzelf binnenlaat.

Dan rijdt hij weg, zoekt een Subway-restaurant, waar hij een broodje kalkoen en een flesje ijsthee bestelt, gaat naar de avondwinkel in hetzelfde winkelcentrum en koopt *Surfer*, rijdt terug naar de straat van haar flatgebouw en wacht.

De sandwich is goed – niet geweldig, niet zoals hij er thuis zelf een zou hebben gemaakt, maar goed. Hij koos de kalkoen met volkorenbrood omdat zowel Donna als Jill hem aan zijn kop zeuren over zijn koolhydrateninname, met al die pasta.

Dieetgrillen, denkt Frank – een tijdje terug bunkerde iedereen koolhydraten en kon je de pasta niet aangesleept krijgen in de restaurants en nu zijn koolhydraten taboe en eiwitten helemaal in.

Het is al bijna acht uur als Mouse Junior arriveert.

Zeker problemen gehad op de set, denkt Frank. Scriptproblemen, defecte camera's, erectiestoornissen, glijmiddeltekort...

Hoe dan ook, Mouse Junior komt in zijn Hummer en hij komt alleen. Slordigheid én seks, denkt Frank, een dodelijk dagelijks duo. De enige vraag is of hij hem nu zal pakken of zal wachten tot hij zijn punt heeft gezet.

Het zou beter zijn het in de flat te doen, denkt Frank, maar Dolfijnmeisje heeft er niets mee van doen. Dus besluit hij haar erbuiten te laten, in de hoop dat Mouse Junior niet blijft pitten.

Kortom, denkt Frank, je hoopt dat hij net als jij is.

Hij stelt het alarm op zijn horloge in en doet een dutje van een halfuur, in de wetenschap dat Mouse Junior zo snel niet klaarkomt. Hij leunt achterover en slaapt als een roos tot het zachte zoemen hem wekt. Dan stapt hij uit, opent de kofferbak, haalt er een kleine koevoet uit en loopt naar de Hummer.

In de goeie ouwe tijd zouden er, als de zoon van een baas zogezegd op vrijersvoeten was, mannen op straat hebben gewacht, rugdekking hebben gegeven.

Niet meer.

Frank loopt naar de Hummer en opent het portier. Het alarm gaat af, maar daar kijkt tegenwoordig niemand meer van op, en hij heeft er maar een paar seconden voor nodig om onder de stoel te graaien en het stomme ding af te zetten.

Hij stapt achterin en gaat op de grond liggen, hopend dat Mouse Junior een belabberde minnaar is.

Middelmatig, zo blijkt.

Het is bijna halfelf wanneer Mouse Junior uit de flat komt.

Fluitend.

Onwezenlijk, denkt Frank als hij Mouse Junior hoort kwinkeleren. Dat joch is een wandelend cliché. Hij wacht terwijl het portier wordt geopend en Mouse Junior achter het stuur klimt. Dan duwt hij de loop van zijn pistool tegen de rugleuning van de stoel, zodat Mouse Junior hem in zijn rug voelt porren.

'Zet je handen tegen het plafond,' zegt Frank. 'Stevig.'

Mouse Junior doet het.

Frank vindt het pistool in de schouderholster van Mouse Junior, maakt de kamer leeg en stopt het achter zijn eigen broeksband.

'Leg nu je handen op het stuur,' zegt Frank.

Ook dat doet Mouse Junior. 'Maak me alstublieft niet dood, meneer Machianno.'

'Als ik je dood wilde maken,' zegt Frank, 'zou je al dood zijn. Maar denk eraan, als je maakt dat ik je door de rugleuning heen neer moet schieten, worden er én een kogel én het met de hand bewerkte leer en God weet wat nog meer door je edele delen geblazen. Capisce?'

'Ik begrijp het,' zegt Mouse Junior met trillende stem.

'Mooi,' zegt Frank. 'En dan gaan we nu naar papa.'

Het is een lange rit naar Westlake Village, voornamelijk doordat Mouse Junior last krijgt van verbale diarree en de dwaasheden die uit zijn mond komen niet kan tegenhouden. Dat hij zo blij is dat Frank nog leeft, dat hij zo geschokt was door wat er op de boot is gebeurd, dat hij en Travis zijn pa meteen gebeld hebben om te vragen of hij kon helpen, dat de hele L.A.-familie...

'Junior? Hou je mond,' zegt Frank. 'Ik krijg koppijn van je.'
'Sorry.'
'Rij nou maar,' zegt Frank. Hij geeft hem opdracht naar de ene plek ter wereld te rijden waar niemand Frank Machianno zou verwachten: het bedrijfspand van Mouse Senior. Het café zal inmiddels wel gesloten zijn voor het publiek, maar Frank weet dat Mouse Senior en de halve L.A.-familie er zullen zijn.
Wat precies is wat hij wil.
Dit gedoe regelen zodat hij kan doorgaan met zijn leven.
Als ze er aankomen zegt Frank tegen Mouse Junior dat hij aan de achterkant moet parkeren, de motor aan moet laten staan en met zijn mobiel zijn pa bellen. De hand van Mouse Junior trilt alsof hij een ouwe dronkenlap is als hij de snelkeuzetoets indrukt.
Als Frank hoort dat Mouse Senior opneemt pakt hij de telefoon.
'Kom naar buiten,' zegt hij.
Mouse Senior herkent de stem. 'Frank? Wat is er, verdomme?'
'Ik hou een wapen tegen de rug van je zoon en als je over tien seconden niet hier bent, haal ik de trekker over.'
'Ben je soms dronken?' vraagt Mouse Senior. 'Is dit een zieke grap?'
'Eén...'
'Frank, wat heb je verdomme?'
'Twee...'
'Frank, ik kijk uit het raam, ik zie Junior in zijn eentje in zijn auto zitten.'
'Vertel het hem,' zegt Frank tegen Mouse Junior.
'Pa?' zegt Mouse Junior. 'Hij is hier. Hij zit achterin. Hij is gewapend.'
'Dat was drie, vier en vijf,' zegt Frank.
'Is dit een ontvoering?' vraagt Mouse Senior. 'Ben je gek geworden, Machianno? *Ben je godverdomme helemaal gestoord*?'

Zou het kunnen, denkt Frank, dat Mouse Senior niets van de hinderlaag wist?

'Zes,' zegt Frank.

'Ik kom al! Ik kom al!' Frank houdt het wapen tegen de rug van Mouse Junior, maar komt net genoeg omhoog om uit het raam te kunnen kijken. Mouse Senior komt door de achterdeur naar buiten, vergezeld door zijn broer Carmen, Rocco Meli en Joey Fiella. De broers Martini zullen niet gewapend zijn, weet Frank, maar Rocco en Joey beslist wel.

Het maakt niet uit. Niemand zal op hem schieten zolang hij zo dicht bij de zoon van de baas is. *Ik* zou het kunnen, denkt Frank. Ik zou kunnen schieten zonder één druppel bloed van dat joch te vergieten, maar dat kan ik, dat kunnen zij niet.

En ze weten het.

Ze weten ook dat ik het joch al had kunnen doden, als dat mijn bedoeling was. En ik zou in mijn recht staan, vanwege de hinderlaag. Het feit dat ik hem hierheen heb gebracht, waar het gelijk zou staan aan zelfmoord als ik de trekker overhaalde, maakt ze duidelijk dat ik vrede wil sluiten.

Hij zegt: 'Pete, je weet dat je zoon al dood had kunnen zijn.'

'Rustig aan, Frank.'

Frank heeft Mouse Senior in geen jaren gezien. De baas heeft nog hetzelfde brede, platte koekenpangezicht, maar de rimpels zijn stukken dieper en zijn haar is compleet grijs geworden.

'Ik doe rustig,' zegt Frank. 'Doe jij hetzelfde en luister. Er is blijkbaar sprake van een misverstand, Pete, waardoor je dacht dat je me koud moest maken. Als je denkt dat ik je zou verlinken om Herbie Goldstein, heb je het mis. Ik ben er niet voor gearresteerd, aangeklaagd of zelfs maar verhoord. En al was dat wel zo, ik ben geen rat.'

'Dat denk ik ook niet,' zegt Mouse Senior. 'Waar héb je het godverdomme over?'

'De bijeenkomst met Vince Vena op de boot?' Frank ziet vanuit zijn ooghoek iets bewegen. 'Zeg tegen Joey dat hij stopt met naar de andere kant van de auto sluipen.'

'Joey, blijf staan,' beveelt Mouse Senior. 'Frank, waar heb je het godverdomme over?'

'Weet hij het niet?' vraagt Frank aan Junior.

Mouse Junior schudt zijn hoofd.

'Vertel het hem dan maar.'

'Wat vertellen?' Mouse Senior kijkt zijn zoon dreigend aan. 'Wát vertellen, Junior? Wat heb je nou weer versjteerd?'

'Pa...'

'Godver, zeg op!'

'Travis en ik rommelden wat met porno in San Diego,' zegt Mouse Junior. 'Internetporno, webcamtroep... videostreaming...'

'Godvergeten eikel,' zegt Mouse Senior. 'Je weet dat dat...'

'Ik probeerde wat te verdienen, pa!' zegt Mouse Junior. 'Ik probeerde te schnabbelen.'

'Ga door.'

'Ik verdiende verdomd veel, pa,' zegt Mouse Junior. 'Toen kwamen die lui uit Detroit erachter. Ze zetten me klem, zeiden dat ze ermee naar jou zouden gaan als ik niet...'

'Wat heb je gedáán, Junior?'

'Ik moest alleen maar een afspraak maken,' roept Mouse Junior. 'Frank overhalen om te komen, hem met Vena laten praten. Meer niet. Ik wist niet dat ze hem wilden vermoorden; ik zweer het, ik wist het niet. Ze zeiden alleen maar dat ik hem dat verhaal moest vertellen, hem naar de bespreking moest lokken, dan kon ik mijn zaken daar houden.'

'Sorry, Frank,' zegt Mouse Senior. 'Ik wist er niets van.'

'Gelul,' zegt Frank. 'Detroit zou zich nooit op jouw terrein wagen en een van je mensen koud maken zonder jouw goedkeuring. Jij bent de baas.'

'De baas?' vraagt Mouse Senior met een meesmuilende grijns om zijn mond. 'Baas waarvan? Ik ben de baas van níks.'

Dat is de keiharde waarheid.

De meeste mensen van Mouse zitten in de bak, wat hij nog heeft is vullis en hij kijkt tegen de zoveelste aanklacht aan. Hij is inderdaad de baas van niks – Frank realiseerde zich alleen niet dat hij het wist.

'Dus hoe zit het nu, Frank?' vraagt Mouse Senior. Hij richt zich tot zijn zoon. 'Je weet dat hij in zijn recht staat als hij je doodt.'

'Pa...'

'Kop dicht, oen,' zegt Mouse Senior. Hij wendt zich tot Frank. 'Je hebt een dochter, Frank. Je weet hoe het is. Als je wilt dat ik hem een stevig pak slaag geef, doe ik dat. Maar laat hem alsjeblieft gaan. Van vader tot vader, ik smeek het je. Ik verneder mezelf.'

'Wie?' vraagt Frank aan Mouse Junior. 'Eén kans om me de waarheid te vertellen; wie was het?'

'John Heaney,' zegt Mouse Junior.

John Heaney, denkt Frank. Geen wonder dat hij zo schichtig keek toen ik hem zag – kon het pas gisteravond zijn geweest? – bij Freddie's. John, mijn ouwe surfmakker, mijn vriend, de man die ik aan een half dozijn baantjes heb geholpen...

Dat is de wereld waarin we leven.

'Stap uit,' zegt Frank.

Mouse Junior tuimelt zowat uit de Hummer. Frank gaat achter het stuur zitten, smijt het portier dicht, zet hem in zijn achteruit en scheurt het parkeerterrein af en de straat op. In de spiegel ziet hij dat Joey al op hem mikt, dat Rocco naar een auto rent en dat Mouse Senior Mouse Junior om zijn oren slaat.

Maar lang genoeg pauzeert om te brullen: 'Maak die klootzak koud!'

18 TJA, NOU, die klootzak koud wíllen maken en hem daadwerkelijk koud maken zijn twee heel verschillende dingen, denkt Frank.

Hopelijk.

De belangrijkste vraag is wie John Heaney heeft gestuurd om me in een hinderlaag te lokken, en waarom?

Frank dwingt zichzelf zich op de dringendste dingen te concentreren.

Zoals het feit dat Joey Fiella en Rocco Meli achter hem aan zitten.

Of misschien ook niet. Joey en Rocco zitten beslist achter hem aan, maar het laatste wat ze waarschijnlijk willen is hem te pakken krijgen. Als ze hem te pakken krijgen zullen ze iets moeten doen, en dat is waarschijnlijk zichzelf dood laten schieten, en dat weten ze.

Maar goed, denkt Frank, ik kan ze niet eeuwig achter me aan laten zitten. Een felgele Hummer valt op als een felgele Hummer en als die dommekrachten een greintje verstand hebben – en hij schrijft ze een zekere roofdierachtige sluwheid toe – zullen ze snappen dat hij een tweede auto heeft achtergelaten bij de flat van de vriendin van Mouse Junior.

Wat hij dus nodig heeft is een beetje voorsprong.

Hij zet zijn voet op het pedaal en geeft plankgas, scheurt naar de 101. Het gaat veel sneller dan hij gewoonlijk rijdt, zeker in een lastig bestuurbare auto waar hij niet aan gewend is.

Maar hij moet voor een beetje voorsprong zorgen.

Hij stampt op het gas.

19 JOEY FIELLA slingert de auto de oprit van de 101 South op en hoopt dat zijn Mustang niet uit de bocht vliegt.

Dat doet-ie niet.

Juniors Hummer wel.

Het linkervoorspatbord zit om een lantaarnpaal heen gefrommeld en er stijgt rook op uit de motor.

'Junior zal pisnijdig zijn,' zegt Rocco.

'Hij kan doodvallen,' zegt Joey.

Hij zet de auto in de berm achter de Hummer.

'Dat is mazzel,' zegt Rocco.

Ja, maar wat voor mazzel? denkt Joey terwijl hij zijn pistool pakt en het portier opent. Rocco doet hetzelfde en ze naderen de Hummer van twee kanten, met getrokken wapen, als agenten bij een lichte verkeersopstopping.

Die stomme Junior met zijn getinte ramen, denkt Joey als hij bij het linkerportier aankomt, want hij kan niet naar binnen kijken en kan alleen maar hopen dat Frankie Machine over het stuur heen ligt met zijn hoofd aan gort.

Hij besluit geen risico te nemen, Frankie zou zich dood kunnen houden en bovendien kan er elk moment een auto de oprit op komen. Dus begint Joey Fiella maar te schieten. Rocco wordt besmet door het paniekvirus en doet hetzelfde en samen schieten ze hun wapens leeg op de voorruit.

Het glas verbrijzelt.

Joey knippert met zijn ogen.

Frankie zit niet in de auto.

En zijn eigen Mustang rijdt de snelweg op, met Frankie achter het stuur.

Dit is niet gunstig, denkt Joey.

Het zal geen lolletje zijn om Pete uit te leggen hoe hij Juniors Hummer in de prak heeft geschoten en zijn eigen auto heeft laten jatten.

En Frankie Machine heeft laten ontkomen.

20 STOMMELINGEN, DENKT Frank.

Dat gaat tegenwoordig voor soldaten door.

Mouse Senior had gelijk: hij is inderdaad de baas van niks, als die idioten het beste zijn wat hij eropuit kan sturen. Vroeger zouden het mannen zoals Bap, Jimmy Forliano, Chris Panno, Mike Pella en, nou ja, ík zijn geweest.

Nu zijn het Rocco en Joey.

Frank had ze ter plekke kunnen neerknallen, moeiteloos, maar wat zou het voor zin hebben gehad? Toen je jonger was had je ze misschien gedood omdat je razend was en je je macho voelde, maar op zijn leeftijd weet je: hoe minder doden, hoe beter.

Trouwens hij wilde niet meer vendetta's ontketenen dan hij al had.

En blijkbaar, denkt hij, heb ik er een waarvan ik zelfs niet wist.

John Heaney, denkt Frank terwijl hij in de Mustang terugrijdt naar de flat van het Dolfijnmeisje om zijn eigen auto op te halen. Wat heb ik John ooit misdaan?

21 JOHN HEANEY gaat naar buiten voor een rookpauze. Bij de container achter Hunnybear's.

Het is een afmattende avond geweest, de club is afgeladen vol met de plaatselijke stamgasten en een drom toeristen – een of ander congres uit Omaha. In elk geval, de serveersters verdienen goed en de kassa rinkelt als een brandalarm.

John haalt het pakje Marlboro uit zijn borstzak en zijn aansteker uit zijn broekzak, steekt op en leunt achterover tegen de container. Plotseling hapt hij naar adem als er een arm om zijn keel wordt geslagen en hij van de grond wordt getild.

Een paar centimeter maar, maar het is genoeg. Hij kan niet

ademen en hij kan zich niet afzetten.

'Ik dacht dat we vrienden waren, John,' hoort hij Frank Machianno zeggen.

Frankie Machine staat in de container, tot zijn kuiten in het afval en zijn sterke linkeronderarm om Heaneys hals.

'O shit,' zegt John.

'Mouse Junior heeft je verlinkt,' zegt Frank. 'Waarom, John? Heb ik je een partij bedorven tonijn geleverd of zo?'

'O shit,' herhaalt John.

'Je zult iets beters moeten verzinnen,' zegt Frank.

De achterdeur van de club gaat open en een kegel geel licht stroomt de achterplaats op. John voelt dat hij met een ruk wordt opgehaald als een vis in een boot en dan ligt hij tussen het afval, met Franks zware lichaam boven op hem.

En de loop van een wapen tegen zijn linkerslaap.

'Gil gerust,' fluistert Frank.

John schudt zijn hoofd.

'Verstandige beslissing,' zegt Frank. 'En neem er nu twee achter elkaar – vertel me wie je naar Mouse Junior heeft gestuurd.'

'Niemand,' fluistert John.

'John, je bent een middelmatige kok en nachtmanager van een kieteltent,' zegt Frank. 'Je hebt niet de poen om een aanslag te betalen. En de eerste de beste leugen die je me vertelt, ik zweer je, ik mol je en laat je lijk in het afval liggen, waar het thuishoort.'

'Ik wilde het niet, Frank,' jammert John. 'Ze zeiden dat ze me konden helpen.'

'Wie, Johnny? Wie is er naar je toe gekomen?'

'Teddy Migliore.'

Teddy Migliore, denkt Frank. De eigenaar van Callahan's en lid van de Combinatie. Geen goed nieuws.

'Je waarmee helpen, John?'

'Ik ben in staat van beschuldiging gesteld, Frank.'

'In staat van beschuldiging?'

'Vanwege dat G-Sting-gedoe,' zegt John. 'Ik was de koerier. Ik bracht geld naar een smeris. Hij was undercover.'

John flapt er de rest van het verhaal uit. Hij zat tussen twee vuren: de FBI bood hem een deal aan als hij wilde doorslaan, de maffiosi dreigden hem in elkaar te rammen om te voorkomen dat hij zou praten.

'Ik kon geen kant op, Frank.'

Toen bood Teddy Migliore hem een uitweg: als John naar Mouse Junior ging en een deal met hem sloot, was hij vrij man. De maffia zou hem niet te grazen nemen en ze zouden zorgen dat hij niet werd aangeklaagd of in elk geval werd vrijgesproken.

'En je gelóófde dat gelul?' vraagt Frank, wetend dat het een zinloze vraag is. Een ten dode opgeschreven man gelooft alles wat hem een greintje hoop geeft.

Hij spant de haan en voelt dat John in elkaar krimpt.

'Niet doen, Frank, alsjeblieft,' zegt John. 'Het spijt me.'

Frank ontspant de hamer weer en Johns lichaam begint te schokken van het snikken.

'Ik laat je nu alleen, Johnny,' fluistert Frank. 'Blijf vijf minuten liggen voordat je eruit klimt. Als je je klote voelt door wat je me hebt geflikt, wacht je een uur voordat je Teddy belt. En anders, nou ja, daar kan ik niets aan doen.'

Frank klimt uit de container en klopt het vuilnis af. Het zou mooi zijn als hij ergens kon douchen en schone kleren aantrekken, maar hij heeft momenteel andere dingen te doen.

Hij loopt naar zijn auto en opent de kofferbak.

22 FRANK STAAT tegenover Callahan's en wacht tot het sluitingstijd is.

Het is een lange, koude wake om twee uur in de ochtend.

Eindelijk beginnen de trendy jongelui naar buiten te druppelen en een paar minuten later wil de uitsmijter de deur op slot doen.

Op dat moment komt Frank naar voren.

De uitsmijter haalt naar hem uit.

Frank duikt onder de stoot door, haalt het softbalslaghout onder zijn jas uit en jenst de uitsmijter tegen zijn schenen. De krak die daarop volgt en de uitsmijter die languit op het trottoir valt trekken de aandacht van de nablijvers in de bar.

Een van de jongens stormt op Frank af.

Frank stompt hem met het stompe eind van het slaghout in zijn maag, zwaait de greep in een wijde boog naar boven en raakt de man onder zijn kin. Hij stapt achteruit om de man ruimte te geven om te vallen en ziet dat de volgende onder zijn jack naar zijn schouderholster grijpt. Frank laat het slaghout zwaaien en breekt de pols van de man tegen de pistoolkolf.

De barkeeper springt met een knuppel in zijn hand over de bar heen en haalt uit naar Franks achterhoofd. Frank draait zich om, heft zijn slaghout om de knuppel te blokkeren, trekt zijn arm terug en slaat de knuppel terug tegen de neus van de barkeeper, die in een fontein van bloed breekt. Dan stapt Frank met zijn rechtervoet over zijn linker heen, draait zich om zijn as en levert een homerunzwieper af in de zwevende ribben van de barkeeper.

Drie neer.

Teddy Migliore staat erbij alsof hij ter plekke wortel heeft geschoten.

Dan draait hij zich om en zet het op een rennen.

Frank lanceert het slaghout laag over de grond. Het stuitert en raakt Teddy in zijn knieholten, zodat hij languit op de grond valt. Frank zit al boven op hem voordat hij zelfs maar kan beginnen overeind te krabbelen. Hij zet zijn rechterknie in Teddy's lenden, pakt hem bij zijn kraag en beukt zijn gezicht tegen de dure tegels tot hij bloed in de voegen ziet druppelen.

'Wat,' schreeuwt Frank, 'heb ik je ooit misdaan? Huh? *Wat heb ik je ooit misdaan?*'

Frank buigt zich naar voren, legt een hand onder Teddy's kin en tilt die op terwijl zijn andere arm als een balk in Teddy's nek ligt. Hij kan ofwel Teddy's ruggengraat breken of hem wurgen, of allebei.

'Niets,' snikt Teddy. 'Ik kreeg opdracht, meer niet.'

'Van wie?' vraagt Frank.

Frank hoort politiesirenes die beginnen te janken. Een of andere brave burger heeft de barkeeper natuurlijk op het trottoir zien kronkelen en de politie gebeld. Frank oefent meer druk uit op Teddy's nek.

'Vince,' zegt Teddy.

'Waarom? Waarom wilde Vince me koud maken?'

'Dat weet ik niet,' kermt Teddy. 'Ik zweer het, Frankie, ik weet het niet. Hij zei alleen dat ik je moest bezorgen.'

Me bezorgen, denkt Frank. Als een pizza. En Teddy liegt. Hij weet donders goed waarom Vince me wilde doden, of hij schuift de hele schuld op een dode.

'Politie! Kom naar buiten met je handen zó dat we ze kunnen zien!'

Frank laat Teddy los, stapt over hem heen het kantoor binnen en laat zichzelf uit door de achterdeur. Terwijl hij dat doet hoort hij een stem op het antwoordapparaat. *'Teddy? Met mij, John...'*

Frank stapt de steeg in en rent weg.

Teddy Migliore zit in zijn kantoor en masseert zijn hals. Hij kijkt de agenten aan en zegt: 'Jullie hebben er wel de tijd voor genomen... de smak geld die we betalen...'

De agenten lijken niet over te lopen van medeleven. Ze zijn

trouwens gestopt met geld aannemen. Je moet tegenwoordig wel een verschrikkelijke idioot zijn als je geld aanneemt van Teddy Migliore, gezien alles wat er gebeurt.

Operatie G-Sting.

'Weet je wie dit gedaan heeft?' vraagt een van de agenten.

'Wil je aangifte doen?' vraagt de ander.

'Flikker godverdomme op,' zegt Teddy.

Hij gaat inderdaad aangifte doen, maar niet bij die twee losers. Maar hij wacht tot ze weg zijn voordat hij de telefoon oppakt.

Frank draaft de steeg uit en de straat op.

Je had het precies bij het verkeerde eind, stomme zak, houdt hij zichzelf voor. Het was niet L.A. dat Vince opdracht gaf om je koud te maken, het was Vince die L.A. gebruikte, of in elk geval Mouse Junior, om je in een hinderlaag te lokken.

Maar waarom?

Hij kan niet bedenken wat hij Vince Vena of de Migliores ooit zou hebben misdaan. Hij kan alleen iets bedenken wat hij vóór ze heeft gedaan.

23 HET WAS in de zomer van '68.

De zomer dat Frank terugkwam uit Vietnam.

In feite, denkt Frank nu terwijl hij naar de regen kijkt die tegen het raam van zijn schuiladres klettert, in feite heb ik meer mannen gedood voor de overheid dan ik ooit heb gedaan voor de maffia.

En die gaf hem een medaille en eervol ontslag.

Frank heeft in zijn Vietnam-tijd heel wat soldaten van de Vietcong en het Noord-Vietnamese Bevrijdingsleger gedood. Dat was zijn taak – sluipschutter – en hij was er verdomd goed in. Soms had hij het er moeilijk mee, maar hij heeft zich er nooit schuldig over gevoeld. Zij waren soldaten, hij was soldaat en in een oorlog doden soldaten elkaar.

Frank is nooit in dat *Apocalypse Now*-gezeik getrapt. Hij heeft nooit vrouwen of kinderen gedood of hele dorpen afgeslacht of zelfs iemand ontmoet die dat had gedaan. Hij doodde slechts vijandelijke soldaten.

Het Tet-offensief was geknipt voor mannen zoals Frank, omdat de vijand tevoorschijn kwam om zich te laten doodschieten. Voor die tijd waren het frustrerende patrouilles in de jungle geweest die gewoonlijk niets opleverden, behalve wanneer je in een Vietcong-hinderlaag liep en een paar maten verloor en de vijand nog steeds niet gezien had.

Maar tijdens Tet kwamen ze massaal tevoorschijn en werden massaal neergemaaid. Frank was een eenmanssloopkogel in de stad Hué. De huis-aan-huisgevechten in de stad sloten naadloos aan bij zijn vaardigheden en Frank leverde tweegevechten met Vietnamese sluipschutters die soms dagen duurden.

Het waren gevechten van slimheid en vaardigheid.

Frank won altijd.

Toen hij terugkwam uit Vietnam, merkte hij dat het land dat hij verlaten had niet meer bestond. Rassenrellen, 'vredesrellen', hippies, LSD. De surfscene was op sterven na dood omdat er een heleboel lui in Vietnam zaten of erdoor in de knoop zaten of hippies waren geworden en in Oregon in communes leefden.

Frank borg zijn uniform op en ging naar het strand. Surfte wekenlang nagenoeg in zijn eentje, hield zijn eigen kampvuurtjes en barbecues en probeerde het verleden te laten herleven.

Maar het was niet meer hetzelfde.

Patty wel.

Ze had hem elke dag dat hij in Vietnam was geschreven. Lange, gezellige brieven over wat er thuis gebeurde, wie met wie ging, wie uit elkaar waren, over haar werk als secretaresse, haar ouders, zijn ouders, van alles. En liefdesbrieven – hartstochtelijke passages over wat ze voor hem voelde, dat ze niet kon wachten tot hij thuiskwam.

En dat kon ze niet. Het 'goed katholieke meisje' van vroeger nam hem mee naar haar kamer zodra haar ouders de deur uit waren en trok hem op het bed. Niet dat er veel trekken voor nodig was, herinnert Frank zich.

God, de eerste keer met Patty...

Ze gingen tot de rand, zoals ze zo vaak op de achterbank van de auto hadden gedaan, alleen kneep ze ditmaal haar benen niet bij elkaar en duwde ze hem niet weg. In plaats daarvan leidde ze hem in haar. Hij was verrast, maar protesteerde bepaald niet en toen het tijd werd om terug te trekken – veel te snel, denkt hij spijtig – fluisterde ze: 'Niet doen. Ik gebruik de pil.'

Wat een schok was.

Ze was, vooruitlopend op zijn thuiskomst, naar de dokter gegaan en aan de pil gegaan, vertelde ze hem toen ze na afloop op haar bed lagen, haar hoofd in de boog van zijn arm.

'Ik wilde klaar zijn voor je,' zei ze. Voegde er toen bedeesd aan toe: 'Was ik goed?'

'Je was geweldig.'

En toen werd hij weer hard – God, jong zijn, denkt Frank – en ze deden het nog eens en ditmaal bereikte ze een hoogtepunt en zei dat als ze geweten had wat ze miste, ze het veel eerder zou hebben gedaan.

Patty was goed in bed – warm, gretig, hartstochtelijk. Seks was nooit hun probleem geweest.

Zo begon Frank opnieuw met Patty en ze begonnen aan de lange, onontkoombare mars naar het huwelijk.

Wat niet onontkoombaar was, was Franks toekomst.

Wat moest hij nu, nu zijn diensttijd bij de marine op een eind liep? Hij dacht erover bij te tekenen, misschien carrière te maken binnen het korps, maar Patty wilde niet dat hij terug zou gaan naar Vietnam en hij wilde niet zo vaak weg zijn uit San Diego. Zijn vader wilde dat hij visser werd, maar ook dat klonk niet bijster aantrekkelijk. Hij had met een beurs van het leger kunnen doorstuderen, maar er was niets te studeren waarin hij erg geïnteresseerd was.

Dus was hij als vanzelf bij de jongens terechtgekomen.

Niets dramatisch, niks onverwachts.

Frank liep gewoon op een dag Mike Pella tegen het lijf en ze dronken een biertje en bleven met elkaar optrekken. Mike vertelde hem over zijn jeugd, hoe hij was opgegroeid in New York bij de Profaci-familie, daar wat problemen had gehad en naar het westen was gestuurd om voor Bap te werken tot de boel was bijgelegd.

Maar Californië beviel hem, hij mocht Bap en dus had hij besloten te blijven.

'Wie zit er verdomme op sneeuw te wachten, toch?' vroeg Mike.

Ik niet, dacht Frank.

Hij begon met Mike mee te gaan naar de clubs waar de jongens hun dagen doorbrachten en dát was niet veranderd. Dát was hetzelfde gebleven, alsof het in een tijdkromme was. Het was geruststellend, familiair. Familiáál, neem ik aan, denkt Frank nu.

Het waren allemaal dezelfde jongens – Bap, Chris Panno, en Mike natuurlijk. Jimmy Forliano had een smokkelzaakje in East County en kwam ook wel eens, maar dat was het wel zo'n beetje.

Ze vormden een kleine, hechte groep in wat toen nog een kleine stad was. Dat was typisch San Diego in die tijd, denkt Frank nu. We waren eigenlijk geen echte 'maffia' of een duidelijke familie zoals ze in de grote steden in het oosten hadden.

En er gebeurde verdomd weinig.

Het normaliter ongedwongen, rustige San Diego had een nieuwe federale aanklager die iedereen achter zijn vodden zat. Hij had een tenlastelegging van achtentwintig punten tegen Jimmy en Bap uitgewerkt voor gedonder met de truckersvakbond en maakte het beetje georganiseerde misdaad dat er in de stad was het leven zuur.

Bap was tevens stille vennoot in een plaatselijk taxibedrijf en hij gaf Frank een baantje als taxichauffeur.

Wasmachines op wielen waren het in feite, zoveel geld wasten de jongens via die taxi's wit. Gokgeld, woekergeld, prostitutiegeld – het ging allemaal op aan taxiritten.

En politiek geld.

Voor gemeenteraadsleden, Congresleden, rechters, politie, noem maar op. De commissaris van politie kreeg elk jaar een nieuwe auto, met de complimenten van het taxibedrijf.

En dan had je Richard Nixon.

Hij was presidentskandidaat en had een oorlogskas nodig en het zou gewoon raar hebben geleken, maffialeden in San Diego die cheques uitschreven voor de campagne van Nixon. Dus ging het geld via het taxibedrijf, in door de eigenaars en de chauffeurs 'gedoneerde' beetjes. Frank zou er nooit achter zijn gekomen als hij niet op een avond een cheque op het bureau had zien liggen.

'Geef ik geld aan Nixon?' vroeg hij Mike.

'Wij allemaal.'

'Ik ben Democraat,' zei Frank.

'Dít jaar niet,' zei Mike. 'Je wilt die zak van een Bobby Kennedy toch niet in het Witte Huis? Die vent heeft enorm de pik op ons! Trouwens, het is niet echt jouw geld, nou dan? Rustig dus maar.'

Frank zat met Mike in het kantoor van het taxibedrijf koffie te leuten en lulpraat te verkopen toen er werd gebeld.

'Zijn jullie klaar om een vrachtje op te pikken?' vroeg Bap.

Hij belde vanuit een cel.

Bap belde nooit van thuis uit, want Bap was niet gek. Hij stopte een knapper met kleingeld in zijn zak en liep 's avonds vier straten naar die telefooncel op Mission Boulevard om zijn bedrijf van daaruit te leiden, alsof het zijn kantoor was.

Gewoonlijk ontmoetten ze Bap op de promenade in Pacific Beach, een paar straten van het huis van de baas.

Je zou nooit gedacht hebben dat een vent zoals Bap zo gek was op de oceaan.

Iets wat hij en Frank gemeen hadden, hoewel Bap natuurlijk nooit op een surfplank klom of zelfs maar ging zwemmen, voor zover Frank wist. Nee, Bap hield er alleen maar van naar de oceaan te kijken; hij en Marie maakten altijd een wandeling bij zonsondergang op de promenade of slenterden over Crystal Pier. Ook hun appartement bood een mooi uitzicht op zee en Bap stond vaak bij het raam en maakte aquarellen.

Slechte aquarellen.

Hij had er tientallen, honderden waarschijnlijk, die hij altijd uitdeelde als cadeautjes, anders zeurde Marie aan zijn kop dat hij het hele huis volplempte met zijn schilderstukken.

Bap gaf ze met Kerstmis, verjaardagen, jubilea, Groundhog Day, noem maar op. Alle jongens hadden er een paar – je dacht toch niet dat je nee kon zeggen? Frank had er een aan de muur van zijn flatje in India Street – van een zeilboot die uitvoer naar de zonsondergang, want Bap wist dat Frank van boten hield.

En dat was zo, Frank hield inderdaad van boten, wat die aquarel des te pijnlijker maakte, want geen enkel vaartuig zou mogen doormaken wat Bap met deze schuit had gedaan. Maar Frank liet hem aan de muur hangen, want je wist nooit wanneer Bap langskwam en Frank wilde zijn gevoelens niet kwetsen.

Dat kon omdat hij nog niet getrouwd was. De vrouwen van de getrouwde jongens lieten hen Baps schilderstukken meestal in een kast of zo zetten, want de meeste getrouwde jongens waren maffiabazen en het protocol, zelfs in San Diego, schreef voor dat zelfs een baas niet even binnenwipte zonder telefoontje vooraf. Maar er was sprake geweest van koortsachtig schilderijen aan muren hangen als dat telefoontje kwam, van jongens die in allerijl een van Baps afzichtelijke aquarellen in de woonkamer hingen voordat de deurbel ging.

Dus als het voor gewone zaken was troffen ze elkaar op het strand. Vandaag echter zei Bap dat ze hem moesten ontmoeten in de dierentuin, voor het reptielenhuis.

Het ging over een vent die Jeffrey Roth heette.

'Wie?' vroeg Mike.

'Ooit van Tony Star gehoord?' vroeg Bap, met zijn gezicht plat tegen het glas naar een spugende cobra kijkend.

'Natuurlijk,' zei Mike.

Ze hadden allemaal van Tony Star gehoord. Een rat uit Detroit door wiens getuigenis de halve familie daar was opgeborgen. Rocco Zerilli, Jackie Tominello, Angie Vena, ze zaten allemaal door toedoen van Tony Star. De kranten hadden een buitenkansje met de onweerstaanbare kop TONY STAR WITNESS.

'Hij is nu "Jeffrey Roth", in het getuigenbeschermingsprogramma,' zei Bap. Hij begon op het glas te tikken om te proberen de cobra tot een aanval te verleiden. 'Denk je dat je een van die jongens zo ver zou kunnen krijgen om naar je te spugen?'

'Ik denk niet dat ze willen dat je dat doet,' zei Frank. Hij had medelijden met de slang, die niemand kwaad deed.

Bap keek hem aan alsof hij gek was en Frank snapte het. 'Ze' wilden waarschijnlijk niet dat Bap mensen doodde, vrachtwagens kaapte, woekerde en gokoperaties leidde, dus hij was denkelijk niet van plan te stoppen met in de dierentuin tegen het glas tikken. Sterker nog, Bap tikte opnieuw tegen het glas en vroeg toen: 'Raad eens waar Star tegenwoordig woont? Mission Beach.'

'Dat meen je niet!' zei Mike.

Het was een persoonlijke belediging, een rat die in hun eigen achtertuin woonde.

Frank en Mike hadden veel discussies gehad over ratten. Het was het ergste ter wereld wat je kon zijn, het minste van het minste.

'Je moet ergens voor stáán,' had Mike gezegd. 'We zijn allemaal volwassen mannen, we kennen de risico's. Als je gepakt wordt hou je je mond dicht en zit je je tijd uit.'

Frank was het ermee eens geweest, volledig.

'Ik ga nog liever dood dan dat ik aan dat programma meedoe,' had hij gezegd.

Nu hadden ze een vent die de halve Detroit-familie in de bajes had gekregen en hij was hier, hing rond en amuseerde zich op Mission Beach.

'Hoe hebben ze hem gevonden?' vroeg Mike.

De spugende cobra had zichzelf tot een bal opgerold en leek te slapen. Bap gaf het op en liep door naar de pofadder in de volgende kooi. Hij had zich rondom een boomstam geslingerd en zag er gevaarlijk uit.

'Via een secretaresse op het ministerie van Justitie die iets met Tony Jacks heeft,' zei Bap, tegen de adderkooi tikkend. Hij haalde een papiertje uit zijn zak en gaf het aan Frank. Er stond een adres in Mission Beach op. 'Detroit wilde zijn eigen mensen sturen, maar ik zei nee, het is een erezaak.'

'En of het dat is,' zei Mike. 'Ons terrein, onze verantwoordelijkheid.'

'En het is twintig mille waard,' zei Bap.

De pofadder deed een uitval naar het glas en Bap sprong zo'n halve meter achteruit, zodat zijn bril van zijn neus viel. Frank onderdrukte een lach terwijl hij hem opraapte, aan zijn mouw afveegde en aan Bap gaf.

'Vuile gluiperds,' zei Bap terwijl hij zijn bril aannam.

'Ze hebben schutkleuren,' zei Mike.

Frank en Mike gingen eropuit om wat sullige kleren te kopen waarin ze eruitzagen als toeristen en namen hun intrek in een motel aan Kennebec Court in Mission Beach. Ze staarden het grootste deel van de dag door de jaloezieën naar de flat van Tony Star aan de overkant van Mission Boulevard.

'We zijn net smerissen,' zei Mike de eerste avond.

'Hoezo?'

'Ik bedoel, dit is wat ze doen, toch?' vroeg Mike. 'Observeren?'

'Dat zal wel,' zei Frank. De allereerste keer dat hij medelijden had met smerissen, want observeren was saai. Het gaf een heel nieuwe betekenis aan het woord 'monotoon'. Maar wat zitten, smerige koffie drinken, om de beurt naar Kentucky Fried Chicken, McDonald's of een tacotent, met je voedsel op schoot eten van stukken vettig papier. Wat die troep in zijn ingewanden aanrichtte kon Frank alleen maar raden. Wat het met Mikes ingewanden deed wist hij, want het was een kleine kamer en als Mike de deur opende als hij van het toilet kwam... In elk geval, Frank begon medelijden te krijgen met smerissen.

Hij en Mike werkten in ploegen: de een hield de wacht bij het raam terwijl de ander een dutje deed of naar een slecht tv-programma keek. Ze hadden alleen vrij als Star de deur uitging, wat hij elke ochtend om halfacht deed om te joggen.

Daar kwamen ze de eerste ochtend achter, toen Star in een paars jumpsuit en sportschoenen door de voordeur naar buiten kwam en rekoefeningen begon te doen tegen de leuning van de trap.

'Wat doet-ie verdomme?' vroeg Mike.

'Hij gaat rennen,' zei Frank.

'Dat zou heel verstandig zijn,' zei Mike.

'Hij ziet er anders goed uit,' merkte Frank op.

Star zag er inderdaad goed uit. Hij was mooi bruin, zijn zwarte, kortgeschoren haren waren keurig achterovergekamd en hij was slank. Ze besloten dat een van hen hem zou volgen en Mike nam het op zich. Een uur later kwam hij terug, bezweet en nijdig.

'De klootzak,' hijgde Mike, 'jogt de hele haven rond alsof er geen vuiltje aan de lucht is. Loert naar de meiden, kijkt naar de boten, dompelt zich in het zonlicht om bruin te worden. De zakkenwasser neemt het ervan terwijl zijn vrienden in de lik zitten. Ik zeg je, we zouden die kloothommel moeten laten lijden voordat we hem koud maken.'

Daar was Frank het mee eens – Star zou inderdaad moeten lijden voor wat hij gedaan had – maar dat was niet de opdracht. Daar was Bap heel duidelijk over geweest; hij wilde het 'snel en schoon'. Erheen, klus klaren, wegwezen.

Hoe eerder hoe beter, wat Frank betrof. Patty was niet bepaald enthousiast geweest dat hij wegging.

'Waar ga je naartoe?' had ze gevraagd.

'Kom op, Patty.'

'Waarvoor? Waarom?'

'Zaken.'

'Wat voor zaken?' had ze aangedrongen. 'Waarom kun je het me niet vertellen? Je gaat gewoon aan de boemel met je maten, is het niet?'

Leuk boemelen, dacht Frank. Een goedkope motelkamer delen met Mike Pella, naar zijn constante vuilbekkerij luisteren, zijn sigarettenrook inademen, zijn scheten ruiken, het ene eentonige uur na het andere uit het raam kijken, een patroon in het zielige leven van een of andere rat proberen te ontdekken.

Want daar draaide het om, een patroon.

Bap had het hem uitgelegd. 'Mensen vervallen in gewoonten,' had hij tegen Frank gezegd. 'Iedereen. Mensen zijn voorspelbaar. Als je eenmaal kunt voorspellen wat iemand gaat doen en wanneer hij het gaat doen, kun je je opening vinden. Snel en schoon, in en uit.'

Ze wisten dus dat hij elke ochtend rond de haven jogde. Mike wilde het dan doen. 'We kopen een paar maffe joggingpakken, rennen achter hem aan en knallen hem door zijn kanis. Klaar is Kees.'

Frank had er zijn veto over uitgesproken. Er kon te veel misgaan. Eén: hij en Mike joggen – ze zouden opvallen als ijsberen in een sauna. Twee: ze zouden buiten adem zijn en het is moeilijk nauwkeurig te schieten als je buiten adem bent, zelfs van korte afstand. Drie: er zouden gewoon te veel mogelijke getuigen zijn.

Dus moesten ze iets anders verzinnen.

Het probleem was dat Star ze niet veel openingen gaf. Hij leidde een ontzettend saai leven, zo voorspelbaar als de dood en de belasting, maar heel nauwgezet. 's Morgens ging hij joggen, kwam dan thuis, douchte (waarschijnlijk) en verkleedde zich en ging dan naar zijn werk bij een verzekeringsmaatschappij, waar hij van tien tot zes werkte. Daarna keerde hij te voet terug naar zijn flat en bleef daar tot hij 's morgens weer ging joggen.

'Wat een saaie klootzak,' zei Mike. 'Hij gaat niet naar clubs, naar bars, pikt geen wijven op. Zit die kerel zich soms elke avond af te rukken? Zijn grootste verzetje is "Pizza-avond".'

Elke donderdagavond om halfnegen liet Star een pizza bezorgen.

'Ik hou van je, Mike.'

'Val je op me?'

'Pizza-avond,' zei Frank. 'Star laat die knaap binnen.'

Het was dinsdag, dus ze namen er een paar dagen hun gemak van, hielden zich gedeisd en wachtten op Pizza-avond. Op woensdagavond bestelden ze een pizza bij dezelfde tent, aten hem op en bewaarden de doos.

Om precies vijf voor halfnegen stond Frank voor de voordeur van Stars gebouw met de pizzadoos in zijn hand. Mike zat in de auto op straat, klaar om weg te rijden en als het nodig was de pizzakoerier te onderscheppen met een of andere smoes.

Frank belde aan en riep in de intercom: 'Pizza, meneer Roth.'

Een seconde later ging de zoemer en Frank hoorde het metalige klikken van het slot. Hij ging naar binnen, liep door de gang naar Stars suite en belde aan.

Star opende de deur op een kier, met de ketting erop. Frank hoorde het dreunen van een televisie. Dus dit was het geweldige leven van de rat, dacht Frank: zichzelf op een pizza trakteren terwijl hij naar een tietenshow kijkt.

'Pizza,' herhaalde Frank.

'Waar is de vaste koerier?' vroeg Star.

'Ziek,' zei Frank, hopend dat het geen zeperd zou worden. Hij hield zich gereed om de deur in te trappen, maar Star deed al open. Hij had geld in zijn hand – een briefje van vijf en twee van een.

'Zes vijftig, is het niet?' vroeg Star, de biljetten ophoudend.

Frank zocht in zijn zak alsof hij wisselgeld wilde pakken.

'Laat maar zitten,' zei Star.

'Bedankt.' Vijftig cent fooi, dacht Frank. Geen enkele zichzelf respecterende maffioso zou vijftig cent fooi geven. Geen wonder dat hij rat was geworden. Frank overhandigde Star de pizzadoos en toen de man zijn handen vol had, duwde Frank hem naar binnen, schopte de deur achter zich dicht en trok zijn .22-pistool met demper.

Star probeerde te vluchten. Frank zette de loop tegen zijn achterhoofd en schoot. Star viel voorover en knalde tegen de muur. Frank ging wijdbeens over Stars ineengedoken lichaam staan en mikte op zijn achterhoofd.

'Rat,' zei Frank.

Hij haalde de trekker nogmaals drie keer over en liep naar buiten.

Het hele zaakje had misschien een minuut geduurd. Frank stapte in de auto, Mike zette hem in de versnelling en reed weg.

'Hoe ging het?' vroeg Mike.

'Prima,' zei Frank.

Mike grinnikte. 'Je bent een machine,' zei hij. 'Frankie Machine.'

'Was dat niet een rol van Sinatra?' vroeg Frank.

'*The Man with the Golden Arm*,' zei Mike. 'Een junk.'

'Leuk.'

'Maar jij,' zei Mike, 'jij bent de man met de gouden hánd. Frankie Machine.'

De naam beklijfde.

Ze reden via Ingraham Street naar de rivier. Frank stapte uit, sloeg het pistool op wat stenen kapot en gooide de stukken in het water. Toen dumpten ze de auto op de parkeerplaats van een winkelcentrum in Point Loma, waar twee andere auto's voor ze klaar stonden. Frank stapte in de zijne en reed naar het centrum, dumpte de auto, nam een taxi naar de luchthaven en toen een andere taxi naar huis.

En daar bleef het bij.

De politie van San Diego onderzocht de zaak en stuurde de FBI een boodschap: als jullie een verklikker op ons erf zetten zonder ons iets te vertellen, wat willen jullie verdomme dan dat we doen?

Want niemand is echt dol op verklikkers, zelfs niet de smerissen die er hun brood mee verdienen.

De volgende ochtend stond Frank op, zette koffie en deed de tv aan, die beelden uitzond van een hotel in Los Angeles.

'Wat, sta je daarvan te kijken?' vroeg Mike hem later die ochtend.

'Min of meer.'

'Ik sta er alleen maar van te kijken dat het niet eerder is gebeurd,' zei Mike.

Zo gaat het, dacht Frank. Bobby krijgt er twee in zijn hoofd, Nixon krijgt cheques.

Er werd druk gefeest bij de taxicentrale toen Nixon werd gekozen. Een van de eerste dingen die de nieuwe president deed was het overplaatsen van de federale aanklager van San Diego die de jongens zo onder druk zette.

De aanklachten tegen Bap werden ingetrokken, hoewel Forliano de bak indraaide.

Verder ging alles zijn gangetje.

Frank en Mike deelden tweeduizend dollar voor de Tony Star-klus.

Frank kocht van zijn deel een verlovingsring.

24 EN ZO

24 EN ZO was hij een getrouwd man toen hij president Nixon ontmoette.

Het was 1972.

Deels als beloning voor het Tony Star-karwei waren Frank en Mike gepromoveerd van taxichauffeur tot chauffeur van limousines en luxe sedans.

Als ze niet reden waren ze aan het sjacheren. Frank maakte waarschijnlijk meer uren dan de gemiddelde werkdag, maar het was anders. Het was niet zo dat je voor een uurloon werkte, waarvan de fiscus zijn deel nam. Hoewel ze hard werkten, voelde het niet aan als werken; het was meer spelen.

Daarom wordt het 'scoren' genoemd, vermoedde Frank.

Dat is wat ze in die tijd deden. Ze scoorden, ze gingen uit jatten. Ze scoorden spullen uit vrachtwagens, straatcontributie van bookmakers, percentages van woekerleningen, schijnbaantjes bij bouwprojecten.

Ze runden kaart- en dobbelspellen, sporttoto's en loterijen. Ze staken de Mexicaanse grens over – alcohol heen en sigaretten terug. Ze hadden praktisch toestemming van de politie van San Diego om drugsdealers te beroven.

Ze scoorden, verdienden geld, hoewel weinig daarvan aan hun strijkstok bleef hangen. Het meeste ervan moesten ze afschuiven aan Chris, die afschoof aan Bap, die afschoof aan Nick

Locicero. Ondanks al hun scoren en sjacheren schoot het niet echt op. Frank had er de pest over in, maar Mike, die van de Oostkust kwam, was meer van de oude stempel.

'Zo gaat het nou eenmaal, Frankie,' zei hij vermanend wanneer Frank klaagde. 'Zo zijn de regels. We zijn nog geen echte maffialeden. We moeten laten zien dat we kunnen verdíénen.'

Frank had niks met dat hele 'maffialeden'-gedoe. Hij gaf eigenlijk geen moer om al dat belegen Siciliaanse gezeik. Hij probeerde gewoon de kost te verdienen, genoeg geld weg te zetten voor een aanbetaling op een huis.

Ruim drie jaar had-ie zich het schompes gewerkt en nog steeds huurden hij en Patty een flatje zonder lift in een oude wijk. En hij werkte aan één stuk door – als hij niet aan het scoren was bestuurde hij de limousine, meestal heen en weer van de luchthaven naar La Sur Mer Spa in Carlsbad.

Mike ging zowat over de rooie toen hij hoorde dat Frank Moe Dalitz van de luchthaven naar La Sur Mer had gereden, ook wel kortweg 'de Sur', zoals het door de plaatselijke bevolking en de kenners werd genoemd. Dalitz liep al lang mee – hij was admiraal geweest in Detroits 'Little Jewish Navy' voordat de Vena's waren gekomen en hem naar Cleveland hadden gejaagd. Uiteindelijk werd hij Chicago's ogen en oren in Vegas, waar hij als 'de Joodse peetvader' werd beschouwd.

'Dalitz heeft de Sur verdomme gebóúwd,' zei Mike. 'Hij liet de Teamsters het geld ophoesten.'

Het pensioenfonds van de Teamsters was in handen van de families in Chicago en Detroit, legde Mike uit. De tussenpersoon was een verzekeringsman, een zekere Allen Dorner, de zoon van 'Red' Dorner, die dikke maatjes was met Tony Accardo, de baas van Chicago.

'Dorner?' vroeg Frank. 'Ja, die had ik in mijn auto.'

'Dalitz én Dorner!'

'Ja, ze gingen golfen,' zei Frank.

De Teamsters golfden wat af in La Sur. Frank en Mike hadden het er maar druk mee om ze heen en weer te rijden naar de luchthaven, of door de stad, of 's avonds als ze uitgingen. Frank vermoedde dat hij daarom gepromoveerd was naar Luxe Sedans – de bazen wilden dat een van hen de auto bestuurde, zodat de Teamsters en de maffiosi onbekommerd konden praten.

'Gewoon rijden,' had Bap hem gezegd. 'Hou je oren open en je mond dicht.'

Het bleef trouwens niet bij Dalitz en Dorner. Ook Frank Fitzsimmons, die voorzitter van de Teamsters was geworden terwijl Hoffa zijn straf uitzat, was er. Fitzsimmons was zo gek op de Sur dat hij er een appartement kocht en de jaarlijkse bestuursvergadering van de vakbond voortaan in het hotel hield.

En dan waren er de hoogste maffiosi, voornamelijk hoge pieten van de Oostkust die de sneeuw een tijdje ontvluchtten. Er waren Tony Provenzano, 'Tony Pro', die de Teamsters in New Jersey leidde, en Joey 'the Clown' Lombardo, de contactpersoon tussen Chicago en Dorner.

En mensen uit Detroit – Paul Moretti en Tony Jacks Giacamone, die Hoffa in de tang hadden.

Op een dag belde Bap Frank en Mike en droeg ze op hun limousines 'grondig te poetsen', zich op te doffen en de volgende ochtend klokslag negen uur op de luchthaven te zijn.

'Wat is er aan de hand?' vroeg Frank. Hij vermoedde dat er iets groots op til was, want de avond tevoren had hij twee ritten naar de luchthaven gemaakt om Joey the Clown en Tony Pro op te halen en ze hadden een suite in de Sur genomen.

Wat er aan de hand was, was dat Frank Fitzsimmons, de voorzitter van de Teamsters, een persconferentie had belegd in de Sur om aan te kondigen dat de vakbond Nixon zou steunen voor herverkiezing.

Wát een verrassing, dacht Frank. Er werd in heel de Sur gefluisterd dat de Teamsters miljoenen illegale dollars in Nixons campagnekas hadden gestort. Het kuuroord was zelfs het feitelijke Teamsters-hoofdkwartier aan de Westkust geworden sinds Dorner er een appartement met uitzicht op de vierde green had gekocht.

Frank grijnsde. 'Dus daarom heeft Nixon Hoffa gratie verleend?'

Bap glimlachte en zei: 'Hoffa is niet meer dan een goedkope bottenbreker, ver onder het niveau van het grote geld. Fitzsimmons en Dorner halen zoveel geld binnen dat de meeste mensen Hoffa niet terug willen. Hoffa wil ze laten koud maken, maar ze leveren iedereen te veel geld op. Luister en leer, Frankie. Geld voor anderen verdienen houdt je in leven. Vergeet dat nooit.'

Frank vergat het niet.

'Overigens,' zei Bap, 'na de persconferentie breng je de vakbondsmensen naar het Western White House. Wie weet ontmoet je de president, Frankie.'

'Kom jij niet?'

Bap glimlachte, maar Frank zag dat hij gekwetst was.

'Ik sta niet op de lijst,' zei Bap. 'Geen van de jongens.'

'Dat klopt niet, Bap.'

'Het is allemaal gezeik,' zei Bap. 'Wat kan mij het schelen?'

Maar Frank zag dat het hem dwarszat.

Die ochtend, met zijn auto blinkend gepoetst en hijzelf in een pas geperst zwart pak, reed Frank naar het privévliegveld in Carlsbad om Allen Dorner af te halen van zijn privévliegtuig. Het gerucht ging dat Dorner Frank Sinatra drie miljoen dollar had betaald voor diens boot, de *Gulfstream*, en dat het geld uit de kas van de Teamsters was gekomen.

'Goedemorgen, Frank,' zei Dorner toen hij uit het vliegtuig op de landingsbaan stapte.

'Goedemorgen, meneer Dorner.'

'Het wordt een mooie dag.'

'Dat is het altijd in San Diego,' antwoordde Frank terwijl hij het achterportier openhield.

Het was een korte rit naar de Sur.

Frank wachtte met de andere chauffeurs op het parkeerterrein terwijl Fitzsimmons zijn steunbetuiging uitsprak, in aanwezigheid van de zestien andere stralende bestuursleden. Alle bestuursleden zijn er, dacht Frank, maar de maffiosi zijn nergens te bekennen.

'Niet te geloven toch,' zei Mike, die op zijn paasbest en een tikkeltje nerveus naast zijn brandschone auto stond, 'dat we verdomme naar het huis van de presidént gaan?'

Na zijn toespraak stapten Fitzsimmons en drie andere bestuursleden in Franks auto. De andere auto's volgden hen toen Frank voor ze uit naar de 5 reed en naar San Clemente en het Western White House.

Frank was er eerder geweest.

Nou ja, niet echt in het huis, maar er vlakbij, onder de rode klif. Hij was er met enkele surfmakkers vanuit Trestles naartoe gelift en ze hadden die geweldige branding onder het Western White House gevonden. Om de een of andere reden werd die plek Cottons genoemd.

Misschien moet ik het Nixon vertellen, dacht Frank toen hij stopte voor de poort, waar agenten van de geheime dienst in hun donkere pak, zonnebril en oortjes hem tegenhielden en de auto inspecteerden. Alhoewel, dacht hij, het is moeilijk je Richard Nixon op een surfplank voor te stellen.

Met zijn v voor victorie terwijl hij iedereen besodemieterde.

Cowabunga, dude, om met de Ninja Turtles te spreken.

De lui van de geheime dienst lieten de stoet door. Waarom ook niet? dacht Frank. Nixon kon in de armen van zijn moeder niet veiliger zijn dan in dit gezelschap, hoewel ze geen van allen gewapend waren, gezien de strikte opdracht de ijzerwinkel thuis te laten. We zijn tenslotte zijn mensen. We verdienen aan elkaar.

Een andere agent van de geheime dienst wees hem waar hij moest parkeren. Dat deed hij en toen hij uitstapte en het portier voor Fitzsimmons en zijn jongens openhield, zag hij dat de president van de Verenigde Staten hun tegemoetkwam.

Zelfs met het twintigercynisme dat bij de jaren zeventig hoorde moest Frank toegeven dat hij enigszins onder de indruk was, misschien zelfs geïntimideerd. Dit was de *president van de Verenigde Staten*, de opperbevelhebber, en de oud-marinier in Frank maakte dat hij zijn rug rechtte en moest vechten tegen de opwelling om te salueren.

Hij voelde ook nog iets anders – een opwelling van trots dat hij hier deel van uitmaakte, al was het maar als chauffeur. Het was dat gevoel ergens bij te horen... iets zo machtigs dat het ze naar het huis van de president van de Verenigde Staten kon brengen en dat de man persoonlijk naar buiten kwam om ze te begroeten.

Nixon spreidde zijn armen wijd uit toen hij op Fitzsimmons af liep en zei: 'Ik hoor dat je goed nieuws voor me hebt, Frank!'

'Héél goed nieuws, Mr. President!'

Dat moest wel zo zijn, want Nixon was in opperbeste stemming. Hij omarmde Fitzsimmons en deed toen de ronde, gaf iedereen een hand, bewerkte de aanwezigen als de beroepspoliticus die hij was. Hij gaf alle bestuursleden een hand, liep toen door en gaf zelfs de chauffeurs een hand.

'Leuk je te ontmoeten,' zei Nixon tegen Frank. 'Bedankt voor je komst.'

Frank stond met zijn mond vol tanden. Hij was bang iets stoms te zeggen, bijvoorbeeld wat hem door het hoofd ging, wat was: U hebt een geweldige branding hier, Mr. President, maar Nixon was al doorgelopen voordat Frank de woorden kon vormen.

Dat was de laatste keer dat Frank hem zag die dag.

Het bestuur van de Teamsters ging naar binnen en de chauffeurs wachtten naast hun auto. Het personeel bracht ze geroosterde kip en spareribs – hetzelfde als wat de hoge pieten op het gazon kregen. Later kwam er iemand die ze elk een golfbal met de handtekening van de president gaf.

'Die bewaar ik verdomme voor eeuwig,' zei Mike. Frank kon zweren dat hij tranen in zijn ogen zag. Frank slenterde naar de rand van de klif. Hij had tijd genoeg, want de Teamsters zouden een ronde spelen op de drie holes tellende golfbaan van de president en dat zou even duren.

Dus ging Frank bij de oceaan zitten en keek hoe de Cottons onder hem braken. Er waren geen surfers; die waren er nooit als Nixon er was. Ik denk dat de geheime dienst bang is voor een surfende sluipmoordenaar of zo, dacht Frank, hoewel het een geweldig schot zou zijn vanaf het strand naar het gazon.

Hij keek naar het zuiden en jawel hoor, hij kon de meest westelijke gebouwen van de Sur wit zien glinsteren in de zon en hij vroeg zich af wat Joey the Clown en Tony Pro deden terwijl alle anderen op visite waren bij de president thuis en of ze het rot vonden dat ze erbuiten werden gelaten.

Dat was de zomer van '72, de zomer van Richard Nixon.

Tegen de winter van '75 was het allemaal naar de klote gegaan.

25 NICKY LOCICERO stierf in het najaar van '74. Zijn begrafenis was meelijwekkend, alleen naaste familie – geen van de jongens vertoonde zich omdat ze de FBI geen munitie wilden geven.

De FBI zat de L.A.-familie op de huid. Het was alsof ze in het hoofd van de jongens zaten, alsof de aanklagers alles wisten, en hun kopieerapparaten begaven het, zoveel tenlasteleggingen spuugden ze uit.

En de tenlasteleggingen waren goed onderbouwd. Zelfs

Sherm Simon adviseerde de jongens schuld te bekennen, wat ze deden. Peter Martini ging voor vier jaar de bak in, Jimmy Regace, die net de nieuwe baas was geworden, voor twee. Hij benoemde de oude Paul Drina tot waarnemend baas.

Bap vond dat hij het had moeten worden. Hij was pissig.

'Tom is een jurist die nooit vuile handen heeft gemaakt,' zei Bap tegen Frank. 'Wat heeft hij ooit gepresteerd, afgezien van Jacks broer zijn? En ze slaan mij over ten gunste van hem? Na alles wat ik voor ze gedaan heb?'

Dat was Baps eeuwigdurende refrein in de jaren zeventig, de 'na-alles-wat-ik-voor-ze-gedaan-heb'-mantra. Dat het terecht was maakte het niet minder langdradig of zinloos. Frank werd er ziek van.

Er komt een moment in het leven van een man, dacht hij, de beruchte midlifecrisis, dat hij de realiteit onder ogen moet zien dat wat hij heeft alles is wat hij ooit zal krijgen en dat hij vrede en geluk moet vinden in zijn leven zoals het is. De meeste jongens slaagden daarin, maar Bap niet – hij jeremieerde voortdurend dat hij genaaid was, dat deze of gene hem een vuile streek had geleverd, dat er jongens waren die 'dor hout' waren en dat hij het beu was ze te dragen, dat L.A. hem nooit zijn eerlijk verdiende stuk van de taart had gegeven.

Welke taart? dacht Frank toen hij die litanie voor misschien wel de duizendste keer had gehoord. Er is nauwelijks een taart om te verdelen, met de helft van de jongens in de lik en New York en Chicago die als gieren aan de botten pikken.

Dat was de reden waarom Frank zijn schamele spaargeld had opgenomen en in de vis was gegaan. Mike kon hem uitlachen zo hard hij wilde en geintjes maken dat Frank naar makreel stonk (wat niet waar was – a. Frank douchte zich grondig na het werk, en b. er zit geen makreel in de Stille Oceaan), maar het geld was schoon en veilig. En hoewel hij geen scheppen geld verdiende zoals met de zwendeltjes als alles goed ging, gíng niet alles goed.

En ze konden ook geen hulp verwachten van bovenaf, want die vent in het Witte Huis had zo zijn eigen problemen en hij zou geen poot uitsteken voor een stelletje gangsters.

Het was dus een ongelegen moment voor dingen om in het honderd te lopen in de Sur.

Maar dat deden ze wel.

In juni, de zomer van '75, werd Frank gebeld vanuit Baps telefooncelkantoor. 'Jij en Mike, kom als de bliksem hierheen.'

Frank hoorde de dringende klank in zijn stem en zei dat ze over een halfuur in Pacific Beach konden zijn.

'Niet Pacific Beach,' zei Bap. 'De Sur. En kom met zwaar geschut.'

Het was fort Sur Mer.

Toen hij naar het hoofdgebouw toe reed zag Frank een half dozijn maffiosi, allemaal informeel gekleed, als gasten, maar daar opgesteld om de toegangswegen te controleren. En Frank wist dat ze onder hun poloshirts en gabardine pantalons of verstopt in golftassen of tennisframes een serieuze ijzerwinkel meevoerden.

Frank parkeerde in een vak tegenover Dorners appartement. Bap had hen vast zien aankomen, want hij kwam al naar ze toe voordat Frank de motor had afgezet.

'Kom op, kom op,' zei Bap terwijl hij Franks portier opende.

'Wat is er?'

'Hoffa slaat zijn slag,' zei Bap. 'Hij zou wel eens een aanslag op Dorner kunnen laten plegen.'

Frank had Bap nooit zo opgefokt gezien. Toen ze in Dorners appartement kwamen zag hij waarom.

De zware gordijnen waren dichtgetrokken voor de grote glazen schuifdeur die anders uitkeek over de golfbaan. Jimmy Forliano stond aan de rand van het gordijn naar buiten te loeren, een holster met een .45 aan zijn schouder. Joey Lombardo was in de keuken en haalde een biertje uit de koelkast.

Carmine Antonucci zat op de bank koffie te lurken. Dorner zat naast hem, een beslagen glas gin-tonic op de glazen salontafel naast zijn knieën. In een grote stoel tegenover hem zat Tony Jacks, koel en beheerst in een wit linnen pak en een koningsblauwe das.

Dorner keek hen aan alsof hij hen nooit eerder had gezien, hoewel ze hem minstens enkele tientallen keren van en naar zijn privévliegtuig hadden gebracht. Hij zag er niet best uit. Hij was bleek en moe.

'Hai, jongens,' zei hij.

Zijn stem was zwak.

'Jullie blijven dichter bij Dorner dan zijn eigen reet,' zei Tony Jacks. 'Hij schijt, scheert of doucht niet, hij kijkt niet over zijn schouder zonder een van jullie te zien. Als hem iets overkomt, overkomt jullie dat.'

Het beleg duurde drie weken.

'Hé,' zei Mike na ongeveer een week. 'als je de hoek omgaat, zijn daar ergere plaatsen voor dan de Sur.'

Nog meer van dat *Godfather*-gelul, dacht Frank. Als er in San Diego al eens eerder iemand de hoek om was gegaan, was dat omdat hij links- of rechtsaf wilde.

Dorner kreeg last van claustrofobie.

'Ik wil naar buiten,' zei hij. 'Wat golfen, een ommetje maken verdomme. De zon zien.'

Frank schudde zijn hoofd. 'Kan niet, meneer Dorner.'

Hij had strikte bevelen.

'Ik voel me een gevangene in mijn eigen huis,' zei Dorner.

Dat is niet ver bezijden de waarheid, dacht Frank, die zich af begon te vragen of ze Dorner beschermden tégen Hoffa of vóór Hoffa. Dat zei hij tegen Bap toen hij hem op een dag uit het appartement liet.

Bap keek hem lang aan.

'Je bent een slimme jongen, Frankie,' zei Bap. 'Je zult het ver schoppen.'

Het kon twee kanten op, legde Bap uit. Chicago en Detroit waren ermee bezig; ze konden alleen maar afwachten.

Kort gezegd: Tony Jacks vocht voor zijn jongen Hoffa terwijl de jongens uit Chicago het opnamen voor Fitzsimmons en Dorner. Bap wedde op Fitzsimmons en Dorner, omdat die meer geld binnenbrachten, maar anderzijds, Hoffa's connecties in Detroit waren oud en sterk.

En Tony Jacks lobbyde er ijverig voor om Dorner en Fitzsimmons koud te maken.

'Blijf een beetje uit de buurt van die vent,' zei Bap, op Dorner doelend. 'Je weet wat je misschien zou moeten doen, hè?'

En dat was het.

Ze beschermden Dorner én ze bewaakten hem. Ze lieten niemand binnen en ze lieten hem niet naar buiten. Het was bizar, avond aan avond rummy met hem te zitten spelen in de wetenschap dat je hem misschien van kant zou moeten maken.

Het was dan ook zenuwslopend.

Het werd nog zenuwslopender toen Mike terugkwam van een ommetje, Frank ter zijde nam en hem toefluisterde: 'We moeten praten.'

Hij was geschókt.

Mike Pella, die gewoonlijk ijskoud was, leek geschokt.

'Het is Bap,' zei Mike.

'Wát is Bap?' vroeg Frank met schrille stem, maar hij wist het antwoord al. Hij had het gevoel dat hij moest overgeven.

'Báp heeft met de FBI gepraat,' zei Mike. 'Hij had een verborgen microfoon.'

'Nee,' zei Frank en hij schudde zijn hoofd. Maar hij wist al dat het waar was. Het sneed hout – Bap had eindelijk een manier gevonden om de L.A.-leiding buitenspel te zetten: samenwerken met de FBI en ze de bak indraaien. En toen ze Paul Drina baas hadden gemaakt, had hij besloten het karwei af te maken.

'Hoe weet je dat?' fluisterde Frank. Dorner lag te slapen in zijn slaapkamer, maar Frank nam geen enkel risico.

'De jongens hebben hem erin geluisd,' zei Mike. 'Ze voerden hem wat gelul over een pornochantagezaakje en de FBI verscheen.'

En nu, zei hij, vroeg L.A. zich af of álle jongens van Bap bij deze coup betrokken waren.

'Frank,' zei Mike, 'je moet er rekening mee houden dat ze erover denken ons allemáál koud te maken.' Hij was nu zowat hysterisch, paranoia pompte adrenaline rond. 'Stel dat Bap ook óns erbij heeft gelapt.'

'Dat heeft-ie niet gedaan,' zei Frank, nog steeds hopend.

'Dat weten we niet,' zei Mike. 'Stel dat hij getuigt. Hij zou ons erbij kunnen lappen voor DeSanto, Star...'

'Als hij dat gedaan had,' zei Frank, 'zouden we al gearresteerd zijn. De FBI treuzelt niet met tenlasteleggingen wegens moord.'

Nee, als dit waar was, was Baps strategie erop gericht van L.A. af te komen door ze aan de FBI te geven en daarna de L.A.-jongens te vervangen door zijn eigen San Diego-ploeg. Wat de reden was waarom er in de stroom van tenlasteleggingen afgelopen zomer niet één San Diego-jongen was genoemd. Bap had er altijd van gedroomd Californië te runnen vanuit San Diego.

'We zouden zijn kapiteins zijn,' zei Frank.

'Waar heb je het verdomme over?'

Frank zette zijn analyse van Baps plan uiteen en herhaalde: 'Bap is van plan ons kapitein te maken in zijn nieuwe familie. Hij heeft ons buiten de tenlasteleggingen gehouden, hij heeft ons buiten beeld gehouden.'

'En nu staan we bij hem in het krijt?'

'Ja.'

'Zijn we hem verdomme ons léven schuldig, Frankie?' vroeg Mike. 'Want daar hebben we het nu over.'

Mike had gelijk. Frank gaf het niet graag toe, maar Mike

had volstrekt gelijk. Het was of/of. Of ze lapten Bap erbij of ze sprongen bij hem in de boot.

En die boot kapseisde.

Tot zover de stand van zaken. De middagen in Dorners luxueuze gevangenis werden heel lang. Nu waren er drie die zich afvroegen of ze van kant gemaakt zouden worden en probeerden er niet aan te denken door toe te kijken hoe andere jongens hun baas lieten vallen.

Eind juli kregen ze het te horen.

Jimmy Hoffa was verdwenen.

Zo, dacht Frank, ik denk dat Chicago en Detroit het hebben geregeld. En, had hij geleerd, als het een wedstrijd is tussen oude connecties en geld, wed dan op geld.

Dorner slaakte een diepe zucht van verlichting en schopte de twee mannen zijn huis uit.

Ze waren er niet blij mee. In Dorners appartement zou niemand ze koud maken. Buiten zou het wel eens een ander verhaal kunnen zijn. Frank ging naar huis en sliep die nacht onrustig.

Om tien uur 's morgens belde Bap vanuit zijn telefooncel en zei dat Frank meteen moest komen, hij had nieuws. Frank ontmoette hem op de promenade van Pacific Beach. Bap had zijn ezel uitgeklapt. Hij zat te schilderen en hij stráálde gewoonweg.

'Ze hebben me *consigliere* gemaakt,' zei Bap.

De trots in zijn stem was tastbaar.

'*Cent'anni*,' zei Frank. 'Het werd tijd.'

'Het is geen baas,' zei Bap. 'Het is niet alles wat ik wilde, maar het is een grote eer. Het is een erkénning, snap je?'

Frank kon wel janken. Misschien was dat alles wat de man ooit gewild had: een *attaboy*, een schouderklopje. Niet veel gevraagd. Maar Frank wist wat het in feite was. Het was een vergulde pil, een slaappil om Bap een gevoel van veiligheid te geven.

Het was een doodvonnis.

Frank had het hem bijna verteld.

Maar hij slikte zijn woorden in.

'Ik zal voor jullie zorgen,' zei Bap, kalmpjes schilderend aan zijn flutaquarelletje van de oceaan. 'Maak je geen zorgen, jij en Mike. Ik zorg ervoor dat jullie goed terechtkomen.'

'Bedankt, Bap.'

'Niks te danken,' zei Bap. 'Jullie hebben het verdiend.'

Marie kwam naar buiten met twee grote glazen ijsthee voor hen. Ze was niet langer een lekker wijffie, maar ze zag er nog steeds goed uit en de manier waarop ze haar man aankeek maakte duidelijk dat ze hem aanbad.

'Je bent bijna klaar met dit schilderij, hè?' zei ze, over zijn schouder kijkend. 'Het is prachtig.'

Dat is het niet, dacht Frank. Alleen een liefhebbende echtgenote zou dat zeggen.

Vervolgens werd hij gebeld door Mike.

Ze troffen elkaar op Dog Beach en keken naar golden retrievers die frisbees apporteerden.

'Het is geregeld,' zei Mike. 'L.A., Chicago en Detroit hebben afgehaakt. Chris Panno krijgt San Diego; wij brengen verslag uit aan Chicago tot L.A. zijn zaakjes op orde heeft.'

'Ja? Wanneer zou dát zijn?' vroeg Frank, het werkelijke onderwerp vermijdend.

'We moeten het doen,' zei Mike.

'Hij is onze báás, Mike!'

'Hij is een vuile rat!' zei Mike. 'Hij moet weg. Als jij met hem mee wilt, is dat jouw keus, maar ik zeg je meteen, het is niet de mijne.'

Frank staarde naar de oceaan en bedacht dat hij het liefst op een surfplank zou willen zitten en alleen maar peddelen. Misschien opgepakt worden door een grote golf en... gereinigd worden.

'Luister, ík doe het wel, als je je dan beter voelt,' zei Mike. 'Jij rijdt ditmaal.'

'Nee,' zei Frank. 'Ik doe het wel.'

Hij ging die middag naar huis, zette de tv aan en keek toe hoe Nixon naar een helikopter liep, daar bleef staan en wuifde.

Jimmy Forliano sprak met Bap af dat die hem die avond zou bellen. Het regende die avond aan de kust. Bap droeg een windjekker en zo'n oude maffiagleufhoed zoals ze in films droegen. Hij zette hem af toen hij de telefooncel binnenging.

Frank zat in de auto en zag hoe hij de knapper muntjes uit zijn zak haalde en ermee tegen het metalen schapje tikte om het papier open te breken. Toen begon hij de telefoon kleingeld te voeren.

Forliano was in Murietta.

Een interlokaal gesprek.

Frank kon hem niet 'Met mij' horen zeggen, maar ondanks de regen en het glas zag hij zijn lippen bewegen. Hij wachtte tot Bap diep in gesprek was, niet bang dat het gauw afgelopen zou zijn. Forliano was een ouwehoer; als hij íéts kon, was het praten.

Frank had een .25-pistool voor deze klus, niet zijn gebruikelijke .22. ('Signeer je werk niet,' had Bap hem voorgehouden.) Hij trok de capuchon van zijn windjack over zijn hoofd en stapte uit. De straat was verlaten; de mensen in San Diego komen 's avonds niet buiten als het regent. Alleen Bap deed dat, om naar kantoor te gaan.

Bap liet de knapper muntjes vallen toen hij Frank zag. Ze vielen rinkelend op de grond en een paar ervan rolden rond alsof ze probeerden te ontsnappen. Bap probeerde de deur dicht te houden.

Hij wist het, dacht Frank.

Hij weet het.

Er lag een gekwetste blik in Baps ogen terwijl hij de deur dicht probeerde te houden, maar Frank was te sterk en rukte hem moeiteloos open.

'Sorry,' zei Frank.

Hij schoot vier kogels in Baps gezicht.

Het bloed volgde hem naar de straat.

Frank ging naar de begrafenis. Marie leek ontroostbaar. Later klaagde ze de FBI aan wegens nalatigheid. De aanklacht kwam niet ver.

Net zomin als het moordonderzoek.

De FBI verdacht Jimmy ervan, klaagde hem aan en mixte de aanklacht in de tenlasteleggingssalade tegen L.A., maar ze hadden geen aanwijzingen en konden niets bewijzen.

En Frank kreeg zijn lintje voor die avond, hij en Mike.

Ze hadden een goedkope 'ceremonie' achter in een auto naast de I-15 bij Riverside, met Chris Panno en Jimmy Forliano. Dat was alles: Chris zette de auto in de berm, Jimmy draaide zich om naar de achterbank, prikte met een naald in Franks duim, kuste hem op zijn wangen en zei: 'Gefeliciteerd, je hoort erbij.'

Ze hielden geen vlammende toespraak, hadden geen stiletto of wapen vast of iets van die aard. Het leek in de verste verte niet op wat het vroeger was, hoe het in films ging.

Mike was teleurgesteld.

Frank ging na de aanslag op Bap het rechte pad op.

Mike ging naar San Quentin.

Hij was opgepakt wegens het afpersen van plaatselijke gokkers; de FBI had zijn telefoon afgeluisterd toen hij en Jimmy Regace het erover hadden, dus ze waren allebei goed de pineut. De FBI probeerde hem achter de tralies te krijgen voor de aanslag op Baptista, met Forliano als de schutter, en probeerde het op een akkoordje te gooien, maar Mike trapte er niet in en hij zou er trouwens toch niet op in zijn gegaan.

Wat Mike ook was of niet was, hij was geen rat.

En hij had Franks naam nooit laten vallen.

Niemand trouwens en Frank zweette het uit (letterlijk) in Rosario. Datzelfde voorjaar zette de California Crime Commission drieënnegentig namen op haar 'Georganiseerde Misdaad'-lijst en Frank stond er niet bij. Hij vermoedde dat hij de dans was ontsprongen en dus was het nu tijd om zich gedeisd te houden.

Frank zag Richard Nixon nog één keer.

Dat was in de herfst van '75 en de president was geen president meer, maar oud-president, in ballingschap en uit de gratie in San Clemente.

Hij kwam in oktober naar de Sur om mee te doen aan Fitzsimmons' golftoernooi, zijn eerste publieke optreden sinds hij uit zijn ambt was gezet. Frank was op de parkeerplaats toen Nixons limousine arriveerde en hij zag hem uit de auto stappen. Nixon zag er niet zelfverzekerd meer uit, hij zag er verslagen en oud uit, maar hij werkte alle achttien holes af en leek het ditmaal niet erg te vinden dat hij werd gezien in gezelschap van mannen zoals Allen Dorner en Joey the Clown en Tony Jacks, die ook meededen.

En zij vonden het niet erg dat ze met Richard Nixon werden gesignaleerd.

26

IS HET mogelijk? vraagt Frank zich af.

Zou Marie Baptista, Baps weduwe, tijdens haar rechtszaak tegen de FBI iets te weten zijn gekomen? Haar tijd afgewacht hebben, haar geld gespaard hebben misschien? Een prijs op mijn hoofd hebben gezet die Vince wilde innen?

Het is onwaarschijnlijk, maar ik moet het uitzoeken.

Hij stapt in de huurauto en rijdt naar Pacific Beach.

Marie Baptista woont nog in hetzelfde huis.

Frank heeft haar niet meer gezien sinds de begrafenis van Bap, dertig jaar geleden. Maar hij kent de weg naar het huis nog. Nu loopt hij over het smalle paadje tussen de goed verzorgde bloembedden en belt aan, zoals hij dat vroeger deed als hij zijn respect kwam betuigen.

Marie ziet er nog altijd geweldig uit.

Tenger, gekrompen zoals alle oude mensen, maar nog steeds geweldig. Ze heeft nog altijd dat knappe smoeltje en die stralende ogen en één blik in die ogen maakt Frank duidelijk dat deze oude dame opdracht zou kunnen geven tot een aanslag om haar man te wreken.

'Mevrouw Baptista,' zegt Frank, 'kent u me nog? Frankie Machianno?'

Ze kijkt vragend. Ze pijnigt haar hersenen, maar het schiet haar niet te binnen. Of ze is een geweldige actrice.

'Ik heb voor uw man gewerkt,' helpt Frank haar op weg.

In feite heb ik voor jullie allebei gewerkt, denkt hij.

'Ik reed u rond als u boodschappen deed,' zegt Frank.

Haar gezicht klaart op. 'Frankie... Kom binnen!'

Hij stapt naar binnen. In het huis hangt de muffe bloemenparfumgeur die je associeert met oude dames. Maar het is er om door een ringetje te halen. Ze heeft waarschijnlijk een hulp. Bap had haar vast in goeden doen achtergelaten.

Goed van Bap.

'Heb je zin in thee?' vraagt Marie. 'Ik drink geen koffie meer. Mijn ingewanden.'

'Thee zou lekker zijn,' zegt Frank. 'Kan ik u helpen?'

'Ik zet water op,' zegt Marie. 'Ga zitten. Het duurt maar even.'

Frank gaat op de bank zitten.

De muren zijn bezaaid met Baps flutschilderijen. De ene na de andere aquarel van zeegezichten – en een slecht portret van haar. Bap op zijn ergst, maar ze is er vast dol op. In haar ogen lijkt ze mooi.

Op elk plat oppervlak staan foto's van Bap. Dezelfde over zijn kalende schedel gekamde haren, de grote uitpuilende ogen, de dikke brillenglazen, de verlegen glimlach. Frank heeft een ander beeld van Bap in zijn geheugen gegrift. Bap in de telefooncel, bloedplassen...

Marie komt binnen met twee kopjes op schoteltjes. Frank staat op en neemt een kopje van haar over, ondersteunt haar als ze gaat zitten.

'Wat leuk je te zien, Frank,' zegt ze.

'Leuk dat ik u zie,' zegt Frank. 'Sorry dat ik niet vaker ben gekomen...'

Ze glimlacht en knikt. Als zij erachter zit, denkt Frank, zou je het inmiddels weten. Ze zou angstig kijken, of schuldbewust; je zou het in haar ogen zien.

'Heb je mijn boodschappen meegebracht?' vraagt ze.

'Nee, mevrouw,' zegt Frank. 'Dat doe ik niet meer.'

'O.' Ze kijkt beduusd. 'Ik dacht...'

'Hebt u boodschappen nódig, mevrouw Baptista?' vraagt Frank.

'Eigenlijk wel, ja.' Ze kijkt de kamer rond. 'Mijn boodschappenlijstje... ik dacht... Waar is het?'

'Ligt het in de keuken?' vraagt Frank. 'Mag ik gaan kijken?'

Ze kijkt met gefronste wenkbrauwen de kamer rond. Frank staat op, zet zijn kopje op een onderzetter op de bijzettafel en loopt naar de keuken. Hij vindt het lijstje, naast de telefoon geplakt. Ze heeft ofwel vergeten de besteldienst te bellen of ze is vergeten dat ze gebeld heeft. Hoe dan ook...

'Mevrouw Baptista,' zegt hij terwijl hij weer de woonkamer in komt, 'mag ik dit voor u gaan halen?'

'Dat is jouw werk toch niet?' zegt ze bits.

'Jawel, mevrouw, toch wel.'

Hij vindt een supermarkt in een winkelcentrum drie straten verderop. Hij heeft niet veel tijd nodig, het lijstje is kort – een paar blikjes tonijn, wat brood, wat melk, wat sinaasappelsap. Hij loopt naar de diepvriesafdeling, kiest zorgvuldig een paar van de betere eenpersoonsmaaltijden uit en legt ze in zijn mandje.

Als hij terugkomt belt hij opnieuw aan. Ze laat hem binnen en hij zet de zakken op het aanrecht en begint de boodschappen op te bergen. Hij laat haar de magnetronschotels zien voordat hij ze in de diepvries zet. 'Deze zijn in vijf of zes minuten klaar,' zegt hij.

'Dat weet ik,' zegt ze ongeduldig.

Er komen zoveel herinneringen in hem op als hij in de ogen van deze oude vrouw kijkt. Zij in haar zwarte jurk, 'het lekkere wijffie', Al DeSanto en Momo. Ze was een taaie dame, dat ze dat alles overleefd heeft en op de koop toe met Bap trouwde.

Ze steekt haar hand uit, raakt zijn arm aan en schenkt hem haar liefste betoverende glimlach. Vreemd genoeg ís het betoverend. Ze is nog steeds mooi.

'Ik zal tegen Momo zeggen,' zegt ze, 'dat je het goed gedaan hebt.'

'Bedankt, mevrouw.'

'Zeg maar Marie.'

'Dat kan ik niet doen, mevrouw Baptista.'

Hij legt de maaltijden in de diepvries, neemt afscheid en vertrekt.

Ja, je bent een geweldige vent, denkt hij. Je vermoordt haar man, dus koop je een paar diepvriesmaaltijden voor haar.

Dat moet het goedmaken.

Maar het was niet Marie geweest die de aanslag had bevolen.

Dus zit ik nog steeds met de vraag: waarom wilde Vince Vena me dood hebben? En als hij niet op eigen houtje werkte, waarom wil Detroit me dan dood hebben?

Doet er niet toe, besluit hij. Als Detroit niets tegen me had voordat ik Vince doodde, hebben ze dat nu vast wel. Ze kunnen niet toestaan dat iemand een lid van de raad van bestuur van de Combinatie vermoordt en ermee wegkomt, zelfs niet als het zelfverdediging was.

Het is dus geen kortstondig misverstand dat snel kan worden rechtgezet. Ze zullen komen, met man en macht en een lange adem, en ze zullen niet stoppen voordat ze me koud hebben gemaakt.

Dit wordt een oorlog en ik zal de middelen voor een oorlog nodig hebben.

Hij rijdt naar La Jolla om The Nickel te spreken.

27 'WE HEBBEN een naam voor uw drijver,' zegt de kersverse agent tegen Dave.

Hij is in het FBI-kantoor in de binnenstad. De jonge agent kwam binnen als een acoliet die de bisschop een kelk brengt. 'Hoe wist u dat, meneer Hansen?'

'Dave,' zegt Dave. 'Ik voel me vandaag al oud genoeg.'

En ik weet niet meer hoe dat joch heet, denkt hij. Al die nieuwelingen lijken op elkaar, net als deze. Slank maar gespierd, gladgeschoren, korte haren. Zwart of blauw maatkostuum, wit overhemd, onopvallende saaie das.

Deze is wel heel zorgvuldig met zijn kleren. Hij draagt het standaard witte overhemd, ziet Dave, maar het heeft dubbele manchetten met dure manchetknopen.

Manchetknopen, denkt Dave. Waar moet dat heen? En Troy – zo heet de jongen. Troy... Vaughan.

'Maar hoe wist je het, Dave?' vraagt Troy.

Dat je de vingerafdrukken moest vergelijken met die in de Orange County-bestanden, bedoelt hij. Dat waren er evengoed nog een heleboel en Dave staat ervan te kijken dat ze al een treffer hebben. Supercomputer, vermoed ik, denkt hij. Vroeger was het een kwestie van – laat maar, dit is vroeger niet.

'Ik wíst het niet,' zegt Dave. 'Het was een ingeving.'

'Fantastisch.'

'Krijg ik die naam nog?' vraagt Dave.

Troy bloost en laat hem het dossier zien.

Vincent Paul Vena ziet er op de politiefoto stukken beter uit dan op de rotsen bij Point Loma. Hij schenkt de camera die klassieke 'het-kan-me-niet-verdommen'-maffiosiglimlach, die ze op de maffiacrèche leren.

Vena heeft een aardig strafblad – geweldpleging, ernstige geweldpleging, woekeren, gokken, afpersing, brandstichting... Hij heeft vijf jaar in Leavenworth gezeten voor die brand. De politie van Michigan verdacht hem in de jaren negentig van verscheidene moorden, maar ze konden niets bewijzen. En het gerucht gaat dat hij net was opgeklommen tot de raad van bestuur van de Combinatie.

Het zegt Dave allemaal niet veel. Wat wel iets zegt – een heleboel zegt – is dat Vena de man in Detroit was aan wie Teddy Migliore afschoof. Het was Vena die namens de Combinatie de stripclub in San Diego en de prostitutiebusiness leidde.

'Wat doet iemand uit Detroit in Californië?' vraagt Troy.

'Vakantie houden?' zegt Dave. Misschien, denkt hij maar waarschijnlijk niet. Hoogstwaarschijnlijk was hij hier om de schade door de G-Sting-tenlasteleggingen te beperken.

Misschien om iemand koud te maken.

Maar het lijkt erop dat iemand hem te snel af is geweest.

Dave leest het dossier over Vena, stapt dan in zijn auto en rijdt naar wat vroeger Little Italy was. Frank Machianno is opnieuw niet verschenen voor het Herenuurtje of in de aaswinkel, die nog steeds gesloten was. Niemand heeft hem als vermist opgegeven, maar hij is verdomme nergens te vinden.

Dave gaat naar het bibliotheekfiliaal in het centrum, waar Patty Machianno parttime werkt. Gewoon om een praatje met haar te maken, niet als FBI-agent, maar als bezorgde vriend.

Ze is er niet.

Hij loopt het hele gebouw door en ziet haar niet, dus vraagt hij het aan een vrouw van haar leeftijd achter de balie.

'Is Patty er vandaag?'

De vrouw kijkt hem aan en dan naar zijn trouwring.

'Ik ben een vriend van Frank,' zegt hij. Want iedereen loopt weg met Frank de Aasman. 'Ik was in de bibliotheek, wilde even gedag zeggen.'

'Patty heeft zich gisteren ziek gemeld,' vertelt de vrouw hem. 'Zei dat ze niet wist hoe lang ze weg zou blijven.'

'Bedankt.'

Dave gaat weer naar kantoor, leent een auto en rijdt naar Patty's huis. Hij belt een keer of zes aan, loopt dan om het huis heen, tuurt door ramen. Het huis is verlaten. Hij kijkt in de brievenbus en die is leeg. Geen post, geen krant. Hij weet dat Patty geabonneerd is op de *Union-Trib*, omdat Frank daar altijd op vit.

'Ze kan hem in de bibliotheek lezen,' zei Frank.

'Misschien wil ze hem bij het ontbijt lezen, Frank.'

Patty is een trouwe Padres & Chargers-supporter en leest elke ochtend het sportkatern. Ze is gewoon verslaafd aan de columns van Nick Canepa.

Dave belt de klantenservice van de krant.

'Hallo, met Frank Machianno,' zegt hij. 'Ik heb vanmorgen geen krant gekregen.'

Hij geeft de vrouw aan de telefoon het adres van Patty. Even later komt het meisje weer aan de telefoon en zegt: 'Meneer, u hebt de bezorging twee weken stopgezet.'

Dave beëindigt het gesprek en belt Troy. 'Troy, zoek het kenteken en de registratie op van een zekere Machianno, Patricia, en laat de auto opsporen.'

Hij spelt de naam.

'Probeer de luchthaven,' zegt hij tegen Troy. 'Niet de parkeergarage, maar een van de goedkopere parkeerplaatsen.'

Een vrouw die jarenlang met Frank Machianno getrouwd is geweest zou nooit de hoge parkeertarieven in de parkeergarage betalen. Ze zou naar een van de goedkopere commerciële parkeerplaatsen langs de Pacific Coast Highway gaan en de gratis pendelbus naar de luchthaven nemen.

Troy vraagt: 'Wat voor dossier moet ik...?'

'Géén,' snauwt Dave. 'Je legt geen dossier aan; doe gewoon wat ik zeg.'

'Jawel, meneer.'

'En noem me geen meneer.'

'Nee.'

Dave heeft er spijt van dat hij de jongen zo heeft afgesnauwd. Hij zegt: 'Troy, je doet het uitstekend, oké?'

Dave vertrekt van Patty's huis en rijdt naar Solana Beach. Hij voelt zich er enigszins schuldig over, want Frank weet niet dat Dave van Donna weet. Frank houdt zijn privéleven liefst, nou ja, privé, en hij zou het waarschijnlijk niet op prijs stellen als Dave zijn privéleven binnendringt. Alleen, er bestaat een FBI-dossier over Frank en Dave heeft het woord voor woord gelezen.

Ik maak me zorgen over je, Frank, denkt Dave als hij naar het noorden rijdt.

De winkel van Donna Bryant is gesloten.

Dave stapt uit, loopt naar de deur en leest de met de hand geschreven aankondiging.

WEGENS VAKANTIE GESLOTEN.

Donna Bryant neemt geen vakantie.

Dave is af en toe in de winkel geweest en die is altijd open – zeven dagen per week. Als Donna Bryant echt vakantie had genomen, zou ze het ruim tevoren hebben geregeld en ervoor gezorgd hebben dat er iemand op de winkel paste. Ze zou op zijn minst een aankondiging hebben laten drukken – met de datum waarop ze weer open zou gaan.

Maar ze weet niet wanneer ze terugkomt, denkt Dave.

En ze wist ook niet dat ze wegging.

Dus Frank is spoorloos, zijn ex is verdwenen en zijn vriendin, die een even erge workaholic is als Frank, of nog erger, gaat opeens met vakantie.

En dat allemaal nadat er een zware jongen uit Detroit is aangespoeld op de rotsen.

Nee. Zo werkt dat niet.

Frank Machianno zit in de nesten.

Maar Frank zou nóóit spoorloos verdwijnen zonder er eerst voor te zorgen dat zijn beminden in veiligheid waren. Dat Patty en Donna verdwenen zijn wijst erop dat Frank nog leeft, dat hij ze gezegd heeft zich uit de voeten te maken en toen zelf van de radar verdwenen is.

En waar is Jill?

Hij overweegt of hij haar zal bellen. Aan de ene kant wil hij weten of ze in veiligheid is, aan de andere kant wil hij haar niet de stuipen op het lijf jagen. En er is nog iets: Jill Machianno weet niet dat haar vader...

En Frank heeft het nog maar net weer bijgelegd met haar en dat betekent alles voor hem en het laatste wat Dave wil is dat verpesten.

Dus zoek haar, houdt hij zichzelf voor, laat haar schaduwen, maar laat het daarbij. Intussen zou het misschien een goed idee zijn Sherm Simon een beetje onder druk te zetten.

Horen wat The Nickel te zeggen heeft.

28 'RENNEN.'

Dat is wat The Nickel te zeggen heeft als Frank hem opbelt. Slechts dat ene woord, 'rennen', voordat hij de hoorn neerlegt. Ga niet langs Af. U ontvangt geen tweehonderd dollar. Kom niet naar mijn kantoor of in de buurt daarvan. Gewoon rennen.

'Rennen?' vraagt Dave Hansen.

Hij zit tegenover Sherm Simon aan diens bureau.

'Japanse film,' antwoordt Simon. 'Kurosawa. Als u hem nog

niet gezien hebt, beslist doen.'

'Dat was *Ran*.'

'*Ran*, *rennen*, wat is het verschil?'

'Een heel verschil,' zegt Frank, 'als dat Frank Machianno was aan de telefoon.'

'Frank wie?'

'Speel geen spelletjes met me.'

'Ik speel geen spelletjes,' zegt Sherm. 'Hebt u een huiszoekingsbevel, agent Hansen? Want anders...' Hij wijst naar de deur.

'Frank zou wel eens in de problemen kunnen zitten,' zegt Dave.

Je meent het, Frank zou wel eens in de problemen kunnen zitten. *Ik* zou wel eens in de problemen kunnen zitten. We zouden allemáál wel eens in de problemen kunnen zitten. Er zijn problemen die je gehad hebt, problemen die je momenteel hebt en problemen die je zult krijgen – zo zit de wereld in elkaar.

'U beheert Franks zwarte geld,' zegt Dave. Het is een constatering, geen vraag.

'Ik weet niet waar u het over hebt.'

'Ik probeer hem te helpen,' zegt Dave.

'Dat betwijfel ik serieus.'

Dave geeft het op en buigt zich over het bureau heen. 'Nou, betwijfel dit niet serieus: de Patriot Act geeft me carte blanche als het om witwassen gaat, meneer Simon. Ik kan u openmaken als een pakje appelsap en u door uw hele kantoor morsen.'

'U weet verdomd goed,' zegt Sherm, 'dat Frank Machianno – en dat wil niet zeggen dat er ook maar enige relatie tussen ons bestaat – niets van doen heeft met terrorisme. Het idee is bespottelijk.'

'Dat is niet wat ik tegen de rechter zal zeggen.'

'Nee, dat zal wel niet.'

'Als u hem ziet,' zegt Dave, 'als hij contact met u opneemt, laat het me dan meteen weten.'

Sherm belooft niets.

29 TROY VAUGHAN verlaat het kantoor van de FBI om een hapje te gaan eten. Er is een goed restaurant in het gebouw, maar Troy wil een frisse neus halen. Hij stopt de *Union-Tribune* onder zijn arm en verlaat zijn kantoor.

'Het regent,' vertelt de receptioniste hem.

Troy laat zijn paraplu zien.

Er zijn misschien drie mensen in San Diego die een paraplu hebben.

Trouwens, het regent niet hard en de paraplu weerstaat de wind. Troy wandelt naar een klein lunchrestaurant aan Broadway, drie straten verderop, aan de rand van het Gaslamp District. Hij vindt een kruk aan de bar en gaat zitten.

'Wat is de soep van de dag?' vraagt hij de man achter de bar.

'Groente-bonensoep.'

Troy bestelt de soep en een halve sandwich speciaal en vouwt zijn krant open. Hij haalt het sportkatern eruit, legt het op de kruk naast hem en begint het hoofdkatern te lezen.

Een minuut later staat de man twee krukken verder op, pakt zijn bonnetje van de bar, pakt het sportkatern op en loopt naar de kassa. Hij betaalt zijn rekening en loopt naar buiten de regen in.

Troy negeert de naar buiten lopende man angstvallig. Hij dwingt zichzelf te blijven zitten en zijn sandwich en zijn kop groente-bonensoep op te eten.

Die, denkt hij, niet bepaald haute cuisine is, maar best lekker op een koude, regenachtige dag.

30 DE VISSERS probeerden een vierhonderd pond zware marlijn te vangen, maar in plaats daarvan sloegen ze een vierhonderd pond zware uitsmijter aan de haak.

Lugubere vangst.

Dave Hansen wordt die ochtend gebeld en hij gaat naar de haven om de boot op te vangen. Hij maakt zich niet veel zorgen dat de forensische dienst nerveus wordt van een lijk dat twee dagen in het water heeft gelegen.

Het is niettemin niet zo moeilijk om Tony Palumbo te identificeren.

Een paar uur later krijgt Dave de bevestiging dat Palumbo is neergeschoten met hetzelfde wapen waarmee Vince Vena werd gedood.

Hypothese: Vena was uit Detroit gekomen om zich van Tony Palumbo te ontdoen en iemand had hen allebei vermoord.

Dus iemand probeert G-Sting van bovenaf te frustreren. En daarvoor had hij de meest efficiënte huurmoordenaar in Californië ingehuurd.

Dave vaardigt een arrestatiebevel uit voor Frank Machianno.

31 FRANK SLAAT in Nautilus Street links af en verlaat bij Windansea de weg.

Sherms enige woord, 'rennen', heeft hem laten weten dat hij The Nickel moet mijden.

Op een gewone dag zou hij de kans om naar Windansea, de legendarische surfplek, te gaan met beide handen aangrijpen. Zeker op een dag dat de branding zich terugtrekt en er een paar van de beste surfers ter wereld zullen zijn. Maar dit is geen gewone dag. Dit is een dag waarop iemand wacht om hem te vermoorden.

Laat maar wachten, denkt Frank.

Hij speelt even met het idee om toch naar La Jolla te rijden en maar te zien wat ervan komt.

Ze weten niet in wat voor auto je rijdt en, beter nog, ze weten niet dat jij weet dat ze daar zijn. Anderzijds, je weet niet wie ze zijn, met hoeveel of waar ze zijn. Het enige wat je weet is dat ze – wie 'ze' ook mogen zijn – bij Sherms kantoor zullen rondhangen. Trouwens, wat win je ermee, zelfs als je een vuurgevecht in de drukke winkelwijk van La Jolla Boulevard 'wint'?

Levenslang zonder kans op vervroegde vrijlating.

Niet stom doen dus, houdt hij zichzelf voor.

Hij verlaat de parkeerplaats en rijdt over Nautilus naar het oosten, dan over La Jolla Scenic Drive naar het zuiden en over Soledad Mountain Road naar het oosten en de 5. Daar rijdt hij in noordelijke richting naar de 78 en zet koers naar het oosten.

32 JIMMY 'THE Kid' Giacamone zit in een auto en denkt aan ballen.

Ballen, dat is wat Frankie Machine heeft. Grote, galmende, koperen kloten.

Eerst ontvoert hij Mouse Junior en brengt hem regelrecht naar zijn papa's kantoorpand, daarna trekt hij John Heaney in een afvalcontainer en wandelt Migliores bar binnen, slaat de helft van de jongens daas en tuigt Teddy zelf af.

Die vent heeft ballen.

Mooi zo, denkt Jimmy, dat is de soort trofee die je aan je muur wilt hangen. Niet zijn ballen natuurlijk, niet letterlijk – maar elke jager die een knip voor zijn neus waard is wil de grote oude olifantstier, degene die je doodt als je het verknalt.

Wat heeft het anders voor zin?

Jimmy is met zijn hele ploeg in Californië.

'De Sloopploeg' worden ze genoemd, omdat ze vanuit een autosloperij in Deerborn werken. Jimmy vindt het een mooie bijnaam – de Sloopploeg –, het zegt alles.

Ze zijn uiteraard niet samen gekomen. Dat zou stom geweest zijn. Ze zijn met verschillende vluchten gekomen en ook niet naar San Diego. Jimmy vloog naar Orange County, Paulie en Joey naar L.A., Carlo naar Burbank, Tony naar Palm Springs en Jackie naar Long Beach.

De jongens van Mouse haalden hen af en voorzagen hen van ijzerwaar.

Dat is alles wat Jimmy van die West Coast-debielen had gevraagd. 'Bezorg ons wat ijzerwaar, schoon, niet te traceren. Zou dat lukken, denk je?'

Misschien wel, misschien niet. Jezus, Frankie M. had bij ze op de stoep gestaan en ze hadden hem laten glippen. Volgens wat hij erover had gehoord had Frankie de Hummer van dat joch aan flarden geschoten en en passant Joey Fiella's auto gestolen.

Om je dood te lachen.

Maar de Mouseketiers hadden het wapentuig opgehoest, dus zijn ploeg was voorzien en klaar om te rock-'n-rollen, Motor City-stijl.

Eight Mile-stijl.

Jimmy zingt Eminem na:

'You only get one shot, do not miss your chance to blow
This opportunity comes once in a lifetime, yo...'

O nee, je zult deze kans niet verpesten. Regel de zaakjes hier, ga terug en eis van de ouwe heer een plaats in de raad. Króón me, pa, zogezegd. De eerste stap in het terugnemen van de familie van de Tominello's en weer brengen waar ze thuishoort, bij de Giacamones.

Iets waarvoor pa nooit het lef heeft gehad.
Maar ik wel, denkt Jimmy.
Ik en Frankie M., wij hebben ballen.
Ik moet alleen die van Frankie eraf schieten.
Dus zit hij in de auto en wacht.
Frankie Machine zal vroeg of laat verschijnen.

33 TWEE UUR later is Frank in de woestijn.

Het regent er.

Regen in de woestijn, verdomme, denkt Frank. Het was te verwachten. Het past bij alle andere bizarre dingen die er gebeuren.

Borrego Springs is een oase in het Anza-Borrego Desert State Park, drieduizend hectare van het meest woeste terrein in de staat. De stichters dachten dat het een tweede Palm Springs zou worden, maar zover is het nooit gekomen, voornamelijk omdat er maar twee wegen naar de stad leiden, allebei slecht, allebei slingerend door kilometers en nog eens kilometers ruige, onherbergzame woestijn. Er sterven elk jaar een stuk of tien *mojados* die proberen vanaf de Mexicaanse kant de woestijn over te steken en de grenspolitie begraaft tegenwoordig water aan de voet van tien meter hoge palen met een rode vlag om te proberen levens te redden.

De stad heeft dus nooit echt gebloeid en nu is ze vooral een gepensioneerdenkamp voor bleekscheten, naast een paar duizend onverschrokken lui die er het hele jaar wonen, zelfs in de zomer, wanneer het er meer dan vijftig graden kan worden.

Frank komt aan via Route 22, die zich in eindeloos lijkende haarspeldbochten van de bergen naar de uitgestrekte woestijn slingert en overgaat in de hoofdstraat van Borrego, die pronkt met een paar motels, enkele restaurants en winkels en een bank.

De bank is de reden van Franks komst.

Het is een 'tamme' bank, een van de vele waar Sherm geld witwast en een plek waar Frank in geval van nood contant geld kan halen. Maar hij rijdt er voorbij en zoekt naar auto's of mensen die er niet thuis lijken te horen.

Hij ziet niets.

Hij parkeert voor Albierto's, een kleine Mexicaanse tent waar hij eerder gegeten heeft. Het eten is er goed en goedkoop en je krijgt er een heleboel van, want Albierto's kookt voor de plaatselijke Mexicanen, die verdomd hard werken en een stevige maaltijd willen voor hun geld.

Frank stopt buiten, haalt een *Borrego Sun* uit het krantenrek, loopt naar de bar en bestelt twee kipenchilada's met zwarte bonen en rijst en ijsthee, gaat dan in een cabine zitten en wacht tot zijn naam wordt afgeroepen.

Er gebeurt niet veel in Borrego Springs. Er is een artikel over een nieuwe archeologische opgraving, een over de renovatie van de gymzaal van de middelbare school, maar het hoofdartikel gaat over het schandaal rondom de gemeenteraad van San Diego en de Kamer van Inbeschuldigingstelling die opnieuw een raadslid heeft aangeklaagd.

Frank slaat het over en zoekt de column van Tom Gorton. Gorton is de hoofdredacteur en een krantenman van de oude stempel, en hij schrijft verdomd goed. Frank leest zijn columns elke keer wanneer hij ergens een *Sun* ziet. Dit keer schrijft Gorton over de vele regen die er de afgelopen winter is gevallen en dat die voor een prachtige lentebloesem zal zorgen.

Dat zou ik best eens willen zien, denkt Frank.

Het is jaren geleden dat de woestijn in bloei heeft gestaan en de dalbodem bedekt was met een panoplie (puzzelwoord) van wilde bloemen. Frank heeft het altijd ontroerend gevonden, een wonder, als de dorre woestijn een zee van kleuren wordt en het leven er opbloeit. Het is een bevestiging van het leven, vindt Frank. Het bewijs dat redding mogelijk is, als er bloemen bloeien in de woestijn.

Ik hoop dat ik het mag zien.

Ik neem Donna mee hierheen, Jill ook misschien. Misschien is het een reisje dat we met z'n drieën kunnen maken.

Ja hoor, denkt hij. Dat moet ik nog zien gebeuren, die twee samen in één auto.

'Bob.'

Frank steekt zijn vinger op, loopt naar de bar en krijgt zijn dienblad. Het eten ruikt verrukkelijk. Hij loopt naar een andere bar, kiest twee verschillende salsa's – een *verde* en een *fresca* – en wat gekruide worteltjes.

Het eten smaakt even lekker als het ruikt, de enchilada's zijn gesmoord in een rijke *mole*-saus, en de rijst en de bonen zijn precies gaar. Frank ziet dat er vistaco's op het menu staan en vraagt zich af wie hun vis levert. Hij overweegt even een offerte te doen, maakt dan een rekensommetje en concludeert dat de rit hierheen en dan zonder lading terug de opbrengst teniet zou doen.

Hij beëindigt zijn maaltijd, gooit het plastic bord in een afvalbak en loopt naar buiten. Het miezert, meer een soort mist, maar de straten zijn verlaten, alsof de inwoners in hun huis schuilen en wachten tot de zon weer tevoorschijn komt.

Frank gaat de bank binnen, loopt naar de knappe caissière toe en vraagt naar de directeur, meneer Osborne.

'Wie kan ik zeggen dat er is?' vraagt de caissière.

'Scott Davis,' zegt Frank glimlachend.

'Een ogenblikje, meneer Davis.'

Osborne lijkt zenuwachtig als hij uit zijn kantoor komt. Hij heeft een grote adamsappel en een magere hals, maar de adamsappel danst wat sneller op en neer dan Frank lief is.

Niet paranoïde worden, houdt Frank zichzelf voor. Dit is gewoon een verder gezagsgetrouwe burger die een beetje gespannen is omdat hij iets illegaals doet.

Osborne steekt zijn hand uit. De palm is klam, zweterig.

'Meneer Davis,' zegt hij, luid genoeg om verstaanbaar te zijn voor de caissière. 'Komt u mee naar mijn kantoor, dan zullen we eens zien of we zaken kunnen doen over uw lening.'

Frank volgt hem naar het kantoor. Osborne opent een kluiskast, dan de kluis zelf, pakt er een canvas banktas uit en geeft die aan Frank.

'Twintigduizend,' zegt hij.

'Min uw drie procent,' zegt Frank. Hij stopt de tas onder zijn jas.

'Telt u het niet?' vraagt Osborne.

'Is dat nodig?'

'Het zit er allemaal in.'

'Dat nam ik al aan,' zegt Frank.

Osborne kijkt over Franks schouder door het raam dat uitkijkt op de straat. Frank trekt de .38 en richt hem op het gezicht van de bankier. 'Zeg op.'

'Die mannen,' zegt Osborne met trillende stem, 'kwamen vanmorgen bij me thuis. Ze zeiden dat ik u het geld moest geven. Maak me alstublieft niet dood. Ik heb een vrouw en twee kinderen. Becky is acht en Maureen is...'

'Mond dicht,' zegt Frank. 'Er wordt niemand vermoord.'

Misschien.

Osborne begint te huilen. 'Mijn carrière... mijn gezin... gevangenis...'

'U gaat niet naar de gevangenis,' zegt Frank. 'U hoeft alleen maar uw mond te houden, capisce?'

'Mijn mond houden,' herhaalt Osborne, alsof hij probeert zich aanwijzingen in te prenten die iemand hem telefonisch geeft: sla links af Jackson in, tweede rechts La Playa in, mijn mond houden.

'Is er een achterdeur?' vraagt Frank.

Osborne staart hem aan. Frank herhaalt de vraag.

'U zei dat ik mijn mond moest houden,' zegt Osborne.

'Niet nú,' zegt Frank. 'Is er een achteruitgang?'

'Ik zal hem van het slot moeten doen.'

'Waar wacht u op?'

De deur heeft drie sloten en een panieksluiting. Osborne heeft er ruim een minuut voor nodig om de deur van het slot te doen.

'Niet openmaken,' zegt Frank.

Waar ben je met je gedachten? vraagt hij zichzelf. Een béétje ploeg zal een man of twee aan de achterkant hebben. En ze zullen gehoord hebben dat de deur van het slot werd gedaan. Als je door die deur stapt, loop je een kogelregen tegemoet.

Aan de andere kant, als je de voordeur uitloopt, gebeurt hetzelfde.

Je zit klem.

34 DAT IS in elk geval wat Jimmy the Kid denkt.

Frankie M. is de pineut.

Jimmy zit in de auto aan de overkant van de straat. Hij zit op de passagiersstoel, geweer op zijn knieën, wachtend op het dodelijke schot.

'Weet je zeker dat hij binnen is?' vraagt Jimmy.

'Ik heb hem naar binnen zien gaan,' zegt Carlo.

Carlo had positie gekozen in de ijssalon aan de overkant. Hij had gezien dat Frankie Machine langsreed, ging lunchen en daarna de bank binnenging. Hij had hem zelf koud kunnen maken, maar hij had strikte bevelen van Jimmy, die had gezegd: 'Als je hem ziet, bel je me.' Dus had Carlo hem gebeld en nog een portie ijs besteld – karamel ditmaal.

Nu zit Jimmy in de auto en tikt met zijn voet als de drummer van een heavymetalband.

'Paulie, Jackie en Joey staan aan de achterkant?'

'Ja.'

'Weet je het zeker?'

'Je kunt ze bellen als je wilt.'

Jimmy denkt erover na en besluit dan het niet te doen. Het zou net iets voor Paulie zijn om in de telefoon te schreeuwen en Frankie M. te waarschuwen. Nee, we willen dat Frankie barst van het zelfvertrouwen. Laat hem maar door die deur komen met zijn geld in zijn hand en blije gedachten in zijn hoofd.

Dan vlám.

You only get one shot, do not miss your chance to blow.

'Waarom duurt het verdomme zo lang?' vraagt Jimmy.

Carlo heeft geen tijd om te antwoorden, want net op dat moment beginnen er sirenes te janken.

Politiesirenes.

Die deze kant op komen.

Carlo wacht niet tot Jimmy zegt dat hij hem in de versnelling moet zetten en ervandoor moet gaan.

Het ligt voor de hand.

35 FRANK VERDWIJNT door de achterdeur zodra hij de sirenes hoort.

Osborne had het stille alarm ingeschakeld, precies zoals hij hem gezegd had. Hopelijk zal de bankier ook de rest van zijn instructies opvolgen.

'Zeg tegen de politie dat er iemand binnenkwam die probeerde u te beroven, zenuwachtig werd en naar buiten rende. Geef ze het signalement van een van de mannen die u vanmorgen benaderd hebben.'

'Waarom vertel ik ze niet dat de rover twintig mille heeft meegenomen?' had Osborne gevraagd.

'Is het de bedoeling dat u twintig mille extra in de bank hebt?' vroeg Frank.

'Nee.'
'Nou dan.'
'O, ja.'
'Alleen het alarm inschakelen, oké?'
Maar Frank rent niet de steeg uit. Hij zoekt de ladder die naar het dak leidt en klimt naar boven. Tegen de tijd dat hij boven is bonst zijn hart en hapt hij naar adem.
Jill had gelijk wat betreft rood vlees en de nagerechten, denkt hij. Ik moet minderen. Hij glijdt op zijn buik over het dak en klimt langs de ladder aan de andere kant naar beneden op hetzelfde moment dat de politieauto's met piepende banden stoppen aan de voorkant van de bank. Frank loopt terug naar zijn auto, rijdt kalmpjes achteruit, steekt de straat over naar een benzinepomp en begint te tanken.
'Wat is er aan de hand?' vraagt hij de pompbediende, die naar buiten is gekomen om te zien waar al die opwinding over gaat.
'Ik weet het niet,' zegt de jongen. 'Iets met de bank.'
'Jezus, echt waar?' zegt Frank. 'Dat is ruig.'
Hij kijkt toe hoe Osborne met een van de agenten uit de bank komt en een burger uit de ijssalon aan de overkant komt gerend en naar het westen wijst, met zo'n meelevend ze-gingen-die-kant-op-gebaar.
Een van de agenten rent terug naar zijn auto en scheurt naar het westen.
Frank gooit zijn tank vol.
'Ik hoop dat ze ze te pakken krijgen,' zegt hij en hij rijdt weg naar het oosten, net onder de snelheidsgrens.
Je bent een idioot, zegt hij tegen zichzelf. Of je bent gewoon moe, versleten.
Het was die vent in de ijssalon, aan de overkant. Je kent hem, je kunt hem alleen niet thuisbrengen.
Verrekte ouderdom.
Kom op, denk na, denk na.
Het flirt met hem, scheert langs de rand van zijn geheugen.

Carlo Moretti.

Een knaap uit Detroit, een huurmoordenaar voor Vince Vena.

36 HET WAS 1981. Frank en Patty maakten een moeilijke periode in hun huwelijk door. Ze hadden geprobeerd en nog eens geprobeerd een kind te krijgen, maar tevergeefs. Ze waren naar de ene na de andere dokter geweest, maar de uitslag was altijd eender: Frank had te weinig zaadcellen, niets aan te doen. Ze hadden het over adoptie, maar Patty was er niet voor.

Ze zei dat ze het hem niet kwalijk nam – dat zou onredelijk en oneerlijk zijn, zei ze – maar hij wist dat ze diep in haar hart wrok koesterde. Ze weet het aan zijn agenda, aan de druk die hij zichzelf oplegde, niet alleen met de viszaak, maar nu ook met de linnenzaak, en dan antwoordde hij dat als ze ooit een kind zouden krijgen hij het wilde kunnen onderhouden, zijn kind een toekomst wilde bieden.

Het waren dus moeilijke tijden, hun liefdesleven was veranderd in een door angst getekend corvee en net op een van die dagen dat de kans om zwanger te worden het grootst was, werd hij vanuit Chicago gebeld dat hij naar Vegas moest om een probleempje op te lossen.

In werkelijkheid was Frank blij dat hij er een paar dagen tussenuit kon.

Je hebt het geld nodig, hield hij zichzelf voor, en dat was zo, maar feit was dat thuis een pijnlijke plek begon te worden en dat hij smoesjes zocht om weg te komen. Dat was deels de reden voor zijn lange werkdagen, deels de reden dat hij de klus in Las Vegas aannam.

Hij en Patty maakten er ruzie over.

'Ga je met je vrienden naar Vegas?' zei ze. 'Nú?'

Nu, dacht Frank, nu ik eigenlijk een plichtsgetrouwe, vreugdeloze liefdesdaad moet verrichten. 'Het is werk.'

'Werk,' zei ze honend. 'Ons geld vergokken, hoeren neuken, noem dat maar werk.'

'Ik gok niet, ik neuk geen hoeren.'

'Wat doe je dan in Vegas?' vroeg ze. 'Naar shows gaan?'

Hij viel uit. 'Het is wérk. Zo verdien ik mijn geld! Zo breng ik brood op de plank! Zo betaal ik voor artsen. Zo...'

'Wat voor werk?' vroeg ze. 'Wat doe je eigenlijk?'

'Dat wil je niet weten!' schreeuwde hij. 'Neem het geld aan, hou je mond, stel geen vragen over dingen die je niet aangaan!'

'Niet áángaan? Ik ben je vrouw!'

'Daar hoef je me niet aan te herinneren!'

Dat deed pijn. Hij wist het al voordat de woorden over zijn lippen kwamen en hij wou dat hij ze kon terugroepen uit de lucht. Ze barstte in tranen uit. 'Ik wil een kind.'

'Ik ook.'

Zijn afscheidswoorden, terwijl hij de deur uitliep. Niettemin, hij moest toegeven dat de lange rit naar Vegas een opluchting was, een paar uur eenzaamheid en rust. Geen discussies of verwijten, geen angstaanjagend gevoel van falen. En tijd om aan de klus te denken, want het was een riskante.

Donny Garth was de rijzende ster, het wonderkind van de vastgoedmagnaten in Chicago. Maar niemand wist hoe goed hij geboerd had tot hij het Paladin Hotel in Vegas kocht. Niemand wist dat hij zóveel geld had.

Het ging een tijdje goed, toen kreeg Garth grootheidswaan en protesteerde ertegen dat de maffia in Chicago zijn casino afroomde.

Frank was degene die Carmine Antonucci naar Garth' huis in La Jolla had gereden om 'het hem uit te leggen'. Garth' huis was een klasse apart – een landhuis in Normandische stijl met een rondlopende oprijlaan met grind en een garage voor zes auto's waarin, onder andere, een Ferrari en een Austin-Healey stonden.

Je kon niet ontkennen dat Garth stijl had.

Hij kwam die dag door de voordeur naar buiten, een kleine man met een gele kasjmieren trui over zijn schouders geslagen, een blauwzijden overhemd met open kraag en een witte sportpantalon boven lage schoenen.

Frank herinnert zich dat hij in het niet viel bij de gigantische houten deur achter hem. Hij was een en al glimlachjes en handdrukken, maar je merkte dat hij zich geneerde dat er echte gangsters op de stoep stonden en bang was dat de buren zouden zien wat voor bezoek hij ontving.

Bezoekers zoals Carmine Antonucci en Frankie Machine.

Carmine was de man van Chicago in Las Vegas, die de supervisie had over het bijzonder winstgevende afromen waar Garth mee wilde rommelen. Dus accepteerde Carmine hoffelijk de ijsthee die Garth aanbood, wachtte toen de butler wegging om die te halen, nam uit beleefdheid een paar slokjes, wees toen naar Frank en zei: 'Bekijk deze man eens goed. Weet u waarom ze hem "The Machine" noemen?'

'Nee.'

'Omdat hij een automaat is,' zei Carmine. 'Hij mist nooit. En als u een obstakel blijft vormen voor de soepele exploitatie van mijn hotel, stuur ik The Machine op u af. U zult hem niet zien, want u zult dood zijn. Begrijpen we elkaar?'

'We begrijpen elkaar.'

Garth' hand trilde alsof er een aardbeving was. Je kon het ijs en de lange zilveren lepel in het glas horen rinkelen.

'Bedankt voor de ijsthee,' zei Carmine, opstaand. 'Hij was heerlijk en verfrissend. We zouden graag blijven eten, dank u, maar ik moet een vlucht halen.'

En dat was dat.

Frank had geen woord gezegd.

Hij bracht Carmine terug naar de luchthaven, waar deze met

een privévliegtuig terugkeerde naar Vegas.

En Donnie Garth begon zich te gedragen.

Zij het dat hij weldra een probleem had.

Wat er gebeurde was dat Donnie Garth de kramp uit zijn stijve nek wilde verdrijven door een stoombad te nemen in het kuuroord van het hotel en dat hij daarmee bezig was toen er een kleerkast uit Chicago binnenkwam, Marty Biancofiore.

Marty had een paar serieuze karweitjes voor Garth gedaan, een paar andere kandidaat-kopers geïntimideerd die het Paladin ook hadden gewild, dus hij had zich in zijn hoofd gehaald dat Garth bij hem in het krijt stond. Wat hij tegen Garth zei terwijl ze alle twee in handdoeken gewikkeld waren, was dat Donnie hem een stuk van het hotel moest geven, anders zou hij een stuk van Garth pákken, een heel essentieel stuk nog wel.

Waardoor de kramp in Garth' nek terugschoot.

Zijn haren waren nog nat toen hij Carmine belde.

Nu was Donnie Garth een lastpost eerste klas, maar het Paladin leverde veel geld op, veel meer dan Marty ooit zou kunnen ophoesten.

En Garth kneep hem, sloop door het hotel, half bang om uit zijn kantoor te komen en voortdurend extra beveiliging eisend, dus belde Carmine uiteindelijk Frank op.

Omdat Garth uitdrukkelijk had gevraagd om 'die knaap, The Machine'.

Een heleboel mensen hadden iets gemerkt of op zijn minst iets gehoord over de onenigheid tussen Garth en Biancofiore en Chicago wilde een boodschap sturen: je rotzooit niet met een van onze mensen. Ze wilden dat Biancofiore op de Strip koud werd gemaakt, ze wilden dat zijn lichaam zou worden gevonden en ze wilden dat het er lelijk uitzag.

Marty Biancofiore was geen brave burger. Hij had zelf wel eens voor Chicago gewerkt. Hij zou gewapend en op zijn hoede zijn. Marty Biancofiore zou niet opendoen voor een pizzakoerier.

Hij was de eerste op wie je echt jacht moest maken, herinnert Frank zich. Je schaduwde hem vijf volle dagen, observeerde zijn vaste gewoontes, wachtte op een kans, dacht erover na.

Het zou 's avonds moeten gebeuren, besloot hij. Zelfs Frankie Machine zou niet proberen iemand op klaarlichte dag op de Strip koud te maken. Nee, dat zou later komen, denkt Frank nu, toen Chicago het op de ouderwetse manier uitknokte met Joe Bonnano en ze het gewoon deden. Gelukkig werkte Marty Biancofiore van acht tot twee in Caesar's, waar hij in de primetimeploeg was ingedeeld om Garth te jennen.

Marty zou zijn tijd volmaken, de bar binnengaan voor twee wodka's om zich te ontspannen en dan naar zijn auto op de personeelsparkeerplaats lopen. Hij keek altijd zorgvuldig om zich heen en opende de auto met een afstandsbediening, uit angst voor een bom, vermoedde Frank. Hij keek altijd in de auto voordat hij instapte, deed de portieren zachtjes op slot en reed rechtstreeks naar huis. Eén avond belde hij een hoer, de andere drie nam hij een douche, keek wat tv en ging naar bed.

Het zou betrekkelijk gemakkelijk zijn hem thuis te grazen te nemen, dacht Frank. Inbreken terwijl hij onder de douche staat en hem daar neerschieten. Maar zo wil Chicago het niet. Of die kleine klootzak, Garth, die eist dat 'er een lesje wordt geleerd'.

Het zou op de parkeerplaats moeten gebeuren.

Maar hoe?

Je kunt hem niet gewoon neerknallen als hij uit het casino komt – te veel mogelijke getuigen en het risico dat er een vuurgevecht uitbreekt is te groot. Een burger die op de Strip tegen een verdwaalde kogel aan loopt zou onacceptabel zijn.

Dat was een van Franks vaste regels: breng geen burgers in gevaar. Mannen in de branche, die kennen de risico's en ze nemen ze, maar een of andere Jan met de pet die heeft gespaard voor een uitspatting in Vegas verdient het niet te sterven omdat iemand slordig wordt.

Dus moet het ín de auto gebeuren.

Maar als je het portier forceert gaat het alarm af en dan is het voorbij. Je zou de sleutels kunnen stelen en laten namaken, instappen en op Marty wachten, maar hij inspecteert de auto grondig voordat hij instapt en hij zou ofwel wegrennen of je neerknallen terwijl je op de achterbank lag.

Dus hoe kom je in die auto?

Er is maar één manier.

Marty moet je uitnodigen.

En hoe krijg je hem zover?

Elke man heeft een fatale fout. Dat had Bap Frank geleerd. Niet met zoveel woorden, maar het punt was dat iedere man een kier in zijn harnas had en die hoefde je alleen maar te vinden.

Bap had ze zelfs voor hem op een rijtje gezet. 'Je hebt geilheid, hebzucht,' had Bap gezegd, 'je hebt ego, trots en dan heb je wensdenken.'

'Hoe bedoel je?'

'Sommige mensen geloven wat ze wíllen geloven,' had Bap gezegd, 'als ze het maar graag genoeg willen.'

Marty had tegenover iedereen die maar wilde luisteren opgeschept dat dat ettertje van een Donnie Garth het voor hem in zijn broek deed, dat Garth hem maar beter niet voor de voeten kon lopen, dat hij hem misschien sowieso koud zou maken. Frank had het hem zelf horen brallen, na werktijd aan de bar.

En Marty had geld nodig.

Frank deed zijn huiswerk. Marty had zwaar gegokt en nog zwaarder verloren. Hij was een smak geld kwijtgeraakt aan universiteitsrugby, had geprobeerd dat terug te verdienen bij *Monday Night Football*, maar was er alleen maar armer van geworden. Hij stond diep in het krijt bij een geniepige woekeraar, Herbie Goldstein, en had al moeite om de rente te betalen.

Dus toen Donnie Garth belde, geloofde Marty het maar al

te graag. En Garth was een verdomd goeie acteur, een geboren oplichter die wist hoe je de schijn moest ophouden. Hij wist inmiddels ook hoe je instructies moest opvolgen en hij volgde ze stipt op.

Frank was bij hem toen hij belde.

'Marty? Met Donnie.'

'Je kunt maar beter goed nieuws voor me hebben.'

'Marty, we zijn vrienden,' zei Donnie. 'Ik heb eens nagedacht. Ik weet het goed gemaakt. Als je eens genoegen nam met honderd mille, kunnen we het dan laten rusten?'

'Honderd? Rot op.'

Frank luisterde tot ze het hadden afgemaakt op tweehonderdvijftigduizend. Bap had gelijk, dacht Frank. Biancofiore geloofde het omdat hij het wilde geloven. Het voedde zijn ego en loste zijn financiële problemen op. Hoe had Bap het ook alweer gezegd? 'Als je een vis wilt vangen, moet je hem het aas voorhouden waar hij naar snákt.'

'Contant, Donnie,' zei Marty.

Frank knikte en Donnie zei: 'Maar luister, Marty, dit moet tussen ons blijven. Als bekend wordt dat ik... onder druk gezet kan worden, ben ik de lul.'

'Het gaat alleen ons wat aan,' zei Marty.

'Geweldig, Marty, bedankt,' zei Garth. 'Luister, ik haal het geld en wip dan bij je binnen.'

Dat was het kritieke moment. Frank hield zijn adem even in tot hij Marty hoorde zeggen: 'Ik dacht aan een wat drukkere plek.'

'Vertrouw je me niet, Marty?'

Biancofiore lachte alleen maar.

Garth zei: 'Marty, ik kan je geen tas vol geld geven in de speelhal van Caesar's Palace.'

Marty dacht even na. 'Het parkeerterrein,' zei hij. 'Mijn auto.'

'Ik zie je na je werk.'

'Flikker op,' zei Marty. 'Twaalf uur 's middags.'

Want Marty wist wat ze allemaal wisten. Niemand, níémand zou proberen hem op klaarlichte dag op de Strip koud te maken.

Donnie keek Frank aan.

Frank dacht er even over na en knikte toen.

'Oké,' zei Donnie. 'Twaalf uur dan. In wat voor auto rij je tegenwoordig? Wat is het nummer van je parkeervak?'

'Ga een paar dagen de stad uit,' zei Frank tegen Garth. 'Ga naar je Normandische landhuis, geef een diner, zorg voor een alibi.' Slobber wat dure wijn met de jetset terwijl ik de rotzooi voor je opruim, dacht hij.

Dus was het Frank, niet Donnie Garth, die op het parkeerterrein stond te wachten toen Marty die dag arriveerde.

Het beviel Marty helemaal niet.

Hij draaide het raampje omlaag en vroeg: 'Wie ben jij, verdomme? Waar is Garth?'

'Die komt niet.'

'Waarom niet?'

Frank zag hem naar de aktetas in zijn hand loeren.

'Ik heb het geld,' zei Frank. 'Wil je het hebben?'

'Mensen lopen niet weg van geld,' had Bap hem verteld. 'Ze zouden er soms beter aan doen, maar ze doen het niet.' Marty ook niet. Hij dacht na – Frank kon hem zíén denken – maar hij liep niet weg. Hij stapte uit de auto en beklopte Frank zorgvuldig van zijn oksels tot zijn enkels, van voren en van achteren.

'Ik heb geen microfoontje,' zei Frank.

'Niks microfoontje,' zei Marty. 'Ik zoek een blaffer.'

Hij vond er geen. Hij stapte weer in, opende de portiersloten en commandeerde: 'Instappen.'

Frank ging op de passagiersstoel zitten.

Marty had een .45 in zijn schoot liggen.

'Hé,' zei Frank.

'Ik ben niet zo oud geworden door slordigheid,' zei Marty. 'Je zei dat je het geld hebt?'

'Het zit in de tas.'

Dat was het moment, denkt Frank nu. Je dacht dat, als Marty de tas pakte, je uit de auto schopte en wegreed, je nooit meer in zijn buurt zou kunnen komen. Als hij de tas meteen openmaakte, was je er geweest.

Je rekende op zijn karakter, zijn voorzichtigheid. Hij was iemand die zijn auto elke avond op bommen inspecteerde. Hij zou geen tas meenemen.

Dat hoopte je tenminste.

'Laat zien,' zei Marty.

'Moet ik hem hier openmaken?'

'Wat zei ik, verdomme?'

Frank zette de tas op zijn knieën, opende de sloten en het deksel klapte met een metalig klikken open. Frank pakte de .25 met demper die erin zat en schoot vijf keer door het deksel. Toen legde hij het wapen weer in de tas, stapte uit en liep weg.

Over de Strip.

Frank keerde terug naar zijn hotelkamer, maakte het wapen schoon met isopropylalcohol en deed hetzelfde met de aktetas. Chicago had een schoonmaakploeg aangeboden om het wapen te laten verdwijnen, maar Frank vertrouwde het schoonmaakwerk aan niemand toe. Hij had een .25 gekozen omdat hij wist dat de kogels, nadat ze door de goedkope aktetas gedrongen waren, nog genoeg kracht zouden hebben om Marty's schedel binnen te dringen, maar niet genoeg om weer naar buiten te komen. Marty werd een uur later gevonden door een parkeerwachter. Hij dacht dat de man die over het stuur heen lag een hartaanval had gehad, tot hij de vijf gaten in zijn hoofd zag.

Frank stapte in zijn auto en reed door de Mojave-woestijn terug, zocht een verlaten mijn, sloeg het wapen kapot en gooide het samen met de aktetas in de schacht.

Ja, makkelijk zat om het wapen kwijt te raken, moeilijker om van de herinnering af te komen.

Die blijft niet onder in de mijnschacht liggen.

De Biancofiore-klus had onmiddellijk gevolgen gehad. Dikke Herbie Goldstein schreeuwde moord en brand dat hij de vijfenzeventigduizend dollar kwijt was die Marty hem nu zéker niet zou terugbetalen en dat íémand hem dat geld schuldig was.

'Zeg tegen Garth dat hij hem betaalt,' zei Frank tegen Mike Pella.

'Ben je verdomme helemaal gek?'

'Zeg dat hij een van zijn auto's verkoopt en die vent betaalt,' zei Frank. 'Zeg dat The Machine het gezegd heeft.'

Donnie Garth betaalde Herbie Goldstein zijn vijfenzeventig mille.

Zo raakte Frank bevriend met Herbie Goldstein.

Dikke Herbie zocht Frank op nadat hij zijn geld van Donnie Garth had gekregen. Goldstein nam warempel een vliegtuig, vloog naar San Diego en vroeg om een ontmoeting met Frankie Machine. Ze spraken elkaar tijdens een lunch, uiteraard – als Herbie bij je was, át je.

Nu waren er een heleboel maffiosi die de bijnaam 'Dikke' hadden. Frank kende vijf van hen persoonlijk. Maar ze konden geen van allen wipwappen met Herbie Goldstein – ze zouden voortdurend boven zitten en omlaag kijken naar bijna vierhonderd pond Herbie, die waarschijnlijk aan een lolly zou zitten te likken.

Maar goed, Herbie nodigde Frank uit voor een lunch en zei: 'Dat was aardig wat je voor me gedaan hebt. Ik wilde je alleen maar persoonlijk zeggen dat ik het op prijs stel.'

'Het was het enige juiste,' zei Frank.

'Niet iedereen dóét het enige juiste,' zei Herbie. 'Tegenwoordig niet meer.'

Herbie nam de lunch voor zijn rekening, en dat was niet gering, en knoopte er toen een uitnodiging aan vast: 'Als je ooit in Las Vegas bent, bezorg ik je een leuke tijd.'

Frank was niet van plan naar Vegas te gaan, absoluut niet. Maar de uitnodiging bleef in zijn gedachten. Hoe harder hij werkte, hoe meer uren hij maakte, de plichtmatige, zinloze seks met Patty, de ruzies, de stiltes, alles maakte dat het aanbod van de vierhonderd pond zware gangster klonk als een sirenenzang.

Dus op een dag, nadat een kok had zitten zeiken over een partij geelstaartvis waar niks mis mee was, gooide Frank wat kleren in de auto en reed naar Las Vegas.

Hij reed de stad binnen en belde Herbie. Tien minuten later pakte hij zijn kleren uit in een chique suite in het Paladin. Hij nam een lekker lang bad in zijn eigen jacuzzi, deed een dutje, stond toen op en kleedde zich aan voor een ontmoeting met Herbie in de lobby.

Herbie was in gezelschap van twee *Playboy*-modellen, Susan en Mandy.

Susan, een klein blondje met een niet bepaald kleine boezem, was met Herbie. Mandy was voor Frank. Ze had glanzende bruine haren tot op haar schouders, volle lippen, warme bruine ogen en ze droeg een jurk die een lichaam liet zien dat gezien mocht worden. Frank hield zichzelf voor dat het een platonisch afspraakje was, meer niet. Een metgezel om iets mee te drinken, te eten en misschien naar een show te gaan, zodat hij zich niet het vijfde wiel zou voelen.

Ze schuimden de stad af.

God, wat schuimden ze de stad af.

Het eten, de wijn, de shows – Frank mocht niet één keer zijn portefeuille trekken. Niet dat er een rekening kwam, dat niet. Herbie liet een vette fooi achter en dat was dat. Ze kregen de beste tafels, flessen van de beste wijn met de complimenten van het management en ze werden na de shows uitgenodigd voor feesten in de artiestenfoyer.

En dan waren er de vrouwen.

Dikke Herbie Goldstein was geen aantrekkelijke man, hoewel hij een griezelige gelijkenis vertoonde met Pavarotti – althans, als die een paar maanden een puddingdieet zou hebben gevolgd.

En hij was niet charmant – als Herbie íéts had, was het een soort anticharme, waar het woord 'afstotelijk' vandaan kwam, vermoedde Frank. Herbie stootte de meeste mensen af – met zijn vraatzucht, zijn niet-bestaande tafelmanieren en de rivieren van zweet die onafgebroken over zijn bolle wangen leken te lopen of zich verzamelden in zijn oksels. Zijn kleren waren verfomfaaid en zaten gewoonlijk vol etensvlekken, hij had een mond als een riool en de meeste mensen in Vegas staken de straat over om hem te ontlopen.

Maar Herbie trok vrouwen aan.

Het stond gewoon als een paal boven water. Frank zag Herbie na donker nooit zonder een absoluut adembenemend stuk aan zijn arm. En het waren geen hoeren – het waren danseressen en modellen en gezellige meiden. Natuurlijk, ze namen cadeaus van hem aan, soms behoorlijk grote cadeaus, zoals appartementen of auto's, maar het ging ze niet alleen om het geld.

Ze leken echt graag in Herbies gezelschap te zijn en hoe meer tijd Frank met de man doorbracht, hoe liever ook hij dat deed.

Maar die eerste nacht...

Rond drie uur 's nachts rolden ze weer het Paladin binnen. Toen Frank Mandy, zijn playmate, welterusten wilde zeggen, keek ze hem vreemd aan.

'Vind je me niet aardig?' vroeg ze.

'Ik vind je heel aardig.'

'Wat is er dan, wind ik je niet op?'

Hij had de hele avond een stijve gehad. 'Je windt me enorm op.'

'Laten we elkaar dan een fijn gevoel gaan bezorgen,' zei ze.

'Mandy, ik ben getrouwd.'

Ze glimlachte. 'Het is gewoon seks, Frank.'

Nee, dat was het niet.

Na negen trouwe jaren huwelijk, waarvan de laatste tamelijk ongelukkig, was niets 'gewoon seks'. Mandy deed dingen waar Patty nooit aan zou hebben gedacht en die ze niet zou hebben gedaan als ze er wél aan had gedacht. Frank begon aan zijn gebruikelijke seksuele ritueel toen Mandy hem tegenhield en zachtmoedig zei: 'Frank, ik zal je laten zien hoe je het me naar de zin moet maken.'

Dat deed ze.

Voor het eerst in zijn leven had Frank een gevoel van vrijheid tijdens de seks, want het was geen worsteling of onderhandeling of verplichting. Het was slechts puur genot en toen hij 's morgens wakker werd, wilde hij zich schuldig voelen, maar het feit was dat hij zich niet zo voelde. Hij voelde zich alleen maar prima.

Het deed geen pijn dat Mandy al was opgestaan en vertrokken, met achterlating van een briefje waarin ze zei dat ze zich 'goed en waarachtig geneukt' voelde, met zo'n smiley boven haar handtekening.

Herbie kwam hem halen voor het ontbijt.

'Je zou eens wat Joods voedsel moeten proeven,' zei Herbie toen Frank eieren met spek koos.

Hij bestelde voor Frank een uienbroodje met gerookte zalm, roomkaas en een schijf rode ui.

Het was verrukkelijk en de contrasterende smaken en structuren – scherp, romig, zacht en knapperig – waren een openbaring voor hem. Herbie wist waar hij over praatte. Als je echt met hem in gesprek raakte, bleek dat Herbie een heleboel wist over een heleboel. Hij had verstand van eten, wijn, sieraden en kunst. Hij nodigde Frank thuis uit om zijn Erté-collectie en zijn wijnkelder te bekijken. Je kon Herbie op geen enkele manier een gecultiveerd man noemen, maar hij verborg enkele verrassingen.

Neem nou kruiswoordraadsels.

Herbie was degene die Frank in aanraking bracht met de puzzels en Herbie kon de puzzel in de zondagseditie van de *New York Times* met pen invullen. Soms wist Frank niet zo zeker of Herbie ook maar íets hoefde op te schrijven – wie weet had hij alle woorden in zijn hoofd zitten. En hij was een wandelend woordenboek, hoewel het grappige was dat hij geen van die woorden in zijn conversatie gebruikte, nooit.

'Ik denk dat ik ben wat je een idiot savant zou kunnen noemen,' zei hij op een dag toen Frankie hem ernaar vroeg. Maar toen Frank de term 'idiot savant' opzocht, besefte hij dat geen enkele idiot savant die uitdrukking zou kennen.

'Jij en Mandy kunnen prima met elkaar overweg, niet?' vroeg Herbie toen ze uit zijn wijnkelder kwamen, daags nadat Frank zijn trouwbeloften met meervoudige en creatieve daden van ontrouw had gebroken.

'Dat kun je geloof ik wel zeggen.'

'Ik heb vanavond twee andere meiden,' zei Herbie. 'Heel aardige meiden. Heel aardig.'

Vijf dagen later verliet Frank Vegas met een acuut vitamine-E-tekort, maar verder uitgerust en bevredigd. Hij keerde er nog vele malen terug, logeerde meestal in het Paladin, soms ergens anders, waar hij zelf betaalde, omdat hij de boter er niet uit wilde braden.

37 DE MAFFIOSI stortten zich met man en macht op Vegas.

En waarom ook niet?

De room stroomde.

Het enige probleem was dat de bazen er steeds meer van wilden en dat andere families een vinger in de pap probeerden te krijgen, waardoor de afromers het punt bereikten dat ze niet gewoon maar afroomden; ze tapten steeds meer.

Maar er zit maar een beperkte hoeveelheid room in het vat.

Vroeg of laat zou het moeten eindigen, maar ze zagen indertijd geen van allen dat het vroeg zou zijn. Het was één onafgebroken feest en Frank, na zich jarenlang het schompes te hebben gewerkt, feestte duchtig met ze mee. Hij maakte de hele week werkdagen van zestien uur in San Diego, vertrok dan vrijdags na de lunch en reed naar Vegas, waar hij het weekend doorbracht. Meestal was hij 's maandags weer terug, maar soms ook niet.

Het leek Patty niet te deren.

Ze hadden de gedachte aan een kind min of meer opgegeven, hun huwelijk min of meer opgegeven en ze leek haast opgelucht als hij in het weekend weg was. Hij nodigde haar een paar keer halfslachtig uit om mee te gaan, maar ze wist wat het voorstelde en ging er niet op in.

'We zouden in Vegas dezelfde mensen zijn als hier,' zei ze op een keer.

'Ik weet het niet,' zei Frank. 'Misschien niet.'

Eén keer probeerde hij het echt.

'We gaan iets drinken, eten, naar een leuke show,' zei hij. Na afloop misschien naar bed – voor meer dan zich omdraaien en gaan slapen.

'Is dat wat je daar altijd met je sletjes doet?' antwoordde ze.

Er was geen sprake van sletjes, nog niet, maar hij nam niet de moeite om het te ontkennen. Laat haar maar denken wat ze wilde denken. Wat maakte het trouwens uit?

Dus ging hij in zijn eentje naar Vegas.

Hij bleef nooit lang alleen.

Terwijl Frank genoot van de eenzaamheid van de lange rit, naar zijn operacassettes op de autostereo luisterde en meezong zonder iemand tot last te zijn, was hij klaar voor wat gezelschap tegen de tijd dat hij aankwam.

Als je in die tijd in Las Vegas geen gezelschap kon vinden,

was het omdat je alleen wilde zijn.

Dus checkte hij in, douchte, verkleedde zich en ging dan naar Herbie's.

Herbie had wat van zijn woekergeld genomen en een vage club gekocht in een winkelcentrum, te midden van een stel autobedrijven. Het was ver van de Strip, de casino's en de vaste plekken die door de FBI werden geobserveerd en daar ging het om. Je wist niets over Herbie's als je het niet hoefde te weten en als een toerist of een inwoner die wachtte tot zijn auto klaar was toevallig binnenkwam, vertrok hij spoorslags na een beleefd maar vastbesloten: 'Dit is geen plek voor jou, vriend.'

Herbie's was voor maffiosi, punt uit.

Om de een of andere reden werd Herbie's de stamkroeg van de Californische jongens. Ze waren allemaal weer op vrije voeten, allemaal in Vegas en leefden voornamelijk van afromen.

Mike was terug – hij was naar Vegas verhuisd, in de veronderstelling dat dit zijn grote kans zou zijn, en hij zat meestal aan één tafel met Peter Martini, alias Mouse Senior, die net tot baas gepromoveerd was. En Peters broer Carmen was er bijna altijd, net als hun neef Bobby, een nachtclubzanger.

En uiteraard was Herbie er, die met Sherm Simon kruiswoordraadsels zat op te lossen in de hoek die 'Little Israel' werd genoemd.

Er waren dus volop jongens om mee op te trekken en soms ging Frank aan een van de tafels zitten en luisterde naar het gezwets, maar meestal ging hij naar de keuken om te koken.

Het waren heerlijke momenten wanneer hij aan het fornuis stond en naar de jongens luisterde terwijl hij *linguine con vongole* en *spaghetti all'amatriciana* maakte, *baccalà alla Bolognese* en *polpo con limone e aglio*. Het was bijna net als vroeger toen hij een kind was, toen San Diego's Little Italy nog bestond en mensen nog echte maaltijden bereidden.

Frank had het koken echt gemist sinds hij meer tijd op zijn werk en minder tijd thuis doorbracht en hij en Patty waren gewend geraakt afzonderlijk te eten. Herbie had de keuken schitterend ingericht en de beste ingrediënten ingevoerd, dus het koken was een genot.

En het luisteren naar de jongens – de gesprekken, de grappen, de plagerijen.

Met maffiajongens optrekken, dacht Frank, was alsof je bevroren was in een eeuwigdurende brugklastijdkromme. De gesprekken gingen altijd over seks, eten, scheten, geuren, meisjes, kleine pikken en homo's.

En misdaad natuurlijk.

Het enige wat bij Herbie's meer bekokstoofd werd dan pasta, was misdaad. De meeste plannen liepen uiteraard op niets uit – het was gewoon geouwehoer – maar een paar wel. Er werden complotten gesmeed om in de legale bordelen in het noorden van de stad binnen te komen, een plan om machinegeweren aan motorbendes te verkopen, een dodernstige discussie over het maken van valse creditcards en Franks persoonlijke favoriet – Mikes diefstal van drieduizend T-shirts en tweehonderd grootbeeldtelevisies uit het congrescentrum.

'Wat moet je met tweehonderd tv's?' vroeg Frank aan Mike nadat het plan ten uitvoer was gebracht.

'Wat moet ik met drieduizend T-shirts?' vroeg Mike.

Frank wilde hem al vragen waarom hij die T-shirts om te beginnen gestolen had toen hij zich realiseerde dat het een stomme vraag was, net zoiets als de vraag 'waarom beklim je de Mount Everest' – het antwoord was natuurlijk: 'Omdat-ie er is.' De waarheid was dat maffiosi alles stalen, zelfs dingen die ze niet wilden en niet konden gebruiken, gewoon omdat ze het kónden stelen.

Maar goed, met die dingen amuseerde Frank zich.

En er waren niet alleen de jongens, er waren ook de vrouwen.

Het was die eerste keer moeilijk geweest Patty te bedriegen, maar daarna begon Frank allerlei vrouwen te ontmoeten, aanvankelijk in het zwaartekrachtveld van meidenmagneet Herbie Goldstein, later alleen.

Hij ontmoette fotomodellen, showgirls, croupiers, dealers en toeristen die de stad bezochten om zich onbezorgd te amuseren, wat Frank deed. Hij nam ze mee naar leuke diners, naar shows, behandelde ze altijd als dame en was een gulle, attente minnaar. Frank ontdekte dat hij van vrouwen hield en dat zij zijn genegenheid beantwoordden.

Alleen Patty niet.

Hij behandelde haar slecht en zij beantwoordde dat.

Hij besprak het op een avond tijdens een rustig moment bij Herbie's met Sherm. 'Waarom kun je bij je vrouw niet zijn zoals je bij je vriendinnen bent?'

'Ander ras, beste vriend,' zei Sherm. 'Andere soort zelfs.'

'Misschien moeten we met de vriendinnen trouwen.'

'Heb ik geprobeerd,' zei Sherm. 'Twee keer.'

'En?'

'En ze veranderen in echtgenotes,' zei Sherm. 'Het begint zodra ze trouwplannen gaan maken, die gedaanteverandering van sekspoes in huiskat. Het werkt niet. Als je me niet gelooft, vraag mijn advocaat maar.'

'Je bent zelf advocaat.'

'Vraag het mijn scheidingsadvocaat,' zei Sherm. 'Zeg maar dat ik je gestuurd heb – hij heeft een boot naar me genoemd.'

'Ik geloof niet dat het aan hen ligt,' zei Frank. 'Het ligt aan ons. Zodra we niet meer proberen ze in bed te krijgen – omdat ze daar nu altijd *zijn* – doen we geen moeite meer. We veranderen ze in echtgenotes.'

'Zo gaat het waarschijnlijk nou eenmaal, beste vriend,' zei Sherm. 'Zo gaat het.'

Volgens mij niet, dacht Frank.

Hij besloot naar huis te gaan en het nog een keer *écht* te proberen met Patty. Haar te behandelen als een minnares in plaats van als een echtgenote en te zien wat er gebeurde. Maar hij deed het niet – het was makkelijker om met showgirls naar bed te gaan.

Of gewoon met Herbie op te trekken.

Het was altijd fijn om tijd met Herbie door te brengen, de zondagspuzzel in de *New York Times* op te lossen bij broodjes zalm en op de achtergrond een opera-uitzending, of een wijn te drinken die Herbie had ontdekt, of te grinniken om de complotten en plannen van Mike Pella, de broers Martini en de rest van de jongens.

Het waren mooie tijden.

Waar een eind aan kwam toen hij Jay Voorhees moest doden.

38 JAY VOORHEES was hoofd beveiliging van het Paladin, die ervoor moest zorgen dat het casino niet werd afgeroomd en dus omwille van de efficiency ook verantwoordelijk was voor de room. Hij was er goed in, de Harry Houdini van de telkamer, zoals hij munten en briefjes uit kluizen kon laten verdwijnen.

Toen kwam de FBI hem op het spoor, zette hem onder druk en hij bezweek.

Vluchtte naar Mexico, waar de FBI hem niet kon oppakken. Tot zover alles goed, maar Chicago wilde hem niet laten uitleveren, ze wilden Houdini voorgoed laten verdwijnen. Voorhees wist namelijk alles – hij kon Carmine, Donnie Garth, iedereen erbij lappen. Dan zou het hele kaartenhuis als het ware instorten. Ze moesten Voorhees vinden en koud maken.

Mensen denken dat het makkelijk is om te verdwijnen.

Dat is niet zo.

Het is moeilijk en vermoeiend en het is schreeuwend duur. Geld stróómt sowieso als je op reis bent en wanneer je op de vlucht bent en probeert geen sporen achter te laten, stroomt het des te sneller. Je probeert overal contant te betalen, maar je ziet het uit je zak vliegen en gaat over op plastic geld.

Als je je niet hebt voorbereid om van de radar te verdwijnen is het een hele toer, en Jay Voorhees had zich niet voorbereid. Hij was in paniek geraakt en had de benen genomen. En het was slechts een kwestie van tijd voordat hij zich zou realiseren dat de FBI het met hem op een akkoordje zou willen gooien als hij wilde praten en hij zou het vluchten beu worden en naar het nest terugkeren.

Frank moest hem voor die tijd vinden.

'We kunnen er een ploeg naartoe brengen,' zei Carmine Antonucci. 'Wat je maar nodig hebt.'

'Ik wil geen ploeg,' zei Frank.

Stelletje sukkels die over elkaars voeten vielen. Een zwerm potentiële getuigen als de FBI ze voor vijf jaar achter de tralies zette. Nee, hij wilde geen ploeg, alleen een oorlogskas, in contanten, want hij wilde evenmin sporen achterlaten.

En er wáren wat sporen. Frank volgde Voorhees van Mexico Stad naar Guadalajara, van daaruit naar Mazatlán en Cozumel, daarna naar Puerto Vallarta en helemaal naar het uiteinde van Baja California, naar Cabo.

Er ontstaat een band tussen jager en prooi. De meeste mensen ontkennen het als gelul uit een sprookje, dacht Frank, maar ze weten allemaal dat het gebeurt. Als je iemand lang genoeg volgt, leer je hem kennen, je leidt zijn leven, op één stap afstand, en hij wordt écht voor je. Je probeert in zijn hoofd te kruipen, te denken zoals hij denkt en als je daarin slaagt, word je op een bizarre manier hem.

En hij wordt jou, om dezelfde reden. Als hij ook maar enig instinct heeft, begint hij je te voelen. Terwijl hij vlucht probeert hij je te slim af te zijn, je zetten te voorzien en tegenzetten te bedenken, hij begint jou ook te kennen.

Jullie zijn op dezelfde weg – uit pure noodzaak, jullie gaan naar dezelfde plaatsen, eten dezelfde dingen, zien dezelfde dingen, delen dezelfde ervaringen. Jullie ontwikkelen gemeenschappelijke dingen. Jullie ontwikkelen een bánd.

Frank miste hem op drie dagen na in Mexico Stad, praatte met een taxichauffeur die hem naar de luchthaven had gebracht, kocht een vrachtagent om die hem op een vlucht naar Guadalajara had gezet. Hij wist het niet zeker, maar het was mogelijk dat hij hem daar op het kruispunt van de vier pleinen had gezien, voor de kathedraal. Om te gaan bidden? vroeg Frank zich af. Misschien had hij bij een straatverkoper een klein kleimodel gekocht – een *milagro* – en dat op het altaar achtergelaten met een bijdrage en een verzoek om een wonder. Hij miste hem op één avond na in zijn hotel, ontdekte dat hij naar het treinstation was gegaan. Daar had Frank het spoor bijster kunnen raken als Voorhees niet zijn creditcard had gebruikt om een hotel in Mazatlán te nemen. Frank ging naar de badplaats en wandelde wat over het strand, vroeg aan iedereen of ze hem gezien hadden, strooide met geld. Hij verwachtte niet antwoord te krijgen en hield niet verborgen dat hij er was – hij wilde juist dat Voorhees het wist.

'De vogel opjagen,' noemde Bap het altijd. 'De vogel houdt zich misschien veilig verborgen in de struik, maar hij ziet de jager en vliegt op en dat wordt zijn dood.'

Voorhees vluchtte naar Cozumel, op de hielen gezeten door Frank. Voorhees nam het ene tweederangshotel na het andere. Eén keer miste Frank hem op een uur na. Hij zág hem in Cabo, in een goedkoop hotel aan de oceaan, waar hij een biertje dronk en een bord *camarones* at. Hij was uitgemergeld en had zijn broek onhandig om zijn middel gefrommeld.

Voorhees zag hém ook, absoluut zeker. Hij nam je op, denkt Frank nu. Hij keek naar je met die bange, schichtige ogen en wíst het. Voorhees rekende af en verliet het restaurant en Frank volgde hem. Maar er was geen plaats om het te doen, dus liet Frank hem een bus nemen.

Hij wist dat Voorhees aan het eind van zijn Latijn was.

In elke stad waar hij naartoe was gegaan waren de hotels wat goedkoper geworden, de maaltijden wat kariger. Hij was begonnen met vliegtuigen, had later auto's gehuurd en treinen genomen en nu zat hij in een afgejakkerde plattelandsbus, een gammele bovendien. Frank checkte het traject – de bus volgde een eenbaansweg langs de oostkust van Baja.

Nu waren zijn opties niet radiaal meer, ze waren lineair. Hij had zichzelf klemgezet op deze smalle kuststrook, met aan de ene kant de oceaan en de ondoordringbare woestijn aan de andere en het enige wat hij kon doen was van het ene vissersdorp naar het volgende reizen.

Frank genoot van de reis, als genieten iets is wat je in verband kunt brengen met een man opjagen om hem te doden. Maar hij genoot van de ontspannen busreis, met niets anders te doen dan zich verbazen over het kale landschap, of lezen, of kijken naar het onthutsend blauwe water van de Zee van Cortez. Hij vond het leuk om met de kinderen in de bus te spelen, een keer een baby vast te houden zodat de moeder even rust kon nemen, en hij zwolg in de meedogenloze zon en de zinderende, slaperig makende hitte.

Het was een mooie tijd, de tijd dat hij Jay Voorhees door Baja California volgde. Frank vond het bijna jammer dat het op een eind liep.

Voorhees dook onder in het dorpje Santa Rosalía. Hij had een kleine vissershut op het strand gevonden. Dat had hij meteen moeten doen, dacht Frank, naar een dorp gaan waar hij de bescherming van de plaatselijke *comandante* had kunnen kopen. We zouden natuurlijk meer hebben geboden, maar het zou me meer tijd hebben gekost om hem te vinden en misschien had ik hem nooit gevonden.

Maar zo was het niet gegaan.

Frank bracht de middag door in een *cantina* in het dorp, dronk een paar glazen bier en vulde kruiswoordraadsels in in een klein Engelstalig tijdschrift dat was achtergelaten door een toerist. Het was een lange, trage sluipgang naar de zonsondergang, de schemering gedempt en subtiel aan de naar het oosten gekeerde kust. Maar toen het blauw uit het water verdween, liep hij naar het strand, naar de met stro gedekte hut waar Voorhees met zijn slinkende bundeltje bankbiljetten de hand op had weten te leggen.

Hij zat buiten op een ruw bewerkte stoel, rookte een sigaret en staarde uit over het water.

'Ik heb op je gewacht,' zei hij toen hij Frank zag.

Frank knikte.

'Ik bedoel, jij bent het toch?' zei Voorhees met niet meer dan een lichte trilling in zijn stem. 'De man die ze gestuurd hebben?'

'Ja.'

Voorhees knikte.

Hij leek eerder uitgeput dan bang. Er lag een uitdrukking van berusting op zijn gezicht, van opluchting bijna, niet de harde blik van angst die Frank had verwacht. Ja, dacht Frank, of misschien is het gewoon de zachte gloed van de oceaan in het schemerlicht die het verzacht. Misschien is het het wegstervende licht waardoor Voorhees er kalm uitziet.

Voorhees rookte zijn sigaret op, haalde het pakje uit het borstzakje van zijn verbleekte denim overhemd en stak een nieuwe op.

Zijn handen trilden.

Frank boog zich naar voren en hielp hem de lucifer vast te houden.

Voorhees bedankte hem knikkend. Toen hij een paar trekken had gedaan zei hij: 'Het is de kógel waar ik bang voor ben. De gedachte dat die in mijn hoofd dringt.'

'Je zult niets voelen.

'Het is gewoon de gedachte – je weet wel, dat mijn hoofd wordt weggeblazen.'

'Dat gebeurt niet,' loog Frank. Doe het nu, hield hij zichzelf voor. Doe het voordat hij weet dat het gebeurt.

Voorhees begon te huilen. Frank zag de tranen opwellen in zijn ogen, zag dat de man op zijn lip beet om te proberen ze tegen te houden, maar de tranen stroomden over en biggelden over zijn wangen en toen brak Voorhees. Zijn hoofd viel voorover en zijn schouders schokten van het snikken.

Frank keek alleen maar, zich ervan bewust dat hij een van Baps grondregels overtrad. 'Je hoeft ze geen laatste woord of laatste sacrament te geven,' had Bap gezegd. 'Je bent geen cipier of priester. Ga erheen, doe je werk, verdwijn.'

Nee, Bap zou dit niet hebben goedgekeurd.

Voorhees stopte met huilen, keek Frank aan en zei: 'Sorry.'

Frank schudde zijn hoofd.

Toen zei Voorhees: 'Een dokter in Guadalajara heeft me een recept gegeven. Kalmeringspillen.'

Frank wist het. De dokter had het hem voor een paar honderd dollar in contanten verteld. Tot zover de eed van Hippocrates.

'Ik heb de meeste nog,' zei Voorhees. 'Ik bedoel, ik denk dat ik er genoeg heb.'

Frank dacht er even over na.

'Ik zal bij je moeten blijven,' zei hij.

'Dat geeft niet.'

Voorhees stond op en Frank liep achter hem aan de hut binnen. Frank zocht in een canvas tas die Voorhees' handbagage had bevat en nu al zijn aardse bezittingen. Hij haalde er een flesje pillen uit, valium, tien-milligramdosering, en een fles wodka, voor ongeveer twee derde vol.

Ze gingen weer naar buiten.

Frank ging in het zand zitten.

Voorhees ging op de stoel zitten, schudde een handvol pillen in zijn hand en slikte ze door met een teug wodka. Hij wachtte een paar minuten, deed het toen nogmaals, nam een minuut later de laatste pillen en keek, aan de wodkafles nippend, uit over de oceaan.

'Mooi hè?' mompelde hij tegen Frank.

'Ja.'

Een seconde later zakte hij achterover op zijn stoel, toen naar voren en hij viel op de rotsblokken.

Frank tilde hem op en zette hem weer op de stoel.

Hij keerde terug naar het dorp, vond een functionerende telefoon en belde om Donnie Garth te laten weten dat hij in veiligheid was.

Toen Frank na deze klus thuiskwam, ontdekte hij dat Patty andere sloten op de deuren had laten zetten. Moe, boos en verdrietig trapte hij de voordeur in. Belde om twee uur in de nacht een bevriende slotenmaker om nieuwe sloten aan te brengen, ging toen naar boven, stapte onder de douche, ging in het dampende water zitten en huilde.

De avond daarna reed hij naar het huis van Garth – om wat te doen wist hij niet precies. Hij parkeerde aan de overkant en bleef lange tijd in de auto zitten. Garth gaf een feest. Hij keek naar de dure auto's en limousines met chauffeur die de rondlopende oprijlaan opreden en naar de chic in hun chique kleren die in en uit liep. Het leek een liefdadigheidsfeest, een geldinzameling voor een of ander goed doel – de mannen waren in smoking, de vrouwen in avondjapon, haren opgestoken zodat hun lange, sierlijke nek, getooid met fonkelende juwelen, zichtbaar was.

Hoeveel mensen moeten er sterven, vroeg Frank zich af, om te zorgen dat de chic chique kan blijven?

Een eeuwenoude vraag.

Het raam stond open en binnen hing een gouden gloed. Frank kon Garth rond zien fladderen, de aimabele vlinder spelend, grappen en gevatte opmerkingen makend en Frank vermoedde dat zijn verbeelding hem parten speelde, maar hij meende dat hij het gelach van elegante vrouwen kon horen en het tinkelen van kostbaar kristal.

Het zou een makkelijk schot zijn geweest, wist hij, zelfs door het glas heen. Iets snels en zwaars, zoals een .50-sluipschuttersgeweer, stevig tegen het autoraampje gedrukt, de trekker overhalen en Donnies wonderkindhersenen compleet over zijn geweldige gasten blazen.

Dát zou nog eens liefdadigheid zijn! Voor een heleboel mensen, dacht Frank.

Als hij toen had geweten... maar hij wist het niet.

Toen dacht hij dat het misschien leuk zou zijn domweg naar binnen te lopen. Naar Garth te midden van de luisterrijke menigte te slenteren en te zeggen: 'Donnie, je ballen zitten niet meer in de wringer. Ik heb Jay Voorhees voor je vermoord, net zoals ik Marty Biancofiore voor je heb vermoord.' Eens zien wat zijn voorname vrienden daarop te zeggen zouden hebben.

Maar hij dacht: waarschijnlijk niets. Ze zouden er waarschijnlijk van klaarkomen.

Dus zat hij in de auto en keek naar het komen en gaan van San Diego's notabelen. Het stond daags daarna in de *Union-Tribune*, op de societypagina, dat Donnie Garth bijna een miljoen dollar bijeen had gebracht voor het nieuwe kunstmuseum.

Frank gebruikte de pagina om vis in te verpakken.

Toen bekend werd dat het voormalige hoofd beveiliging van het Paladin in Mexico aan een overdosis was gestorven, namen de ingewijden natuurlijk aan dat Frankie Machine hem had gedwongen de pillen in te nemen. Frank deed niets om hen van dat idee af te brengen.

Het was trouwens slechts een technisch detail, dacht hij.

Je kunt er niet over uitglijden alleen maar omdat je het wapen niet tegen zijn hoofd hield, alleen maar omdat je hem een kans hebt gegeven, de man een plezier hebt gedaan. Ik weet het niet – misschien betekent het straks een paar eeuwen korter in het vagevuur. Of waarschijnlijker: een iets leuker plekje in de hel.

Ik en Donnie Garth, eindelijk op hetzelfde feest.

Garth sloeg later door, natuurlijk. De FBI zette hem in een kamer en hij flapte alles eruit.

Frank wachtte op het telefoontje, maar dat kwam niet.

Het duurde jaren voordat hij erachter kwam waarom Donnie Garth ermee weg was gekomen.

39 'HET IS een sluwe klootzak,' zegt Carlo.

Ze staan op het parkeerterrein van een Burger King in El Centro, negentig kilometer ten oosten van Borrego en vlak bij de Mexicaanse grens. Jimmy heeft de rest van zijn ploeg over de stad verspreid. Hij heeft zelf de Burger King genomen, Jackie en Tony naar Mickey D's gestuurd en Joey en Paulie naar Jack in the Box.

'Waarom krijgen wíj Jack in the Box?' had Paulie zich beklaagd.

'Hoezo, wil jij Burger King?' had Jimmy gevraagd.

'Ja, oké.'

'Nou, val dood, ík neem Burger King,' had Jimmy gezegd. Burger King heeft betere frites en de frisdrank is er minder gasopwekkend. Als je urenlang met iemand in een auto opgesloten zit, heb je geen behoefte aan gasopwekkende frisdrank. Nu kijkt hij Carlo aan en zegt: 'Hij is geen Frankie Machine geworden door stom te zijn.'

'Hij is ontsnapt,' zegt Carlo. 'Nu heeft hij geld, de weg ligt open. We weten verdomme niet waar hij is; hij kan overal zijn.'

'Rustig,' zegt Jimmy. 'Eén telefoontje en ik weet precies waar hij is.'

Carlo kijkt hem aan, geïmponeerd en sceptisch tegelijk. 'Wie ga je bellen?'

'Ghostbusters.'

40 DAVE KIJKT naar het knipperende rode lampje op de elektronische kaart. Het gps-apparaatje dat met het geld in de banktas is gestopt werkt perfect.

'Ik dacht dat hij naar Mexico zou gaan,' zegt Troy.

'Mexico is een doodlopende weg,' antwoordt Dave. 'Dat weet Machianno.' Verdomme ja, of hij dat weet, denkt Dave; hij heeft het in elk geval een doodlopende weg voor Jay Voorhees gemaakt. De FBI had Frank daar altijd van verdacht, maar had hem er nooit mee in verband kunnen brengen.

Klassieke Frankie Machine.

Troy bestudeert de kaart.

'Hij gaat zo te zien naar Brawley,' zegt hij.

Ze houden het scherm tot laat in de avond in het oog.

Het lampje stopt in Brawley en blijft knipperen op dezelfde locatie. Ze doen een kruispeiling en die blijkt positief.

Frank is ondergedoken in het EZ Rest Motel, twee straten van de 78.

41 'Het EZ Rest Motel,' zegt Jimmy terwijl hij de telefoon uitschakelt. 'Over en sluiten, voorwaarts mars.'

Carlo start de auto.

Over en sluiten, voorwaarts mars.

Hij is gek op Jimmy, maar hij is een beetje een lul.

'Het EZ Rest Motel waar?' vraagt Carlo.

'Brawley, Californië.'

Ze zoeken het op in de wegenatlas. Brawley is maar een uur rijden.

'"Dames en heren,"' galmt Jimmy met zijn beste presentatorstem, '"voor de duizenden aanwezigen en de miljoenen kijkers overal ter wereld... we zijn klaar voor de strijd." Matpartij in Brawley!'

Matpartij in Brawley. Carlo grinnikt.
De lul.

42 BRAWLEY IS een oase in de woestijn.

In de tijd van de depressie had de werkvoorziening duizenden mannen aan het werk gezet om een kanaal te graven van de Colorado naar de woestijn. Met als gevolg dat er in de streek rondom Brawley de beste alfalfa ter wereld wordt verbouwd. Het is ongelooflijk als je eroverheen vliegt – eerst niets anders dan kilometers en nog eens kilometers kaal, verbleekt bruin en dan opeens die smaragdgroene rechthoeken.

Met de auto is het minder spectaculair, maar het stadje vormt een welkome afleiding na de woestijn. En het heeft alles wat een agrarisch stadje te bieden kan hebben: een reeks fastfoodtenten, een paar banken, een grote Agricorp-graansilo en een paar motels.

Frank vindt snel wat hij zoekt en installeert zich.

Gaat liggen, rekt zich uit en sluit zijn ogen.

43 JIMMY LOOPT de trap op naar de eerste verdieping van het motel.

Hij doet nu niet grappig meer, hij loopt op adrenaline en knijpt zijn billen strakker bij elkaar dan een witteboordencrimineel op zijn eerste dag in de douches.

Wat daarboven in die kamer wacht is tenslotte *Frankie Machine*. Hij mag dan een ouwe zak zijn, maar er is een reden waarom hij een ouwe zak is geworden. Jimmy kent alle verhalen en als zelfs maar de helft ervan waar is... Jimmy heeft het verhaal gehoord over hoe The Machine die bar in San Diego binnenwandelde en die Britten neerknalde voordat ze hun theekopje zelfs maar konden loslaten. Niettemin, als je de Man wilt zijn, moet je de man zijn die de Man heeft verslagen, dus Jimmy is helemaal opgefokt vanwege de kans.

En Jimmy heeft een plan.

The Machine zal de ketting wel op de deur hebben gedaan, dus Carlo heeft zo'n DEA-huiszoekingsstormram om de deur mee in te beuken. Daarna stapt Jimmy naar binnen en pompt er een paar in Frankie M.'s hoofd.

Hopelijk ligt de ouwe zak trouwens te slapen.

Jimmy the Kid knikt en Carlo zwaait de stormram.

De deur is niet bepaald van Fort Knox-kwaliteit en bezwijkt als de Yankees tegen de Red Sox.

Jimmy gaat naar binnen.

Frankie ligt niet in bed.

Hij is nergens in de kamer.

Jimmy the Kid onderdrukt zijn adrenalinestoot en zwaait zijn wapen in een beheerste boog in het rond, de kamer in precieze vectoren verdelend, van links naar rechts.

Geen Machine.

Dan hoort hij water stromen.

De ouwe klootzak staat onder de douche, heeft niet eens gehoord dat de deur werd ingebeukt.

Nu ziet Jimmy de stoom onder de badkamerdeur door komen.

Hij grijnst.

Dit wordt een makkie.

En schóón.

Jimmy duwt met zijn voet de badkamerdeur open.

Zijn handen liggen om de .38 vóór hem, in de door de FBI goedgekeurde schiethouding.

Alleen, hij ziet niets in de douche. Geen silhouet van een man door het dunne douchegordijn.

Met zijn linkerhand rukt hij het gordijn open.

En ziet een briefje, samen met de kleine gps-monitor met tape op de douchewand geplakt.

Jimmy grist het briefje naar zich toe en leest: DACHT JE DAT JE MET KINDEREN SPEELDE?

Jimmy laat zich vallen.

Hij tijgert de badkamer uit en naar de voordeur.

Carlo is al uitgeschakeld, hangt tegen de muur met zijn hand tegen een wond in zijn schouder gedrukt, bloed sijpelt tussen zijn vingers door, zijn andere hand ligt slap om zijn wapen.

Paulie ligt op het balkon en grijpt jankend naar zijn rechteronderbeen en hij kijkt naar Jimmy als een gewonde soldaat naar een slechte officier, zo van: waar heb je ons in betrokken en hoe krijg je ons er weer uit?

Verdomd goeie vraag, denkt Jimmy als hij zo diep mogelijk in elkaar duikt tegen de deurpost en door het balkonhek probeert te kijken. Hij ziet niet waar de schoten vandaan zijn gekomen. Hij zoekt naar een beweging, een weerkaatsing, wat dan ook, maar hij ziet niets wat hem zou kunnen helpen. Hij weet alleen dat het volgende schot in zijn hoofd zou kunnen knallen. Anderzijds, als Frankie M. zou schieten om te doden, zouden Carlo en Paulie al dood zijn.

Zijn Jackie en Tony ook geraakt? Jimmy kijkt naar hun auto beneden op de parkeerplaats en hij kan ze net onderscheiden, onderuitgezakt op de voorbank, hun handen om hun wapen; ze kijken naar hem omhoog. Jimmy maakt een klein gebaar: blijf beneden, blijf waar je bent.

'Ik heb een dokter nodig,' jammert Paulie.

'Bek dicht,' sist Jimmy.

'Ik bloed dood!' schreeuwt Paulie.

Nee hoor, denkt Jimmy met een blik op zijn been. De kogel heeft geen slagader geraakt; hij was nauwkeurig gericht om tegen te houden maar niet te doden.

Frankie kut Machine.

44 FRANK LIGT op het dak van de graanschuur aan de overkant van de straat, de loop van zijn geweer in de onderste lus van de G in het grote Agricorp-logo.

Hij richt het infraroodvizier precies op het voorhoofd van de jongen. Hij herkent hem niet, het joch dat zich tegen de deur drukt en zich zo klein mogelijk maakt.

Niet klein genoeg, denkt Frank.

Beenwond kent hij evenmin, wat kan kloppen. Hij is te jong om ooit mee samengewerkt te hebben, denkt Frank. Misschien is dat gewoon het proces van ouder worden, dat iedereen jong lijkt.

De jongen die ineengedoken in mijn vizier zit is geen idioot. Hij heeft een vergissing gemaakt, maar hij is geen hansworst. Een hansworst zou die kamer uit gerend zijn. Deze jongen was zo verstandig zich te laten vallen en weg te kruipen. Zelfs zoals hij zich nu gedraagt – om zich heen kijkend, niet in paniek, niet overdreven reagerend op zijn gewonde ploeg, zijn mannen in toom houdend – wijst erop dat die jongen iets heeft.

Frank ziet het in zijn ogen.

Hij denkt na.

Denkende mannen zijn gevaarlijk.

Dus schakel hem uit, denkt Frank.

Je kunt je niet veroorloven die jongen achter je aan te hebben.

Hij richt opnieuw en legt zijn vinger om de trekker.

45 DE KOGEL slaat een centimeter boven het hoofd van Jimmy the Kid in het hout.

Zijn hele lichaam trilt, hij vecht om zich te beheersen en wint.

Een dommer iemand zou hebben gedacht dat Frankie Machine had gemist, maar Jimmy weet wel beter.

Frankie Machine mist niet.

Frankie Machine stuurt een vredesboodschap: ik had je kunnen doden als ik wilde, maar ik wilde niet.

Jimmy the Kid wacht vijf minuten en begint dan de Sloopploeg te bergen. Carlo is over de schok heen en kan lopen, dus slepen hij en Jimmy Paulie de trap af en naar de auto. Dan rijden ze een eindje over de snelweg, want zelfs de politie in dit slaperige stadje heeft in de gaten gekregen dat er iets bijzonders is gebeurd bij het EZ Rest.

Dan pleegt Jimmy het telefoontje dat hij echt niet wil plegen.

Wekt Mouse Senior uit een diepe slaap.

'Twee uitgeschakeld,' zegt Jimmy.

'En?'

'En niks,' zegt Jimmy. 'Hij is ons ontglipt.'

'Hij is zo te horen meer dan ontglípt,' zegt Mouse Senior en Jimmy hoort een vage klank van voldoening in zijn stem.

'Luister,' zegt hij, 'wat moet ik met mijn twee jongens?'

'Zit je klem?'

'Godver nou.'

'Oké,' zegt Mouse Senior, zijn kalmerende, vaderlijke stem opzettend, alsof hij godver Jim Backus is in *Rebel without a Cause* en waarvan Jimmy door het lint gaat. 'Je bent ongeveer achtentwintig minuten van Mexico. Steek de grens naar Mexicali over. Wacht even.'

Een minuut of drie later komt Mouse Senior weer aan de telefoon en geeft hem een adres. 'Ga daarheen. De dokter zal je jongens opkalefateren. Heb je een ziektekostenverzekering?'

'Wát?'

'Grapje, jongen.'

Ja hoor, open huis in de Comedy Store, denkt Jimmy terwijl hij hem wegdrukt. Ik hoop dat je nog steeds hinnikt als ik m'n

Glock in je kont stop en de trekker vasthou.

Dan pleegt Jimmy het telefoontje dat hij echt niet wil plegen.

Déze man maakt hij niet wakker.

Deze man neemt op voordat het eerste rinkelen stopt; deze man heeft blijkbaar naast de telefoon op het gesprek zitten wachten.

Maar niet dít gesprek.

Deze man wachtte op het gesprek dat zei dat Frankie Machine naar een familiereünie met zijn voorouders was. Hij wil beslist niet horen dat Frankie M. nog op deze wereld is.

'Dit is een geval van quid pro quo,' zegt de man. 'Zeg tegen je mensen dat ze het quid niet kunnen verwachten als ze het quo niet leveren.'

Wat betekent dat verdomme nou weer, denkt Jimmy. Hij weet niet alleen niet waar de man het over heeft, hij weet zelfs niet tegen wie hij praat. Hij heeft alleen een telefoonnummer en wordt geacht te praten met degene die opneemt.

Deze bijzonder ontevreden man met zijn quids en quo's.

'We leveren wel,' zegt Jimmy en hij laat het daarbij. Hij wil er niet dieper op ingaan en trouwens, Paulie begint te bloeden als een rund.

Jimmy heeft zo'n hoofdpijn als hij ophangt dat hij bijna zou willen dat Frankie M. zijn hersens had weggeknald.

Nou, had het maar gedaan, denkt Jimmy.

Je hebt het verknald, Frankie M.

Laten we hopen dat het de eerste van vele keren is.

Want ik stop niet en ik vind ook niet dat ik je 'iets schuldig ben'. Niemand heeft je om genade gevraagd en niemand zal het geven.

Niet met wat jíj weet, oude man.

46 DAVE HANSEN gaat de kamer in het EZ Rest Motel binnen.

Het is er vergeven van plaatselijke politieagenten, die helemaal wild worden, want dit is sensatie. De gebruikelijke schietpartijen in dit deel van de staat betreffen meestal dronken mojados op zaterdagavond, blanke junks op elke willekeurige dag, dus een schietpartij in een motel is groot nieuws.

Dave onderzoekt de kogel in de deurpost.

Niks voor Frank om te missen.

Hij draait zich om en kijkt naar het Agricorp-logo. Typisch Frank. Goed schootsveld daar, geen schootsveld van hieruit. Dave loopt de badkamer in en ziet het DACHT-JE-DAT-JE-MET-KINDEREN-SPEELDE?-briefje.

Nee, Frank, dat dacht ik niet. Ik had moeten weten dat je die gps zou vinden. Ik had moeten weten dat je niet zo stom bent. Moe, verzwakt, op de vlucht bewaar je je koelbloedigheid.

De jonge Troy vraagt: 'Wat is er gebeurd?'

'Wat er gebeurd is,' zegt Dave geprikkeld, 'is dat hij Frankie Machine is.'

Maar eerlijk gezegd, het is een verdomd goeie vraag.

Wat is hier verdomme gebeurd?

Wie probeerde Frank te doden voordat wij hier waren?

En hoe wisten ze waar hij was?

47 FRANK RIJDT door de woestijn.

Hij heeft altijd gehouden van de woestijn bij nacht. Zelfs 's winters heeft ze iets zachts.

Van zacht gesproken, denkt Frank, dat is wat je aan het worden bent. Je had ze allemaal moeten doden, een zo enorm bloedbad moeten aanrichten dat niemand in de branche nog zin zou hebben om te proberen je uit de weg te ruimen.

Vooral de ploegbaas, degene die als twee druppels water op Tony Jacks lijkt.

Nee, niet op Tony Jacks, op zijn jongere broer.

Hoe heet hij ook alweer?

Billy.

Was dat de zoon van Bílly?

Frank herinnert zich vaag dat de zoon van Billy ergens voor zat. Wat was het? Afpersing misschien? De jongen was vroegwijs, had zijn eigen ploeg... met een maffe naam.

'De Sloopploeg', dat was het. Werkte vanuit een autosloperij en ontmantelde auto's. De jongen had een reputatie, zelfs in de bak.

En nu begint er lijn in te komen.

De Combinatie heeft Vince gestuurd om me koud te maken. Vince was voorzichtig en nam voorzorgsmaatregelen, liet Teddy Migliore John Heaney naar Mouse Junior toe sturen om me in een hinderlaag te lokken.

Zou kunnen, zou kunnen.

De Migliores vallen onder de Combinatie.

Ze werken zich op vanuit hun sekszaakjes.

Porno, prostitutie, stripclubs.

Oké, prima, maar daar heb ik nooit iets mee te maken gehad.

Wees eerlijk, houdt hij zichzelf voor.

Hoe zit het met die nacht in Solana Beach?

En de Stripcluboorlogen?

48 HET ERGSTE was dat de stripclubbusiness was begonnen als een limousinebusiness.

Dat was in '85.

Vegas was ingestort en Mike en Frank waren zo'n beetje de

enigen in San Diego, tenzij je de jongens uit Detroit meetelde, wat Frank niet deed. De Migliores deden hun eigen ding en ze deden het schijnbaar altijd zonder gepakt te worden.

Het maakte Frank trouwens niets uit. Hij deed inmiddels niet meer mee.

Ruim drie jaar van betrekkelijke rust en het leven was goed. Hij had zijn huis, zijn vrouw, zijn visbedrijfje en de limousineservice bloeide in de met geld smijtende jaren tachtig.

En toen werd Patty zwanger.

Het was niet te geloven. In de jaren zeventig hadden ze het geprobeerd en nog eens geprobeerd, maar tevergeefs. Toen hun relatie verslechterde hadden ze hun pogingen gestaakt en later zelfs niet meer gevrijd.

Toen, op een avond, gingen ze uit eten. Ze dronken wat wijn, hadden het even leuk samen, ze gingen naar huis, ploften in bed en whám.

Toen Patty het hem vertelde was hij de koning te rijk.

Dus toen de zomer van '85 aanbrak stonden ze op het punt een kind te krijgen.

'Wil je gemakkelijk wat geld verdienen?' vroeg Mike hem op zekere dag.

Dat wilde Frank wel; de baby zou over een paar weken komen en een extraatje klonk goed.

'Wat is het voor klus?' vroeg hij.

De klus was dat een of andere bankier het hele weekend een feest gaf voor een stel zakenrelaties. Het enige wat ze hoefden te doen, vertelde Mike, was wat auto's besturen en tijdens het feest voor de beveiliging zorgen.

'Klinkt goed,' zei Frank.

'Er is één dingetje,' zei Mike.

Uiteraard, dacht Frank Er is altijd één dingetje. 'Wat?'

'Degene die dat feest geeft?'

'Ja?'

'Donnie Garth.'
'Ik pas,' zei Frank.
'Kom op,' zei Mike.
'Ben jíj dat?' vroeg Frank. 'Mister "er-is-niets-wat-ik-zo-haat-als-een-rat?" Pella? Garth is de ergste rat die er bestaat. Het verbaast me dat hij nog boven op de mesthoop zit.'
'Hij heeft connecties, Frank,' zei Mike. 'Betere dan jij en ik ons kunnen voorstellen.'
'Ik heb genoeg gedaan voor Donnie Garth,' zei Frank. 'Ik pas.'
'Ze hebben nadrukkelijk om jou gevraagd, Frank.'
'Wie dan?'
'De oude Migliore,' zei Mike. 'En die vent uit New Orleans.'
'Marcello?' vroeg Frank. 'Ik heb niets met Marcello te maken.'
'Nee, maar Garth wel,' zei Mike. 'Hij is president van een spaar- en leenbank en die vent uit New Orleans heeft er een belang in. Net als de Migliores.'
Dus zo heeft Garth zichzelf in leven gehouden, dacht Frank. Hij heeft zich uitgekocht. Hij betaalde voor zijn leven.
'Wat moet ik doen?' zuchtte Frank.
'Alleen maar rijden,' zei Mike. 'Wat rondhangen op het feest, zorgen dat alles kits blijft. Ik garandeer je, het is fatsoenlijk werk.'
Ja hoor, dacht Frank, fatsoenlijk werk.
Het 'fatsoenlijke werk' begon ermee dat hij een van de spaarbankdirecteuren naar een bank in Santa Fe reed, waar de man vijftigduizend in contanten opnam en Frank toen opdracht gaf hem naar de Price Club te brengen.
Price Club? vroeg Frank zich af. Wat ga je met vijftig mille kopen in de Price Club?
Vrouwen.
Ze ontmoetten de madam op de parkeerplaats. Hoe heette ze ook alweer, vraagt Frank zich nu af. Karen, dat was het. Ze

kwam aanrijden in een Mercedes 500 cabriolet en de bankdirecteur boog zich uit het raam van de limousine om haar het geld te geven. Toen ze wegreden zei hij: 'Ik heb op Wharton bedrijfsadministratie gestudeerd en dit is er van me geworden – een pooier.'

Hoe heette hij ook alweer? vraagt Frank zich nu af.

Sanders – nee, Saunders – John Saunders, de zoveelste Amerikaanse aristocraat die geschokt en onthutst was dat hij vuile handen maakte. Frank nam niet de moeite om te zeggen dat pooiers geen geld betalen; ze incasseren het. En dat Saunders geen pooier was, maar een aanbrenger. Maar goed, hij bracht hem naar de haven, waar Garth een jacht van honderdtwintig voet had, en zette hem af.

'Haal de meiden om acht uur op,' zei Saunders toen hij uitstapte. Hij gaf Frank een adres in Del Mar.

Patty zou een rolberoerte hebben gekregen, denkt Frank nu, als ze het volgende deel had gezien van het 'fatsoenlijke werk' dat je deed, bij een bordeel langsgaan om een auto vol van de meest adembenemende 'werkende meisjes' op te halen die je ooit hebt gezien.

Maar Summer Lorensen was de mooiste.

Ze zag er niet uit als een afgetobde hoer. Ze zag er juist uit als het toonbeeld van een pronte boerendochter uit het Midden-Westen – blond, blauwe ogen, perzikzachte huid, type buurmeisje dat *Playboy* zo graag gebruikte voor de uitklappagina. Ze prááte ook zo, met dat lieve 'ach-getsie'-maniertje, en ze noemde hem zelfs 'meneer Machianno'. Het was de eerste keer dat ze in een limousine zat en ze was er helemaal opgewonden van. De eerste keer dat ze op een jacht was en ook daar was ze helemaal opgewonden over.

De meisjes waren allemaal piekfijn gekleed en waren duidelijk zodanig geselecteerd dat er voor elk wat wils was, hoewel iedereen meer dan tevreden zou zijn geweest met elk van hen.

Maar Summer Lorensen was een geval apart.

Dus Frank haalde een auto vol meisjes op, Mike een andere en ze reden naar de haven. Saunders wachtte hen op op de steiger. Hij en Frank hielpen de meisjes op hun hoge hakken de trap naar het jacht af en toen zei Saunders: 'Luister, wat je ziet op de boot, wíé je ziet op de boot, blíjft op de boot. Ik reken op jullie absolute discretie.'

'Wij zijn de discretie zelf,' stelde Mike hem, met een glimlach naar Frank, gerust. We hebben dingen gezien waarvan die verrekte yup het in zijn broek zou doen en we hebben het voor ons gehouden. Wat kun je ons laten zien?

Nou, een heleboel.

Het was aanvankelijk bijna grappig, toen de meisjes aan boord stapten en die bankiers ophielden met praten en alleen maar gáápten, bijna kwijlden, als vetzakken naar een *all-you-can-eat*-buffet.

Nou ja, voornamelijk bankiers. Er waren ook een paar federale rechters, drie of vier Congresleden, een senator en een paar gewone politici. Frank kende ze niet, maar Mike wel, en hij wees ze aan en zei wie het waren.

'Hoe weet je dat allemaal?' vroeg Frank.

'Dat is mijn werk,' zei Mike. 'Het zou van pas kunnen komen, een Congreslid in je zak.'

'Je wilt toch niet zeggen dat je erover denkt een van die lui te chanteren?'

Franks filosofie was: als de FBI jou met rust laat, laat jij hen met rust. Maak geen slapende honden wakker.

Mike antwoordde niet, want Garth stond op om een 'welkom-aan-boord'-toespraakje te houden. Hij droeg warempel een kapiteinsuniform, met een blauw colbertje, witte pantalon en een kleppet. Hij zag eruit als een complete mafkees, maar ja, hij was wel een mafkees met een eigen bank.

Nou ja, een spaar- en leenbank dan.

Dus Garth heette zijn gasten welkom, begroette de dames, ging zelfs op de 'Wat-je-op-de-boot-ziet,-blíjft-op-de-boot'-

toer. Werd beloond met een gulle lach toen hij zei dat hij, als scheepskapitein, mensen zelfs kon trouwen en dat het huwelijk geldig was zolang ze op zee waren.

Wat de hele nacht zou zijn.

Toen meerden ze af en voeren de haven in.

Frank stond in de boeg bij de reling en keek toe terwijl de mannen hun partners uitkozen. Het was bizar: zelfs in de wetenschap dat dit 'werkende meisjes' waren voelden de feestgangers zich blijkbaar verplicht hen eerst te versieren, wat te drinken en te flirten. En de meisjes waren door de wol geverfd; ze lachten om de grappen, deden alsof, flirtten terug. Het duurde niet lang voordat zich paren hadden gevormd, die naar de hutten benedendeks begonnen te druppelen.

Discretie, dacht Frank.

Maar alle remmen gingen los toen de coke tevoorschijn kwam.

Hele hopen, opgediend door John Saunders, alsof hij kelner was. Pooier en kelner, denkt Frank nu, ziedaar de carrière van een afgestudeerd bedrijfskundige in de van coke vergeven, met geld smijtende jaren tachtig. De eerlijke zakenlieden en de politici en de hoeren snoven het op met briefjes van honderd en Frank zag er meer dan een onopgemerkt wegfladderen in de wind.

De coke veranderde het feest in een drijvende orgie, een maritiem bacchanaal.

Caligula versus Kapitein Rob.

Het was onvoorstelbaar. Met de lichten van San Diego als decor vond er op het dek van Garth' jacht een levensechte pornografische uitspatting plaats. Het was alsof de hele club eraan meedeed.

Behalve Mike Pella.

En Frank.

En Summer Lorensen.

Want het was Franks taak haar erbuiten te houden. Saunders was eerder naar hem toe gekomen en had gezegd: 'Ze hoort niet bij de doorgeefgroep. Ze is voor ná het feest. De vip-A-lijst, in Donalds strandhuis. Hou het geteisem uit haar buurt.'

'Wat bedoelt u?'

'Ze is aas,' zei Saunders. 'We hebben haar gereserveerd voor één bepaald persoon, maar nog niet.'

Dus zat Summer het grootste deel van de avond bij Frank en Mike, lachte, deed alsof ze de tonelen die zich rondom haar afspeelden niet opmerkte. Ze vertelde hun over haar middelbareschooltijd, dat ze een jaar had gestudeerd, maar het niet echt leuk had gevonden en ermee was gestopt. Ten slotte vertelde ze dat ze zwanger was geworden en een dochtertje had en dat de vriend van wie ze dacht dat hij van haar hield ervandoor was gegaan.

En natuurlijk, er kwamen mannen op haar af, maar dan zei Frank of Mike zachtjes: 'Ze is niet voor u', en er waren niet veel mensen op deze wereld die het tegen Mike of Frank durfden opnemen, laat staan tegen hen samen, dus het gaf geen enkel probleem.

Er was er één die uit de verte naar haar lonkte. Hij was jong, eind twintig, begin dertig misschien, met het jongensachtige gezicht van een eeuwige corpsbal. Hij kwam niet dichterbij, maar Frank zag dat hij af en toe vanaf een meter of twee, drie naar haar keek. En hij had zo'n zalvende glimlach op zijn gezicht – niet zo brutaal dat het wellustig werd, maar zelfverzekerd, alsof hij een leuk geheim had.

Mike merkte dat Frank hem opnam.

'Weet je wie dat is?' vroeg Mike.

'Nee.'

Mike glimlachte en fluisterde het antwoord.

'Meen je dat?' zei Frank met een blik op de zoon van de senator.

Natuurlijk, er was nog een senator aan boord, maar precies zoals er bazen en bázen waren, waren er senatoren en senatóren. Zoals je ook bazen had uit pakweg Kansas City of Jersey of desnoods L.A., en die behandelde je met respect, ook al hadden ze niet het niveau van bazen in Chicago, Philadelphia en New York.

Dus de papa van die jongen was een senator die voorzitter was van een belangrijke bankcommissie. Misschien zou papa op zekere dag president worden, niet van een bank, maar van de Verenigde Staten en zelfs de ene senator op de boot en een stel Congresleden behandelden junior met enige eerbied, lieten hem zelfs voordringen in de rij om wat coke te snuiven.

Frank en Mike zaten ernaar te kijken toen Mike begon te zingen, *Fortunate Son* van Creedence Clearwater Revival:

'Some folks are born to wave the flag,
Ooh, they're red, white and blue.
And when the band plays "Hail to the chief",
Ooh, they point the cannon at you, Lord...'

En Frank zong het refrein mee:

'It ain't me, it aint me, I ain't no senator's son, son.
It ain't me, it aint me; I ain't no fortunate one, no.'

En zo was het gekomen – ze noemden de corpsbal 'Fortunate Son' en Fortunate Son bekeek Summer Lorensen als iets waarvan hij vond dat hij het behoorde te hebben.

Ze is aas. We hebben haar gereserveerd voor één bepaald persoon, maar nog niet.

En ze was adembenemend, herinnert Frank zich. Haar collega's pijpten en deden triootjes en kwartetten op een meter afstand en zij bleef maar kletsen over het meisjesbasketbalteam op haar middelbare school en dat het jacht zo mooi was en dat de lichten van de stad zo mooi glinsterden in het water.

Caligula versus Pollyanna.

Ten slotte viel ze in slaap, in die dekstoel, zacht ademhalend, haar mond net open en een dun laagje zweet glansde op de amper zichtbare haartjes boven haar bovenlip.

De volgende ochtend keerde het jacht als een pestschip terug naar de steiger; het dek was bezaaid met lichamen in uiteenlopende staten van ontkleding; gekreun steeg op uit bewusteloze monden en de geur van verschaald zweet en seks sneed door de zilte lucht.

Veertig minuten later hielpen Frank en Mike Saunders om de feestgangers wakker te maken, aan te kleden en wat koffie en sinaasappelsap door hun strot te gieten. De gasten gingen blij uitgeput van boord en zegen in gereedstaande auto's en limousines in elkaar.

Enkele gelukkigen werden uitgenodigd in Garth' huis, niet dat in La Jolla, maar zijn 'weekendhuis' tien minuten daarvandaan in Solana Beach. Frank bracht Summer erheen. Ze sliep het grootste gedeelte van de rit en werd pas wakker toen ze Garth' oprijlaan op reden.

'Wauw,' zei ze.

Ik zweer het je, denkt Frank, ze zei echt 'wauw'.

Niet dat Garth' strandhuis niet 'wauw' was. Met anderhalf miljoen dollar waard in 1985 mocht het best indrukwekkend zijn en het stelde niet teleur. Het was groot, glanzend, wit en modern en de kamerhoge ramen nodigden de oceaan praktisch uit om binnen te komen.

Frank kan zich niet voorstellen wat het nu waard zou zijn.

Zeker zes, zeven miljoen.

Mike stopte en hield het portier open voor een ander meisje, een adembenemende roodharige met groene ogen, even wereldwijs als Summer naïef was en een agressieve, ervaren seksualiteit uitstralend die scherp contrasteerde met Summers onschuld.

Hoe heette zij ook alweer? probeert Frank zich te herinneren.

Alison. Alison en nog iets. Ze kwam ergens uit het zuiden of had in elk geval dat accent.

Garth kwam naar buiten, gevolgd door Fortunate Son, die slechts gekleed was in een glimlach en een handdoek om zijn middel.

Bleek dat hij de hele vip-lijst was.

Je serveerde haar, denkt Frank nu. Serveerde haar als een speciaal gerecht.

Doe niet zo onnozel, houdt hij zichzelf voor. Ze was een hoer; de frisse, onschuldige maagd was een rol die ze speelde. Het was haar truc, haar aantrekkingskracht, het dreef haar prijs op. Het betoverende buurmeisje dat je altijd wilde maar nooit hebt gekregen.

Tenzij je Fortunate Son was.

Dan was er niets wat je wilde maar niet kon krijgen.

Fortunate Son wilde hen alle twee.

Natuurlijk wilde hij dat, denkt Frank. Wie niet? Wees eerlijk tegenover jezelf: als jij alles kon krijgen wat je wilde, zou je het dan ook niet nemen? En als je wist dat je zou krijgen wat je wilde, zou je ook geen haast hebben gehad. Niemand zou het je afpakken, dus waarom niet wachten? Als je gewend was alles te krijgen wat je wilde, was het wachten misschien beter dan het krijgen.

De meisjes zeiden dat ze heel graag wilden douchen. Ze gingen naar binnen en kwamen even later terug in bikini. Daarna maakten ze allemaal een lange strandwandeling, gevolgd door Frank en Mike, buiten gehoorsafstand, maar binnen gezichtsveld.

Niemand ging het water in, weet Frank nog.

Nou ja, Summer rende er tot haar knieën in en rende terug, gillend dat het koud was en Fortunate Son sloeg zijn armen om haar en wreef over haar rug om haar warm te maken. Daarna gingen ze allemaal terug naar het huis, waar de lunch buiten op de veranda geserveerd werd.

Jij en Mike zaten in de keuken, herinnert Frank zich, en aten met de kok mee. Je liet de deur openstaan, zodat je kon zien wat er buiten gebeurde. Raar wat voor dingen je onthoudt – de mannen dronken bier en de meisjes citroenlimonade.

Na de lunch zeiden de meisjes dat ze slaperig waren en de mannen zeiden dat zij ook wel een siësta konden gebruiken en iedereen trok zich terug in de eigen slaapkamer. Frank en Mike verdeelden de wacht en Frank nam de eerste. Toen Mike hem afloste ging Frank naar zijn auto, strekte zich uit op de voorbank en viel in een diepe slaap.

Toen hij wakker werd, liep hij naar het huis om te zien wat er gebeurde. Hij keek door het blauw getinte glas in de woonkamer.

Summer, gekleed in een openhangende witte badjas over haar bikini, zat op haar knieën op het dikke witte tapijt. Alison knielde naast haar en kuste zacht haar nek. Donnie Garth en Fortunate Son zaten in twee grote, zwartleren fauteuils en keken toe. Op de verchroomde salontafel met het glazen blad stond een kom cocaïne; de restjes van de lijntjes leken wit stof.

Alison wreef met haar neus over Summers nek en Summer zei: 'Als je dat doet, kan ik niet stoppen.'

Alison zei: 'Dat weet ik', en ze bracht haar handen achter Summers rug en maakte het topje van haar bikini los. Alison boog haar hoofd en kuste de ene en vervolgens de andere borst en duwde Summer zachtjes achterover en ging toen zelf liggen, kuste Summers buik en toen langs de bovenkant van haar bikinibroekje en Summer kreunde en zei: 'Ik heb dit nooit eerder gedaan.'

Alison ging rechtop zitten en trok het broekje uit, opende toen Summers benen en legde haar hoofd ertussen en algauw begonnen Summers heupen te draaien, toen welfde ze haar rug en haar vingers groeven zich in het dikke witte tapijt.

Het kwam zó uit een slechte pornofilm, dacht Frank. Een parodie, een act – 'Verloren onschuld' – maar een goede, tegelijkertijd dom, obsceen en meeslepend. Summer was een goede actrice, nu eens verzette ze zich, dan weer gaf ze toe en uiteindelijk lag ze met haar hoofd in Alisons schoot terwijl Fortunate Son, zijn pik bedekt met verdovende cocaïne, naderbij kwam voor de finale.

Op dat moment kraakte de radio in Mikes auto. Mike schonk er geen aandacht aan, dus liep Frank erheen en nam op. Het was de telefoniste van kantoor.

'Jezus, ben ik blij dat ik je heb bereikt,' zei ze. 'De weeën zijn begonnen. Patty is in het Scripps.'

Frank struikelde de auto uit.

'Ik moet weg,' zei hij tegen Mike.

Mikes aandacht was op het schouwspel binnen gericht.

'Nú?'

'Patty's weeën zijn begonnen.'

Mike hield zijn blik strak op het raam gericht. 'Ga maar. Gá!'

Frank sprong in zijn auto en scheurde weg. Hij was op tijd in het ziekenhuis en was erbij toen Jill werd geboren. Hij hield zijn dochter in zijn armen en zijn leven veranderde.

Van het ene moment op het andere.

Frank hoorde later – net als alle andere sukkels – dat de spaar- en leenindustrie de grootste oplichtingstruc in de geschiedenis was, waarbij alles wat alle maffiosi samen hadden bedacht in het niet viel.

Het ging zo: Garth en de andere spaar- en leenjongens bezorgden zichzelf spaargeld en leningen, sloten via lege vennootschappen niet-gegarandeerde leningen af bij zichzelf en hun partners, betaalden hun schuld niet af en haalden alle bezittingen uit hun spaar- en leenbanken.

Garth tilde zijn eigen Hammond Savings and Loan voor anderhalf miljard.

Identiek aan de klassieke maffia-oplichting, denkt Frank nu, zij het dat wij het alleen deden met restaurants en bars en af en toe een hotel. Die lui tilden het hele land voor een bedrag van 37 miljard dollar en het Congres liet de werkende man ervoor opdraaien.

Het hele spaar- en leenbankkaartenhuis stortte uiteindelijk in elkaar en Garth en een paar anderen kregen de tijd om hun korte spel bij te schaven in verschillende FBI-clubs en de senatoren en Congresleden die, letterlijk en figuurlijk, in de boot hadden gezeten, verschenen op CNN om te verkondigen dat het een schande was.

Karen Wilkenson zat een paar jaar voor pooieren. John Saunders werd een jaar opgeborgen wegens misbruik van bankgelden.

Fortunate Son werd senator.

Met Summer Lorensen liep het slechter af, herinnert Frank zich. Ze vonden haar lichaam een paar dagen later in een sloot langs de weg op Mount Laguna. Ze was het slachtoffer geworden van de Green River-moordenaar, die prostituees oppikte, ze verkrachtte en vermoordde en hun mond vol stenen stopte.

Het had jaren geduurd voordat de politie hem oppakte.

Geen wonder. Politieagenten hadden indertijd een vaste uitdrukking voor moorden op prostituees en junks: 'Geen mensen bij betrokken'.

Maar Frank voelde zich klote bij de gedachte aan die aardige meid, naast een weg met haar mond vol stenen.

Maar hij vergat het.

Hij had het druk.

De Stripcluboorlog stond op uitbreken.

49

EDDIE MONACO leek op Huckleberry Finn.

Dat wil zeggen, als Huckleberry Finn vijftig jaar oud was en net een nummertje had gemaakt. Met zijn blonde haren en blauwe ogen had Eddie iets jongensachtigs en onschuldigs en hij kon mensen altijd aan het lachen maken.

Niets scheen Eddie te deren, nooit. Het leven was een feest, vol drank, wijven en maten. En hij was geen Donnie Garth; Eddie was een legitieme zware jongen die had gezeten voor afpersing en vervalsing. Vanwege zijn strafblad kon Eddie uiteraard geen drankvergunning krijgen, dus had hij een stroman die in naam eigenaar was van de Pinto Club. Maar iedereen wist dat de club niet van Patrick Walsh was. De Pinto was van Eddie Monaco.

De stripclub was gevestigd aan Kettner Boulevard, in het vroegere Little Italy, enkele straten van Lindbergh Field. Frank en Mike reden met limousines heen en weer naar de luchthaven en Mike zorgde ervoor dat iedere zakenman die in San Diego aankwam, hoorde over de Pinto Club.

'We halen u op bij uw hotel,' luidde de babbel, 'zetten u af bij de club, brengen u veilig thuis. U kunt zoveel drinken als u wilt, u hoeft zich geen zorgen te maken over rijden onder invloed en als u op de terugweg gezelschap wilt hebben, een van de meisjes bijvoorbeeld, kunnen we dat ook voor u regelen, zonder bijkomende kosten. En als u het wilt declareren, geen punt – we geven u een kwitantie. We kunnen u zelfs een restaurantrekening geven, als u wilt, om te bewijzen dat het om een zakendiner ging.'

Dus aangezien Frank er voortdurend klanten naartoe bracht en meestal ook weer naar huis bracht, bracht hij daar heel wat tijd door.

De meisjes waren knap, dat moest hij toegeven.

Eddie Monaco had een neus voor talent.

En hij was gul.

'Als je iets wilt,' zei hij altijd tegen Frank, 'hoef je er zelfs niet om te vragen. Een broodje, iets te drinken, een keertje gepijpt worden, ga je gang.'

Eddie had graag maffiajongens om zich heen. Dan bleef alles kits en het gaf zijn club iets beruchts en gevaarlijks, wat klanten binnenbracht. Hoe noemde hij het ook alweer – 'gangsterchic'? Hoe dan ook, Mike en Frank reden een heleboel klanten naar die deuren, dus een maaltijd, een drankje, een keertje gepijpt worden in de achterkamer, wat stelde dat nou voor?

Een peulenschil voor Eddie Monaco.

Frank accepteerde de gratis maaltijden en de drank, maar hij ging nooit op Eddies pijpvoorstellen in. De meisjes waren zo al triest genoeg, zonder dat ze in het kantoor op hun knieën enthousiasme moesten veinzen, en trouwens, met een koter thuis probeerde hij zijn vrouw trouw te blijven.

Zo moeilijk was dat niet. De strippers leken aanvankelijk heel sexy – door de verlichting, de bonkende muziek, de sfeer van onversneden erotiek – maar die aantrekkingskracht verdween snel. Zeker wanneer je in de bar rondhing en ze leerde kennen, tijdens hun pauzes met ze praatte. Dan kwamen vroeg of laat – meestal vroeg – dezelfde vermoeide, deprimerende verhalen uit hun mond. Het seksueel misbruik toen ze kind waren, de kille, afstandelijke vader, de drankverslaafde moeder, de tienerabortussen, de drugsverslaving.

Vooral de drugs.

Die meiden waren zo stoned dat het een wonder was dat ze ooit konden stóppen met dansen. Als ze geen suikeroompje aan de haak sloegen, zaten ze gevangen in een vicieuze cirkel, tot ze verlepte cokefreaks waren met meer lijntjes in hun gezicht dan in hun neus en dan stonden ze op straat.

En werd de nieuwe oogst aangevoerd.

Er was nooit gebrek aan meisjes.

Er was nooit gebrek aan wat ook, niet in de wereld van Eddie Monaco.

Eddie had vijf oldtimers, waaronder de Rolls waarin hij meestal reed. Hij had vrouwen – hopen vrouwen, en niet alleen danseressen – en de vrouwen hadden hopen sieraden die uit Eddies handen kwamen. Eddie had een groot huis in Rancho Santa Fe en een appartement in La Jolla.

Eddie had mooie kloffies, Rolex-horloges en pakken poen.

Anderzijds had Eddie ook een hoop schulden.

Ze gingen gelijk op met zijn ambities. Niets was goed genoeg voor Eddie en niets was goed genoeg voor de Pinto Club. Hij stak miljoenen in een nieuwe inrichting – miljoenen die hij niet had – maar hij wilde van de Pinto de beste toplessclub van Californië maken, het begin van een hele keten van clubs. Eddie wilde de koning van de stripclubwereld worden en daar wilde hij best geld tegenaan smijten.

Het probleem was dat hij met andermans geld smeet.

Eddie was de koning van de leningen. Honderdduizenden dollars, maar het leek hem niet te deren. Hij loste zijn oude schulden af met nieuwe leningen en liet zo zijn schulden rondtollen. Om de een of andere reden waren mensen altijd bereid hem geld te geven.

Een van hen was een woekeraar die Billy Brooks heette.

Billy hing vaak rond in de Pinto, naar de tieten en konten gapend en azend op klanten. Hij was meestal in gezelschap van zijn twee gorilla's, George Yoznezensky, om voor de hand liggende redenen eenvoudig 'Georgie Y' genoemd, en Angie Basso, die Eddie Monaco's favoriete stomerij bezat als hij geen botten brak voor Billy.

Angie was een typische gorilla, maar Georgie Y, Georgie Y was een geval apart. Een lange, slungelige immigrant uit Kiev met dikke polsen en een nog dikkere schedel, zo stom en gewelddadig dat zelfs de Russische maffia in de wijk Fairfax niks met hem te maken wilde hebben. Op de een of andere manier bleef hij aan Billy hangen en Billy gaf hem af en toe werk en bezorgde hem zelfs een baan als uitsmijter in de Pinto.

Eddie gaf hem de baan om Billy een plezier te doen, en waarom ook niet – Billy had Eddie honderdduizend dollar geleend.

En Billy wilde terugbetaald worden.

Eddie hield het af.

Billy kwam steeds weer naar de club en vroeg Eddie om zijn geld. In het begin zei Eddie dan: 'Morgen, ik beloof het,' of: 'Volgende week, Billy, zeker weten'. Hij hield hem aan het lijntje met gratis meisjes, die Billy meenamen naar de achterkamer om hem te pijpen, of naar een motel verderop in de straat voor een vluggertje.

Maar Billy nam geen genoegen met rampetampen, Billy wilde zijn géld.

En hij kreeg het niet.

En hij moest werkeloos toekijken hoe Eddie hele clubs afhuurde voor een avond en zichzelf op een feest trakteerde, of rondreed in zijn Rolls met *Playboy*-modellen om zich heen, of honderd dollar fooi gaf aan portiers en garderobejuffrouwen en met geld smeet alsof het papieren vliegtuigjes waren en Billy niet één cent betaalde.

Het deed de zaak ook geen goed dat Eddie knap was, dat Eddie cool was, en dat Billy geen van beide was. Hij had een gezicht als een straatmormel en een lodderige blik. Dor haar en een dorre huid. Het moest, dacht Frank jaren later, net zoiets geweest zijn als Richard Nixon die toekeek hoe Bill Clinton grietjes versierde.

Als Eddie nou maar aardig voor hem was geweest had het anders kunnen lopen, maar Eddie werd het beu dat Billy hem voortdurend aan zijn kop zeurde en hij begon hem af te houden, te negeren, telefoontjes niet te beantwoorden, in de club langs hem heen te lopen alsof hij niet bestond.

'Wat ben ik?' vroeg Billy op een avond aan Mike Pella. 'Een lul?'

Het was oudejaarsavond en ze zaten aan de bar van de Pinto Club, waar Billy Eddie zou treffen om de situatie te bespreken.

Dat het oudejaarsavond was zat Patty niet lekker.

'Oudejaarsavond,' had ze geklaagd. 'Ik had uit willen gaan.'

'Ik moet werken.'

'Werken,' zei ze. 'Rondhangen met een stel hoeren.'

'Het zijn geen hoeren,' zei Frank. Nou ja, sommige wel, dacht hij. 'Het zijn danseressen.'

'Wat zij doen is geen dansen.'

'Het is de drukste avond van het jaar. Weet je wel hoeveel fooien ik kan vangen?' vroeg Frank. Trouwens, dacht hij, op oudejaarsavond naar een restaurant of een hotel gaan? Twee keer zoveel betalen voor een maaltijd, die meestal onder de maat was, met trage bediening en een verplichte fooi van achttien procent op de koop toe? Terwijl ik geld zou kunnen verdienen? 'Luister, we gaan mórgenavond uit. Ik ga mee naar waar je maar wilt.'

'Niemand gaat op nieuwjaarsavond uit,' zei Patty.

'Dan hebben we in elk geval een tafel,' zei Frank.

'Dikke pret,' zei Patty. 'Twee vrekken in een leeg restaurant.'

'Ik bel je om twaalf uur,' zei Frank. 'We zoenen wel telefonisch.'

Om de een of andere reden stemde het haar niet milder. Ze zei zelfs niets tegen hem toen hij wegging.

Toen Frank de club binnenkwam, ging hij aan de bar zitten en luisterde naar Billy Brooks' gejeremieer tegen Mike. Mike en Billy hadden samen in Chino gezeten en waren dus oude maten. Toen Frank daar die avond zat en luisterde naar Billy's gejammer over zijn Eddie Monaco-probleem, wist hij wat Mike erop zou zeggen en dat deed Mike ook.

'Sorry hoor, Billy,' zei Mike, 'maar je moet weten dat ze praten, zoals je je door Eddie laat uitlachen. Dat kan nooit goed zijn voor je zaken.'

Nee, dat kan niet, dacht Frank.

Een woekeraar heeft twee waardevolle eigenschappen – geld en respect. Als je toestaat dat één vent je niet betaalt – en het ook nog eens rondbazuint – krijgt de rest van je klanten binnen de kortste keren het idee dat ze je evenmin hoeven te betalen. Het nieuws verspreidt zich dat je een sukkel bent, een watje, en dan kun je je geld vaarwel zeggen. Het komt nooit meer terug, lening noch rente.

Dan kun je het woekeren er beter aan geven en iets gaan doen waar je beter in bent – verplegen bijvoorbeeld of bibliotheekwetenschap.

Dat was Billy Brooks' vooruitzicht en het was een probleem, want Eddie Monaco was een zware jongen en had zijn eigen maffiaconnecties. Als Billy Eddie omlegde – zoals hij hoorde te doen – zou hij serieuze problemen kunnen krijgen met de Migliores. Het was een interessant dilemma.

In feite wachtte iedereen af hoe Billy Brooks zou reageren.

'Ik zit in een verdomd lastig parket, Mike,' zei Billy.

Dat was alles wat hij erover zei, *alles wat hij erover zei*, en Frank wist dat Eddie ten dode was opgeschreven.

Mike Pella was nooit iemand geweest die er gras over liet groeien.

'Er zit geld in tieten en konten,' had Mike jaren geleden al tegen Frank gezegd. 'Groot.'

Frank wist niet precies of Mike grote tieten, grote konten of groot geld bedoelde, maar wat hij ook bedoeld had, hij had altijd staan springen om in de toplessclubbranche te gaan en dit was zijn kans. Daags daarna al, op nieuwjaarsdag 1987, ging Mike naar Eddies appartement in La Jolla. Mike wachtte tot de middag, want Eddie was waarschijnlijk pas rond een uur of acht, negen naar bed gegaan.

Eddie deed, nevelig kijkend, open.

Glimlachte toen hij zag dat het Mike was.

'Hé, jongen, wat...'

Mike schoot hem drie keer door zijn hoofd.

Billy Brooks kreeg onmiddellijk respect en een aandeel in de Pinto Club.

Mike dacht dat als Billy een aandeel in de club had, dat betekende dat hij dat ook had. Nu zette Mike niet alleen maar klanten voor de deur af, nu kwam hij niet alleen af en toe binnen om iets te drinken, hij begon onafgebroken in de club rond te hangen, alsof hij een van de eigenaars was, wat in zijn eigen ogen ook zo was.

Zijn hele ploeg begon er rond te hangen – Bobby Bats, Johnny Brizzi, Rocky Corazzo – en Mike betaalde hun drank, hun maaltijden, hun achterkamerpijpbeurten. Mike bouwde in de Pinto een schuld op zo lang als zijn arm en Pat Walsh had niet het lef hem te vragen te betalen, net zomin als Billy, en Mike vond het heel normaal.

Hij vond dat Billy bij hem in het krijt stond.

Wat ook zo was.

En Mike zou Mike niet geweest zijn als hij genoegen had genomen met de rondjes van de zaak en had toegekeken hoe het geld binnenstroomde. Niks daarvan, hij moest er per se de boter uit braden. Hij begon de meisjes coke te verkopen.

Het was een lucratief bijbaantje – dope verkopen aan de meiden, ze een dure gewoonte aanwennen en ze dan de baan op sturen om ze voor hun stuff te laten betalen. En dan vijftig procent van hun hoerenloon in te houden.

Mike kocht zelfs een flatgebouw vlak bij de club en schónk de meisjes de borgsom en de eerste maand, in de wetenschap dat hun cokeverslaving goed zou zijn voor de rest van de huur. Angie Basso en Georgie Y waren er om de meisjes de huur af te dwingen en toen hadden ze ze echt in de tang.

De meisjes konden het nooit bijhouden, dat was het punt.

Binnen de kortste keren kreeg Mike ál hun geld – hun fooien, hun hoerenloon, hun pornoloon. Dat was Mikes volgende onderneming – kies een meisje uit dat een hopeloze betalingsachterstand heeft en geef haar een kans om wat geld te verdienen met een pornofilm.

Na een jaar begon Billy erover tegen Frank.

'Hij richt de zaak te gronde,' zei Billy. 'De politie loopt de club plat. Vijf meiden – vijf, welgeteld – zijn geklist op beschuldiging van drugsbezit en prostitutie. Hij heeft een drankrekening van zes cijfers...'

'Wat wil je dat ík doe?' vroeg Frank. 'Ik ben een gewone limousinechauffeur.' En denkend: jíj hebt hem erbij gehaald, Billy. 'Als je Mike niet wilde, had je je problemen zelf moeten oplossen.'

'Ja, maar godver, Frank.'

'Niks godver, Billy.'

Trouwens, dacht Frank, ik heb zelf problemen genoeg.

Zoals een scheiding.

Patty dreigde ermee.

Ik kan het haar niet echt kwalijk nemen, dacht Frank. Ik werk altijd, ik ben nooit thuis en als ik thuis ben, slaap ik. En voor de rest vraagt ze zich het grootste deel van de tijd af waar ik ben, wat ik doe, met wíé ik het doe – al heb ik haar al vijftigduizend keer verteld dat ik niet met de meiden naar bed ga.

Desondanks hadden ze er ruzie over gemaakt en de laatste ruzie was heftig geweest.

'Je wist het van tevoren,' had Frank gezegd. 'Je wist wie ik was toen je met me trouwde.'

'Ik dacht dat je visser was.'

'Ja hoor,' zei Frank. 'Frank Baptista, Chris Panno, Mike Pella, Jimmy Forliano verschijnen op de bruiloft van een visser met enveloppen vol geld. Je bent in die buurt opgegroeid, Patty. Je bent een intelligente vrouw. Hang nou niet het onnozele vrouwtje uit.'

'Je neukt andere vrouwen!'

'Let op je woorden.'

Patty lachte. 'Wat, jij mag het dóén, maar ik mag het niet zéggen?'

'Als je het vaker deed dan zei,' hoorde Frank zichzelf zeg-

gen, 'zou ik misschien minder in de verleiding komen.'
'Wannéér zou ik het dan moeten doen?' vroeg Patty. 'Je bent er nooit.'
'Ik ben van huis om brood op de plank te brengen.'
'Een heleboel mensen brengen brood op de plank en komen toch 's avonds thuis.'
'Nou, dan zullen die wel slimmer zijn dan ik.'
Ze zei dat als er niets veranderde ze echtscheiding zou aanvragen.
Dat had Frank allemaal aan zijn hoofd toen Billy zat te kankeren dat Mike de Pinto Club naar de filistijnen hielp.
'Het is mijn zaak niet,' zei hij tegen Billy. 'Als je problemen hebt met Mike, bespreek het dan met Mike.'
Ja, goed advies.
Drie avonden later klampte Mike Frank in de bar aan en zei dat ze met Billy moesten praten. 'Die vent maakt het me lastig. Niet te geloven toch?' zei Mike. 'De geldhond.'
'Geldwolf.'
Mike knipperde met zijn ogen. 'Weet je dat zeker?'
'Ja.'
'Het is toch ook gierige hond,' zei Mike.
'Ik heb het net in een puzzel ingevuld,' zei Frank. Hij besteedde de laatste tijd een groot deel van zijn wachttijden aan kruiswoordraadsels. 'Ik heb het opgezocht.'
'In elk geval,' zei Mike, 'we moeten het die verrekte Billy aan zijn verstand brengen.'
'Mike, ik hoef niemand iets aan zijn verstand te brengen,' zei Frank. Toen bedacht hij zich – Mike was opvliegend. Wie weet wat er kan gebeuren, hield Frank zichzelf voor. Hij besloot dat hij beter mee kon gaan als sussende factor.
Ze gingen een ritje maken in Franks limousine, over Kettner in oostelijke richting naar de pakhuizen. Billy nam Georgie Y mee ter bescherming. Frank reed, Georgie Y zat voorin naast hem en Mike en Billy zaten achterin te discussiëren.

Mike klonk gekwetst.

Hij ís ook gekwetst, dacht Frank. Dat was het gekke: Mike was dol op de club, dacht dat hij er een aandeel in had, en Billy impliceerde (puzzelwoord) dat hij Mikes gevoelens níét gekwetst had.

'Waarom zit je me dwars, Billy?' vroeg Mike. 'Waarom doe je zo moeilijk? Ik probeer gewoon de kost te verdienen.'

'Ik ook.'

'Doe dat dan. Wie weerhoudt je ervan?'

'Jij,' zei Billy. 'Je hebt de helft van mijn meiden aan de coke gebracht. Je laat ze rare dingen doen, porno...'

'Wil je een deel van de opbrengst, Billy? Is het je daar om te doen?' zei Mike. 'Waarom heb je dat niet gezegd? Ik laat je mee delen. Maar wees een vent en zeg...'

Maar Billy is op de kankertoer, dacht Frank, net een vrouw. Als ze eenmaal beginnen nemen ze geen genoegen met het oplossen van het probleem. Nee, ze moeten hun hart luchten. Dus kan Billy niet op het aanbod ingaan. Nee, hij moet...

'De politie loopt de club plat,' ging Billy verder. 'We kunnen verdomme onze drankvergunning kwijtraken, en over drank gesproken, Mike...'

'Wat?'

'Jezus, de bárrekening die jij en je maten hebben opgebouwd.'

'Wat, hou je bij wat we drinken, misselijk mormel?'

'Kom nou,' zei Frank. 'Jullie zijn vrienden.'

'Hou je bij wat we drínken?' zei Mike. 'Jij ordinair, goedkoop stuk vreten...'

'Hee!' zei Billy.

'Niks "hee", geldwolf,' zei Mike. 'Zonder mij zou je die kutclub niet eens hébben.'

'Ho,' zei Billy. 'Ik heb je niet gevraagd Eddie koud te maken.'

Dat was een vergissing, dacht Frank. Dat had hij niet moeten zeggen. Mike ging over de rooie.

'Je hebt het niet gevraagd? Je hebt het niet gevráágd?' zei Mike. 'Je hóéfde het niet te vragen, want we waren vriénden, Billy, en als je een probleem had, en dat had je, was dat ook míjn probleem. Je hebt het niet gevráágd?'

'Ik heb je niet gevraagd om...'

'Nee,' zei Mike. 'Je hebt het niet gevraagd. Je zat te jammeren als een klein kind. "Ik zit in de problemen, Mike. Ik weet niet wat ik moet beginnen, ik weet niet wat ik moet beginnen." Ik heb het voor je gerégeld, klootzak. Ik ben eropaf gegaan.'

'Ik dacht dat je met hem ging práten, Mike!' zei Billy. 'Ik dacht niet dat je...'

'Jezus, misschien heb ik de verkeerde doodgeschoten!'

Frank keek achterom; Mike had een pistool in zijn hand. 'Mike, nee!'

'Ik denk het echt,' zei Mike. 'Ik denk dat ik verdomme de verkeerde heb doodgeschoten! Misschien moet ik jou geven wat ik hem heb gegeven.'

Georgie Y tastte in zijn zak naar zijn wapen.

Frank rukte aan het stuur, stuurde de limousine naar de stoeprand en klemde met zijn vrije hand Georgies pols tegen zijn middel. Het viel niet mee, Georgie Y was een sterke vent.

Billy probeerde te ontsnappen. Hij frunnikte aan de deurknop toen Mike begon te schieten. Drie knallen deden Franks oren tuiten. Hij hoorde niets, hij zag alleen dat de lippen van Georgie Y het woord 'jezus' vormden. Toen draaide hij zich om en zag Billy tegen het portier hangen, zijn rechterschouder één bloederige massa en een kogelgat in zijn gezicht.

Maar hij ademde nog.

Frank pakte Georgie zijn pistool af, stopte het in zijn zak en zei: 'Kom op, er liggen handdoeken in de kofferbak.'

Frank keek om zich heen.

Geen andere auto's.

Geen politieauto's met loeiende sirenes.

Hij stapte uit, opende de achterklep, pakte de handdoeken

en liep om de auto heen naar de achterbank. 'Ga verdomme aan de kant, Mike.'

Mike stapte uit en Frank stapte in. Hij wikkelde handdoeken om Billy's schouder en drukte een andere stevig tegen de hoofdwond. 'Georgie, stap in!' Hij voelde dat de grote man op de bank plofte. 'Druk dit stevig tegen zijn hoofd. Niet loslaten.'

Georgie Y huilde.

'Georgie, daar heb je geen tijd voor,' zei Frank. 'Doe wat ik zeg.'

Frank stapte uit, pakte Mike beet en duwde hem op de passagiersstoel. Toen liep hij om, ging achter het stuur zitten en gaf plankgas.

'Waar ga je verdomme naartoe?' vroeg Mike.

'De eerste hulp.'

'Hij haalt het niet, Frankie.'

'Dat is iets tussen hem en God,' zei Frank. 'Jij hebt je steentje al bijgedragen, Mike.'

'Hij zal praten.'

'Hij praat niet.'

Hij praatte niet.

Billy kende de regels. Hij besefte dat, ook al was hij zo fortuinlijk geweest om één schot door zijn hoofd te overleven, hij de tweede keer minder mazzel zou hebben. Dus hij bleef bij zijn verhaal: hij was uit de club gekomen en een junk had geprobeerd hem te beroven. Hij had hem niet gezien.

Hij zag ook andere dingen niet meer. De kogel had een zenuw geraakt en hij was voorgoed blind.

'Je betaalt hem,' zei Frank tegen Mike. 'Billy houdt zijn aandeel in de club én je geeft hem een deel van de winst, zoals je zei.'

Mike sputterde niet tegen.

Hij wist dat Frank gelijk had en bovendien, Frank dacht dat het Mike eeuwig dwars zou zitten dat hij op Billy had geschoten, al zou hij het nooit toegeven. Zodoende was Billy nog steeds de eigenaar van de Pinto Club, maar hij kwam er niet vaak meer nadat hij uit het ziekenhuis was ontslagen. Naar strippers kijken kan nooit leuk zijn geweest voor een blinde.

Maar Billy Brooks hield zijn mond.

Het was Georgie Y over wie ze zich zorgen moesten maken.

Mike in elk geval wel.

'De politie zit erbovenop,' zei Mike op een avond tegen Frank. 'Ze weten dat Billy's verhaal gelul is, ze zullen doordrukken. Jij en ik, Frank, wij kunnen ertegen, maar van Georgie weet ik het niet. Ik bedoel, zie jij hem al in een verhoorkamer?'

Nee, dacht Frank, dat zie ik niet.

'Tussen haakjes, bedankt nog,' zei hij, 'dat je me een verdenking wegens medeplichtigheid aan moord hebt aangesmeerd.'

'Die opvliegendheid van me,' zei Mike. 'Dus wat doen we met Georgie?'

'Heeft de politie nog geen contact met hem opgenomen?'

Mike schudde zijn hoofd. 'Het is dat "nog" dat me niet lekker zit.'

'We kunnen niet iemand koud maken vanwege een "nog",' zei Frank.

'O nee?'

'Mike, als je dat doet, ben ik klaar met je,' zei Frank. 'Bij god, ik zweer dat ik niks meer met je te maken wil hebben.'

Dus bleef Georgie Y in leven en uitsmijter in de club. Het enige verschil was dat hij nu botten brak voor Mike in plaats van voor Billy. Hij begon zelfs uit te gaan met een van de danseressen, een schriel ding dat Myrna heette, en ze schenen het goed te kunnen vinden.

Dus daar had het bij kunnen blijven.

Dat deed het niet.

De Stripcluboorlog was nog maar net begonnen.

Frank zal nooit de eerste keer vergeten dat hij Big Mac McManus zag.

Verdomme, niemand vergeet ooit de eerste keer dat hij Mac zag. Als er een een meter vijfennegentig lange, honderdvijfentwintig kilo zware zwarte man met een kaalgeschoren hoofd binnenkomt, gekleed in een handgemaakte tuniek van luipaardhuid en met een wandelstok met diamanten knop, ben je geneigd dat niet te vergeten.

Frank zat met Mike en Pat Walsh aan een tafel toen Big Mac naar binnen struinde. Big Mac bleef op het bordes vlak achter de deur staan en nam de club in zich op. Preciezer gezegd: hij liet de club hém opnemen, wat de club ook deed. Alle aanwezigen keken op en staarden hem aan.

Zelfs Georgie Y keek op. Big Mac McManus was ettelijke centimeters groter dan Georgie, die het gevoel leek te hebben dat hij iets moest doen, al wist hij niet wat. Hij keek Frank vragend aan en Frank schudde subtiel zijn hoofd.

Zo van: laat zitten, Georgie. Dit is je een maatje te groot.

Georgie liet Big Mac door.

Big Mac daalde de treden af naar de club.

Hij werd vergezeld door drie mannen. Drie blanke mannen.

Frank had de lepe grap meteen door. De zwarte man had een hofhouding en die was blank.

Mac kwam recht op hen af en zei: 'Billy Brooks?'

'Dat ben ik,' zei Pat Walsh.

'Mac McManus,' zei Mac. Hij bood geen hand aan. 'Ik wil je club kopen.'

'Die is niet te koop.'

'Ik heb een meerderheidsbelang in de Cheetah, de Sly Fox en de Bare Elegance, om er een paar te noemen,' zei Mac. 'Ik wil de Pinto aan mijn portefeuille toevoegen. Ik betaal je een eerlijke prijs, met een fikse winst.'

'Heb je hem niet verstaan?' vroeg Mike. 'Hij zei dat de club niet te koop is.'

'Neem me niet kwalijk,' zei Mac, 'maar ik had het niet tegen jou.'

'Weet je wie ik ben?' vroeg Mike.

'Ik weet wie je bent, Mike Pella,' zei Mac glimlachend. 'Je bent een maffioso die gezeten heeft voor geweldpleging, afpersing en verzekeringsfraude. Ze zeggen dat je bij de Martini-familie hoort, maar ze hebben het mis. Je bent meer een onafhankelijke medewerker samen met meneer Machianno. Aangenaam kennis te maken, Frank. Ik heb goede dingen gehoord.'

Frank knikte.

'Mag ik jullie mijn medewerkers voorstellen,' zei Mac. 'Dit is meneer Stone, meneer Sherrell en last but not least meneer Porter.'

Stone was een lange, gespierde, blonde Californiër. Sherrell was kleiner, maar dikker, met zwart gepermanent haar dat net uit de mode was. Beide mannen waren informeel gekleed, spijkerbroek en poloshirt.

Porter was van gemiddelde lengte, gemiddelde lichaamsbouw en had kortgeknipte haren. Hij droeg een donker kostuum, wit overhemd en een das en had een sigaret tussen zijn lippen waarop verder niets te zien was dan een constante grijns. Zijn zwarte haren waren steil achterovergeplakt en het duurde een seconde voor Frank zich realiseerde dat hij op de Bogartlook mikte. En het nog bijna redde ook, alleen had Bogie een zachte kant en had deze vent absoluut niets zachts.

Ze knikten en glimlachten.

Mac haalde een kaartje uit zijn zak en legde het op tafel. 'Ik heb zondagmiddag een korte bespreking bij mij thuis,' zei hij. 'Ik hoop echt dat de heren erbij kunnen zijn. Heel informeel, heel relaxed. U mag een vriendin meebrengen, maar er zullen volop vrouwen zijn. Zeg twee uur of zo?'

Hij glimlachte, draaide zich om en vertrok, op de voet gevolgd door Stone en Sherrell.

Porter bleef even staan, deed een verwoede poging om Franks blik te vangen en zei toen: 'Het was me aangenaam, heren.'

'"Heren"?' zei Mike toen Porter weg was.

'Een Brit,' zei Frank.

'Trek ze na,' zei Mike.

De uitslag liet niet lang op zich wachten.

Horace 'Big Mac' McManus was een ex-agent van de California Highway Patrol die vier jaar had gezeten wegens fraude. Hij was nu vierenzestig en een belangrijk man in de Californische seksbusiness. Het klopte dat hij stille vennoot was in de clubs die hij had genoemd. Hij was ook een belangrijke pornoproducent en -distributeur en runde waarschijnlijk hoeren vanuit de clubs en de filmsets.

'Hij woont,' zei Frank, 'nota bene, op een landgoed in Rancho Sante Fe dat hij "Tara" heeft genoemd.'

'Wat is dat, verdomme?'

'*Gone With the Wind*,' zei Frank.

John Stone was politieagent.

'Jezus shit,' zei Mike.

'Hij was McManus' partner voordat Mac werd gepakt en hij werkt nog altijd bij de Highway Patrol. Hij heeft een aandeel in alle clubs van Mac en besteedt het grootste deel van zijn tijd aan het helpen van Mac.'

'Een soort rechterhand?' vroeg Mike.

'Meer een partner.'

Danny Sherrell was de manager van de Cheetah. Zijn bijnaam was 'Chokemaster'.

'Is hij worstelaar geweest of zoiets?' vroeg Mike.

Frank schudde zijn hoofd. 'Pornoacteur.'

'O,' zei Mike. '*Oooo*. En die Brit?'

'Hij heet Pat Porter,' antwoordde Frank. 'Verder weten we nauwelijks iets over hem. Hij is een jaar of twee geleden hierheen gekomen. Sherrell gaf hem werk als uitsmijter in de Cheetah. Hij heeft zich blijkbaar opgewerkt.'

'Jezus... smerissen,' zei Mike. 'Wat doen we, Frank?'

'Naar een feestje gaan, neem ik aan.'

Tara was adembenemend.

Het was gebouwd naar het voorbeeld van het vooroorlogse landhuis in de film. Het enige verschil was dat alle bedienden blank waren in plaats van zwart. Een blanke tiener in een rood vest kwam naar Franks limousine gerend, opende het rechterportier en zag tot zijn verbazing dat er niemand achterin zat.

'Ik ben alleen,' zei Frank terwijl hij hem de sleutels toegooide. 'Wees er zuinig op.'

Frank liep naar het uitgestrekte, zachtgroene gazon, waar tenten en tafels opgesteld stonden. Hij droeg een kostuum, maar voelde zich sjofel vergeleken met de andere gasten, die allemaal uitgedost waren in uiteenlopende dure, informele kleding. Veel wit linnen en katoen, kaki en crèmekleurig.

Mike was op de zwart-met-zwarttoer.

Hij zag eruit als een imbeciel en Frank schaamde zich een beetje dat hij zich geneerde.

'Heb je dat bikkesement gezien?' vroeg Mike. 'Ze hebben garnalen, ze hebben kaviaar, rosbief, champagne. "Feestje" me neus.'

'Dit doet hij elke tweede zondag,' zei Frank.

'Je meent het niet.'

Mooi huis, mooi terrein, lekker eten, lekkere wijn, fijne lui. Dat was het punt – alle gasten waren buitengewoon aantrekkelijk. Knappe mannen, ongelooflijk mooie vrouwen. We zijn hier net straatschooiers, dacht Frank.

Ik denk dat dat de bedoeling is.

Mac maakte zijn entree op het gazon.

Gekleed in een geheel wit linnen pak en Gucci-schoenen zonder sokken en met een vrouw aan zijn arm die een strakke zomerjapon droeg die meer liet zien dan verhulde.

'Ik ken die griet,' zei Mike.

'Ja hoor.'

'Nee, ik kén die griet,' zei Mike. En een paar seconden later flapte hij eruit: 'Dat is Miss Mei. Dat is verdomme Miss Mei. McManus voost met een *Penthouse*-centerfold.'

Mac en Miss Mei mengden zich onder de gasten, stilstaand en glimlachend en knuffelend, maar het was duidelijk dat hij op weg was naar Frank en Mike. Daar aangekomen zei hij: 'Heren, ik ben blij dat u tijd hebt kunnen vrijmaken. Mike, Frank, dit is Amber Collins.'

Frank hoopte vurig dat Mike zijn openbaring niet zou prijsgeven.

Dat deed hij niet. Hij hakkelde slechts: 'Aangenaam kennis te maken.'

'Leuk u te ontmoeten,' zei Frank.

'Zijn jullie van alles voorzien?' vroeg Mac. 'Een hapje, een drankje?'

'We zijn voorzien,' zei Frank.

'Wat denk je van een rondleiding?' vroeg Mac.

'Klinkt goed,' zei Frank.

'Amber,' zei Mac. 'Ik zal je missen, maar mag ik je vragen gastvrouw te spelen voor de anderen?'

Het huis was onwezenlijk.

Frank, die kwaliteit waardeerde, zag dat Mac dat ook deed. Hij wist wat mooi was en had het geld om het te betalen. Alle meubels, al het sanitair, alle keukenapparatuur waren van topklasse. Mac leidde hen rond door de gigantische eetkamer, de keuken, de zes slaapkamers, de filmzaal en de dojo.

'Ik doe aan hung gar-kungfu,' zei Mac.

Een vijfennegentig, dacht Frank, honderdvijfentwintig kilo, spieren als kabels en een zwarte band in een vechtsport. Moge God ons bijstaan als we Big Mac McManus koud moeten maken.

Achter het huis had Mac een privédierentuin – exotische vogels, reptielen en katten. Frank was niet bijster goed in zoölogie, maar hij meende een ocelot te herkennen, een poema en uiteraard een zwarte panter.

'Ik ben gek op dieren,' zei Mac. 'En natuurlijk, alle kungfubewegingen zijn naar dieren genoemd – de tijger, de slang, de luipaard, de kraanvogel en de draak. Ik leer door alleen maar naar deze prachtige schepselen te kijken.'

'Heb je een draak hier?'

'Bij wijze van spreken,' zei Mac. 'Ik heb een komodovaraan. Maar de draak is uiteraard een mythisch dier. Je bewaart zijn geest in je hart.'

Ze keerden terug naar het huis.

'Dit lijkt de Playboy Mansion wel,' zei Mike toen ze door de woonkamer terugliepen.

'Hij is hier geweest,' zei Mac.

'Ken je Hefner?' vroeg Mike.

Mac glimlachte. 'Zou je hem willen ontmoeten? Ik kan het regelen. Laten we naar de bibliotheek gaan en een praatje maken.'

De bibliotheek was een rustige kamer aan de achterkant van het huis. Alle meubels waren van donker teak. Aan de muren hingen Afrikaanse maskers, het tapijt en de sofa waren van zebrahuid. De grote fauteuils waren bekleed met een exotische leersoort die Frank niet herkende. Grote, ingebouwde boekenkasten bevatten een verzameling boeken over Afrikaanse kunst en cultuur en de kamerhoge cd-rekken een archiefcollectie jazz.

'Hou je van jazz?' vroeg Mac toen hij zag dat Frank de collectie bekeek.

'Ik ben meer een operamens.'

'Puccini?'

'Je hebt het door.'

'Jíj hebt het door,' zei Mac. Hij drukte op enkele toetsen achter zijn bureau en de beginklanken van *Tosca* vulden de kamer. Het was de beste geluidskwaliteit die Frank ooit had gehoord en hij vroeg Mac ernaar.

'Bose,' zei Mac. 'Ik zal je in contact brengen met mijn leverancier.'

Mac drukte op een andere toets en er kwam een butler binnen met een dienblad met twee glazen met een amberkleurig vocht, die hij op bijzettafels naast de fauteuils zette.

'Single malt whisky,' zei Mac. 'Ik dacht dat jullie het misschien lekker zouden vinden.'

'En jijzelf?' vroeg Frank.

'Ik drink niet. En ik rook niet en gebruik geen drugs.' Hij ging in een fauteuil tegenover hen zitten. 'Zullen we zaken doen?'

'We verkopen de club niet,' zei Mike.

'Je hebt mijn bod niet gehoord.'

Frank nam een slok whisky. Hij smaakte rokerig en zacht en een seconde later voelde hij de warmte naar zijn maag stromen.

'Gefeliciteerd met de Pinto Club,' zei Mac. 'Jullie hebben er goed mee geboerd. Maar ik denk dat ik hem naar een niveau kan tillen dat voor jullie onbereikbaar is.'

'Hoe dan?' vroeg Mike.

'Horizontale integratie,' zei Mac. 'Ik pak mijn pornoactrices en boek ze voor mijn clubs, ik neem mijn sterdanseressen en geef ze een rol in de films.'

'Dat doen wij ook,' zei Mike.

'Op een goedkope manier,' zei Mac. 'Ik heb het over sterren. Namen in de branche, mensen die jullie niet kunnen betalen. Jullie verhuren jullie meisjes voor een paar honderd dollar aan handelsreizigers. Onze meisjes gaan om met miljonairs.'

'Je hebt ons verteld waarom je de club wilt kopen,' zei Mike, 'niet waarom wij hem zouden moeten verkopen.'

'Je kunt hem nu verkopen en winst maken,' zei Mac. 'Of je kunt wachten tot ik jullie kapot heb geconcurreerd en verlies maken. Ik heb een meerderheidsaandeel in zes clubs in Californië en drie in Vegas. Binnenkort ga ik naar New York. De sterren, de namen, zullen in mijn clubs werken en nergens anders. Over zes maanden tot een jaar zullen jullie niet meer kunnen concurreren. In het gunstigste geval zullen jullie een obscuur zaakje zijn dat tapbier verkoopt aan Jan met de pet.'

'Ik zou kunnen overwegen je negenenveertig procent te verkopen,' zei Mike.

'Maar ik zou niet overwegen dat te kopen,' antwoordde Mac. 'Ik zou wel een aandeel van tachtig procent overwegen. Geloof me, met die twintig zul je meer verdienen dan met je huidige honderd.'

Hij maakte een gebaar naar zijn landgoed en Frank begreep wat hij wilde zeggen: jongens, kijk naar mijn huis en kijk dan naar dat van jullie. Hij heeft gelijk, dacht Frank. Het was de enig juiste zet: winst maken op de verkoop van tachtig procent en vervolgens Big Mac voor ze laten verdienen.

'Wat zouden we met de club moeten doen als we je dat percentage zouden verkopen?' vroeg Mike.

'Niets,' zei Mac. 'Naar de brievenbus lopen, jullie cheques ophalen.'

En dat was het probleem, besefte Frank. Mike hield van de club. Hij speelde graag de eigenaar, de grote man. Dat was de zwakke plek in het plan die Mac niet kon zien. Hij had Mike Pella's werkelijke belangstelling niet begrepen.

'Ik wil een vinger in de pap houden,' zei Mike.

'Je bedoelt de meisjes coke verkopen en ze het geld daarvoor met woekerrente lenen?' vroeg Mac glimlachend. 'Nee, dat moet ophouden. De branche wordt volwassen, Mike. Je doet er goed aan mee te groeien.'

'Of anders?'

'Anders concurreer ik je kapot.'

'Niet als je dood bent.'

'Moet het echt op die manier?' vroeg Mac.

'Je zegt het maar.'

Mac knikte. Hij ademde diep in en sloot zijn ogen, alsof hij mediteerde. Toen ademde hij uit, opende zijn ogen, glimlachte en zei: 'Ik heb je een zakelijk aanbod gedaan, Mike Pella. Ik dring erop aan dat je het op een zakelijke manier in overweging neemt en tijdig contact met me opneemt. In de tussentijd hoop ik oprecht dat je van de rest van de middag zult genieten. Als je wilt kan Amber je aan enkele ongebonden vriendinnen van haar voorstellen.'

Dat wilde Mike.

Hij legde het aan met een van Ambers vriendinnen en ze begaven zich naar een slaapkamer in het gastenverblijf.

Frank ging naar buiten en genoot van het voedsel, de wijn en de jetset. Macs 'compagnons' waren er natuurlijk ook. John Stone feestte er lustig op los en dartelde met enkele jongedames in het zwembad terwijl Danny 'Chokemaster' Sherrell zijn trouwe vleugelman speelde.

Porter was niet in het zwembad.

Hij was in zijn gebruikelijke donkere pak en sabbelde op een sigaret en telkens als Frank in zijn richting keek, keek Porter hem vanachter een rookpluim onderzoekend aan. Ofwel die vent geilt op me, dacht Frank, wat ik ernstig betwijfel, of hij voert iets in zijn schild. Hoe dan ook, Frank was niet van plan zijn plezier in het eten, dat uitstekend was, erdoor te laten vergallen.

Hij verorberde juist een garnaal toen Mac naar hem toe kwam.

'Je bent te intelligent voor die lui,' zei Mac. 'Je verkwanselt jezelf. Kom voor mij werken – goed verdienen in een eersteklas omgeving.'

'Ik ben gevleid,' zei Frank, 'maar Mike en ik werken al heel lang samen.'

'Elke dag langer is verspilling.'

'Bedankt voor het aanbod,' zei Frank, 'maar nee, bedankt. Mike is mijn man. Ik blijf bij hem.'

'Dat respecteer ik,' zei Mac. 'Het was niet kwaad bedoeld.'

'Zo vatte ik het ook niet op.'

'Maar probeer hem te laten doen wat het verstandigste is,' zei Mac. 'Het verstandigste is altijd goed voor iedereen.'

Maar zo zag Mike het niet.

Later die avond, terwijl hij vertelde over de sekswonderen met een toekomstig *Penthouse*-model, zei hij: 'Weet je, we zullen die nikker moeten doden.'

'Nee, dat weet ik niet,' zei Frank. 'Sterker nog, volgens mij moet je hem die tachtig procent verkopen.'

'Dat meen je verdomme niet.'

'Zo serieus als een hartinfarct.'

'Geen dénken aan, Frankie,' zei Mike. 'Geen denken aan, verdomme.'

'Het is een smeris, Mike.'

'Een éx-smeris,' zei Mike, 'en een ex-bajesklant.'

'Eens een smeris, altijd een smeris,' zei Frank. 'Ze zijn nog hechter dan wij. En zijn compagnon is een smeris, dus dat is hetzelfde.'

'Ik verkoop de Pinto niet,' zei Mike.

Hij belde Mac om hem dat te vertellen.

De daaropvolgende week verschenen er inspecteurs in de club – brandweerinspecteurs, keuringsdienstinspecteurs, waterinspecteurs. Ze vonden allemaal mankementen en namen geen van allen het gebruikelijke smeergeld aan. Integendeel, ze noteerden de club.

De week daarop begonnen er politieauto's te parkeren aan de overkant. Klanten die de club verlieten werden aangehouden voor alcoholcontrole. Uit hun auto gerukt, gedwongen om over een streep te lopen, blazen, de hele mikmak. Zelfs als ze wettelijk gesproken niet dronken waren, was het irritant.

Er verschenen undercoveragenten in de club, die in de mannentoiletten naar drugs zochten, deden alsof ze klanten waren die een werkend meisje zochten, coke probeerden te kopen van de barkeepers.

Klanten begonnen bang te worden om binnen te komen.

Het deed de zaken geen goed.

'Er moet iets gebeuren,' zei Mike tegen Frank en Frank wist wat dat iets was.

'Wil je een oorlog met de politie beginnen?' vroeg hij aan Mike.

Mac belde en verhoogde zijn bod met tien mille, als verzoeningsgebaar.

Mike zei dat hij kon opsodemieteren.

De week daarop werden er twee meisjes aangehouden wegens prostitutie en een derde voor drugsbezit. De volgende ochtend werd Pat gebeld door de ambtenaar die over de drankvergunning ging. Hij dreigde hun vergunning in te trekken.

Mac verhoogde zijn bod opnieuw.

Mike zei dat hij het in z'n reet kon steken.

Onder vier ogen was hij minder zelfverzekerd.

'Wat moeten we godverdomme doen?' vroeg hij Frank. 'Wat moeten we godverdomme doen?'

'Hem de club verkopen.'

Mike had een ander antwoord – meer de traditionele maffiosireactie.

Hij gooide een brandbom in de Cheetah Lounge.

Hij zorgde ervoor dat het na sluitingstijd was, vergewiste zich er zelfs van dat de portier afwezig was en toen gooiden hij en Angie Basso twee uitstekend gemaakte molotovcocktails door het raam.

De tent brandde niet tot de grond toe af, maar het zou lang duren voordat hij weer open zou gaan. Om ervoor te zorgen dat Mac het snapte belde Mike hem om hem te condoleren. 'Tjee,' zei hij, 'jammer dat de brandweerinspectie er niet was.'

Mac snapte het.

Hij snapte het zo goed dat Angie Basso werd overvallen toen hij laat op de avond uit zijn stomerij kwam. Pat Porter en Chokemaster Sherrell sleurden hem naar de rand van het trottoir, legden zijn handen over de stoeprand en sprongen op zijn onderarmen, zodat allebei zijn polsen braken.

'Je kunt beter niet met vuur spelen,' zei Porter.

'Wat moet ik doen?' vroeg Angie de avond daarop aan Mike. 'Ik kan niet eens alleen pissen.'

'Dat moet je niet aan mij vragen,' zei Mike.

Maar hij reageerde. Hij moest wel, wilde hij niet alles kwijtraken.

Dus zat Frank drie avonden later achter in een auto tegenover de Bare Elegance en wachtte tot de Chokemaster kwam afsluiten. Mike zat achter het stuur, want Frank vertrouwde hem het schot niet toe.

'Ik schiet hem alleen maar in zijn been,' had Mike gezegd.

'Je zou het verpesten en zijn dijbeenslagader raken,' had Frank hem voorgehouden. 'Dan zou Sherrell doodbloeden en zou het pas echt oorlog zijn.'

'Ik zou op zijn lul mikken,' had Mike gezegd. 'Dát doelwit is niet te missen.'

Mike had een paar oude pornofilms van Sherrell gehuurd en ze in de achterkamer van de club gedraaid. Frank wist bijna zeker dat Mike de Chokemaster als doelwit had gekozen uit fallische afgunst.

Maar goed, nu zat hij ineengedoken op de achterbank van een auto en keek terwijl Sherrell naar buiten kwam, de barkeeper goedenavond wenste, het metalen scherm neerliet en het hangslot wilde aanbrengen.

Frank stak het .22-geweer door het geopende autoraam, mikte op het vlezige deel van Sherrells rechterkuit en schoot. Sherrell viel, Mike gaf plankgas en dat was dat. Frank wist dat de barkeeper terug zou komen en Sherrell naar het ziekenhuis zou brengen. De Chokemaster zou een paar weken met krukken lopen, in het ergste geval.

Het was al met al een heel gematigde reactie op de mishandeling van Angie Basso, wiens polsen maanden nodig zouden hebben om te genezen. Het was in feite een de-escalatie van de oorlog, maar de tegenstander deed er juist een schepje bovenop.

Frank zag het gebeuren, letterlijk.

Hij stond op de luchthaven op een vrachtje te wachten toen hij Pat Porter de terminal zag binnengaan. Frank gaf hem wat voorsprong en volgde hem toen naar binnen, waar Porter op een rechtstreekse vlucht vanaf Heathrow wachtte en twee mannen die uit het toestel stapten hartelijk begroette.

Ze waren wat de Britten 'zware jongens' zouden noemen. Frank zag het aan hun manier van lopen en doen. Zwaar gespierd, maar elegant, als atleten. De ene was zo rond als een ton en droeg een rugbyshirt boven een spijkerbroek en tennisschoenen. De ander was mager en wat langer en droeg een Arsenal-shirt.

Porter had een ploeg te hulp geroepen.

Twee dagen later verschenen ze in de Pinto Club.

Het was laat in de middag op een dinsdag, het moment waarop de bouwvakkers na hun werk begonnen binnen te stromen. Tamelijk rustig, niet doods. Frank zat in zijn vaste cabine en nuttigde haastig een cheeseburger en een cola voordat de avondspits begon en hij zou moeten vertrekken om vrachtjes op te halen.

Hij zag de Britse ploeg toen ze binnenkwamen. Net als Georgie Y, die opstond van de bar, waar hij met Myrna zat, en op de twee Engelsen afliep. Ze glimlachten alsof hij een maaltje was dat hun kant op kwam.

Frank wenkte Georgie naar zich toe.

'Frank,' zei Georgie. 'Het bevalt me niet dat die twee binnenkomen.'

'Heb ik je gevraagd of het je bevalt?' zei Frank. 'Myrna moet op. Ga naar haar kijken, denk aan wat ze later op de avond met je zal doen.'

'Frank...'

'Wat zei ik, Georgie? Moet ik in herhaling vallen?'

Georgie keek Porter vuil aan, nam toen een stoel bij het podium en keek hoe Myrna haar kleine lichaam kronkelde in een beroerde imitatie van erotiek.

Geflankeerd door zijn twee jongens, nog steeds gekleed in hun sportuitrusting, kwam Porter naar Frank toe.

Frank bood ze geen stoel aan.

Porter was in zijn uniform: donker pak, kraag met knoopjes, smalle zwarte das. Hij keek Frank aan en zei: 'Weet je, uiteindelijk wordt het iets tussen jou en mij.'

'Wat is dit, een cowboyfilm?' vroeg Frank lachend. Een blik op Porters gezicht leerde hem één ding over hem: Pat Porter vond het niet leuk om te worden uitgelachen.

'Jou en mij,' herhaalde Porter.

Frank keek over Porters schouder. 'Waar zijn zij dan voor?'

'Om te zorgen dat niemand zich ermee bemoeit,' zei Porter. 'Ik ken jullie spaghettivreters.'

Frank ging verder met zijn cheeseburger. 'Ik heb geen tijd, Sam Spade,' zei hij kauwend. 'Als je iets te zeggen hebt, zeg het dan. Anders...'

'Ik ga je vermoorden, Frankie Machine,' zei Porter. 'Of ervoor zorgen dat jij mij vermoordt.'

'Ik ga voor het tweede,' zei Frank.

Porter had hem niet door. Hij stond daar maar, alsof hij ergens op wachtte. Wat, dacht Frank, is het de bedoeling dat ik opspring en 'trek'? Gaan we een slechte western opvoeren, in 1988 op Kettner Boulevard?

Frank werkte zijn laatste hap naar binnen, nam een slok cola, stond op en ramde het zware glas tegen de zijkant van Porters gezicht. Rugbyshirt schoot naar voren, maar opeens had Frank een pistool in zijn hand. Hij spande de haan, richtte het toen op de twee handlangers en zei: 'Echt?'

Blijkbaar niet.

Rugbyshirt en Arsenal bleven als bevroren staan.

Hij hield hen onder schot en stak zijn hand uit naar Porter, die op zijn knieën lag terwijl het bloed over zijn gezicht stroomde. Frank pakte Porters stropdas beet, draaide die om zijn nek en met zijn wapen op de twee andere Britten gericht sleepte hij de man over de vloer, de bordestreden op en naar buiten.

Hij gebaarde met het pistool naar Rugbyshirt en Arsenal en zei: 'Wegwezen.'

'Je bent er geweest, makker,' zei Arsenal.

'Ja hoor. Wegwezen.'

Ze liepen naar buiten. Frank ging weer naar binnen, stapte voorzichtig over de glasscherven en het bloed heen en ging weer zitten.

Hij wenkte de serveerster voor de rekening.

Iedereen staarde hem aan, de serveerster, de barkeeper, de drie bouwvakkers die aan een tafel zaten, Myrna en Georgie Y. Allemaal met stomheid geslagen.

'Wat?' vroeg Frank. 'Wát?'

Ik heb een pestbui, oké? dacht hij. Ik heb mijn kind in geen drie weken wakker gezien, mijn vrouw dreigt een advocaat te bellen, ik probeer een burger te eten voordat ik de hele avond werk en dan komt er een of andere Brit binnen die me lastigvalt met een slechte filmdialoog. Ik ben jullie geen verklaring schuldig.

'Breng me wat spuitwater en wat theedoeken,' zei hij.

'Ik ruim het wel op, Frank,' zei de serveerster.

'Bedankt, Angela,' zei Frank, 'maar ík heb de rotzooi gemaakt. Ik ruim het wel op.'

'We hebben vandaag kwarktaart, Frank.'

'Hoeft niet, lieverd. Ik doe aan de lijn.'

Hij ruimde het bloed en de glasscherven op en was bijzonder op zijn hoede toen hij naar de parkeerplaats liep om zijn vrachtjes te gaan oppikken. Toen hij met zijn eerste klant terugkwam, stond Mike lachend op hem te wachten. 'Zeg verdomme nóóit meer iets over mijn opvliegendheid.'

'Het bloed is goed uit de vloerbedekking gegaan.'

Mike keek Frank aan, pakte hem toen bij zijn wangen en zei: 'Ik hou van je. Ik hóú verdomme van je, oké?'

Hij richtte zich tot de hele bar. 'Ik hou van die verdomde vent.'

Twee weken later gebeurde het.

Het had niet mogen gebeuren, zóú niet gebeurd zijn als Mike niet onverwacht een groep Japanse zakenlui had gehad die een feestje wilden bouwen en alle twee de limousines nodig had gehad om ze te vervoeren. Dus Frank zou rijden in plaats van wat hij van plan was geweest, namelijk een lading zwart geld vervoeren. Het zou een doodsimpel, probleemloos klusje worden; de verslaafde vriend van een van de danseressen had geld geleend en zou zijn eerste aflossing gaan betalen.

'Laat Georgie het doen,' zei Mike. 'Hij kan op weg hierheen bij hem binnenwippen.'

Dus belde Frank Georgie en die deed het met alle plezier. Frank en Mike reden de Japanners rond en toen ze weer in de club kwamen was het één uur in de ochtend en zat Myrna aan de bar en twee andere strippers hadden hun armen om haar heen geslagen terwijl ze hysterisch snikte.

Frank had er een halfuur voor nodig om het verhaal uit haar te krijgen.

Ze was met Georgie meegegaan om het vrachtje op te halen. De junk woonde in een flat in de Lamp. Ze zouden het geld op weg naar het werk ophalen en daarom was ze bij hem. Ze stopten op de parkeerplaats en Georgie zei dat ze in de auto moest wachten. Ze zei dat dat prima was, omdat ze zich moest opmaken.

Toen Georgie uit zijn auto stapte, stapten drie mannen uit een andere auto.

'Heb je ze herkend?' vroeg Frank.

Myrna knikte en begon opnieuw te snikken. Toen ze zich hersteld had zei ze: 'Frankie, een van hen was de vent die je laatst hebt afgetuigd. Hij had verband om zijn hoofd, maar ik herkende hem. De twee anderen waren de mannen die bij hem waren.'

Frank werd misselijk toen Myrna de rest van het verhaal vertelde. Georgie probeerde te vechten, maar ze waren met zijn drieën. Een van hen schopte Georgie tegen zijn hoofd en hij zakte door zijn knieën. Ze stapte uit en probeerde hem te helpen, maar een van de mannen sloeg zijn armen om haar heen en hield haar tegen.

Toen haalde de man met het verband iets uit zijn zak en sloeg Georgie ermee in zijn gezicht. De twee anderen pakten Georgie beet en hielden hem vast terwijl die ander hem maar blééf slaan, meestal in zijn maag, maar ook een paar keer op zijn hoofd, en toen ze Georgie loslieten zakte hij meteen op de grond. Toen begon de man met het verband hem opnieuw te schoppen, in zijn ribben en in zijn kruis en tegen zijn hoofd.

'Hij schopte Georgie nog een laatste keer tegen zijn hoofd,' zei Myrna, 'en Georgies hoofd knakte achterover en toen kwam die vent met zijn verband naar me toe en zei...'

Ze begon weer te snikken.

'Wat zei hij, Myrna?' vroeg Frank.

'Hij zei... ik moest tegen je zeggen...' Ze haalde diep adem en keek hem aan. 'Jíj had het moeten zijn, Frank.'

Ja, dacht Frank, ik had het moeten zijn. Porter heeft me door die junk in de val laten lokken, maar die arme stomme Georgie is erin gelopen in plaats van ik. Als ik het was geweest, hadden er nu drie dode Britten op dat parkeerterrein gelegen in plaats van Georgie...

'Waar is Georgie nu?' vroeg hij.

'In het ziekenhuis,' snikte Myrna. 'Hij is in coma. Ze zeiden dat hij niet meer bij zal komen. Hij heeft een zus... ik heb geprobeerd haar nummer te achterhalen.'

Vijftien minuten later stonden Frank en Mike aan het ziekbed. Georgie Y was een en al slangen en naalden; een respirator regelde zijn ademhaling. Ze bleven drie uur, tot zijn zus uit L.A. arriveerde.

Ze gaf toestemming om de stekker eruit te halen.

Frank en Mike gingen naar de flat van de junk. Hij was hem natuurlijk gesmeerd, maar de danseres was wel thuis.

'Waar is je vriend, verdomme?' vroeg Mike nadat hij de deur had ingetrapt.

'Ik weet het niet. Ik heb...'

Mike stompte haar op haar mond en stak de loop van zijn wapen tussen haar gebroken tanden. 'Waar is dat junkievriendje van je, vals kreng? Lieg nog één keer...'

De klootzak had zich in de slaapkamerkast verstopt.

Junks zijn niet erg slim.

Mike rukte de deur uit de rails, trok hem naar buiten en stompte hem in zijn maag. Frank haalde een panty van het meisje uit haar ladekast en propte hem in de mond van de junk. Toen trok hij de telefoonkabel uit de muur en bond de handen van de man achter zijn rug.

Ze brachten hem naar de auto. Frank reed terwijl Mike de junk achterin op de vloer hield.

Ze reden naar de rivierbedding en duwden hem over de rand. De bedding stond droog en de junk was aardig toegetakeld tegen de tijd dat hij op de bodem landde. Mike en Frank lieten zich omlaag glijden en trokken hem op zijn knieën overeind. De junk kokhalsde en stikte bijna doordat het braaksel in zijn keel liep.

Frank haalde de panty uit zijn mond en de junk gaf over. Toen snikte hij: 'Ik zweer dat ik...'

'Lieg niet,' zei Frank. Hij zakte op zijn hurken en zei zacht in zijn oor: 'Ik weet wat je gedaan hebt. Je hebt één kans om jezelf te redden. Zeg waar ze zijn.'

'Ze zijn ergens in Carlsbad,' zei de junk. 'Een of andere Engelse tent.'

'The White Hart,' zei Mike.

Frank knikte, trok zijn revolver en schoot op de junk tot de kamers leeg waren.

Mike deed hetzelfde.

Ze stapten in en reden naar de White Hart.

Ze kenden het allebei.

De bar had warm bier, worst en puree en voetbalwedstrijden via de schotel, met als gevolg dat er heel wat Britse expats kwamen. Boven de deur hing een oud-Engels uitziend uithangbord met ouderwetse belettering en een afbeelding van een wit hert en achter een van de ramen hing een Union Jack.

'Wacht hier,' zei Frank toen ze op de parkeerplaats stopten. Hij herlaadde de .38.

'Barst maar,' zei Mike. 'Ik ga met je mee.'

'Dit is míjn ding,' zei Frank. 'Laat de motor lopen en zet de auto in de versnelling, oké?'

Mike knikte. Hij overhandigde Frank zijn eigen pistool.

Frank checkte het magazijn en vroeg: 'Heb je spullen achterin?'

'Natuurlijk.'

Mike opende het kofferdeksel.

'Schoon?' vroeg Frank.

'Waar zie je me voor aan?' vroeg Mike. 'Een bonenvreter die een avondwinkel berooft?'

Frank stapte uit, liep naar de kofferbak en vond wat hij verwachtte: een kaliber-12-jachtgeweer met afgezaagde loop, een kogelwerend vest, een paar handschoenen en een zwarte kous. Hij trok zijn jack uit, deed de handschoenen aan, knoopte het vest dicht en deed zijn jack er weer overheen. Toen stopte hij de twee pistolen achter zijn riem, legde het jachtgeweer over zijn arm en trok de zwarte kous over zijn hoofd.

'Tot dadelijk,' zei Mike. 'Frankie Machine.'

Frank stapte naar binnen.

De tent was nagenoeg verlaten, op een paar kerels aan de bar na. De barkeeper, Rugbyshirt en Arsenal zaten aan een tafel pinten te drinken en naar een voetbalwedstrijd te kijken op een tv die vlak onder het plafond tegen de muur was gemonteerd.

Arsenal draaide zich om toen de deur openging.

Het jachtgeweer blies hem van zijn stoel af.

Rugbyshirt probeerde op te staan en zijn pistool uit zijn broeksband te halen, maar Frank schoot de tweede loop leeg in zijn maag en hij viel voorover op de tafel.

Waar is Porter? vroeg Frank zich af.

De herentoiletten waren achter in de bar. Frank liet het geweer vallen, haalde de twee pistolen achter zijn riem vandaan en trapte de deur in.

Porter had zich schrap gezet tegen de wastafel, zijn pistool geheven. Hij droeg zijn gebruikelijke zwarte pak, maar zijn gulp stond open en zijn handen waren nat. Hij schoot en Frank voelde de drie kogels in het vest ploffen, vlak boven zijn hart, zodat zijn adem stokte, en toen zag hij de blik van schrik en verbazing in Porters ogen toen hij niet viel.

Frank schoot twee keer met het pistool in zijn rechterhand.

Porters hoofd knalde achterover tegen de spiegel, die brak; toen gleed hij langs de wastafel op de grond.

Bloed stroomde over de vergeelde tegels.

Dat krijgen ze nooit meer uit de voegen, dacht Frank terwijl hij het pistool liet vallen, zich omdraaide en de bar uitliep.

Mike had de auto in de versnelling staan.

Frank stapte in en Mike reed langzaam de parkeerplaats af, de straat op en toen de 5.

Bap zou trots zijn geweest.

'Volgende halte?' vroeg Mike.

'Tara,' zei Frank.

Soms moet je er gewoon op afgaan.

Meestal probeer je voorzichtig te zijn. Je bereidt alles voor. Je hebt geduld en wacht op het juiste moment.

Maar soms moet je er gewoon op afgaan.

Ze gingen eerst langs Mikes appartement in Del Mar. Mike had een heel arsenaal verstopt in de logeerkamerkast. Frank koos twee .38's met korte loop, een dubbelloops Wellington .303, een AR-15 en twee handgranaten.

Toen ze bij Tara arriveerden was er geen bewaking te bekennen en de poort stond open.

'Wat denk je?' vroeg Mike.

'Ik denk dat ze ons binnen opwachten,' zei Frank. 'Ik denk dat als we naar binnen rijden ze de auto doorzeven.'

'Sonny.'

'Wat?'

'Sonny Corleone,' zei Mike.

'Kijken jullie ooit wel eens iets anders?'

'Júllie?'

Ze reden om het landgoed heen, stapten uit en klommen over de muur. Frank wist zeker dat ze bewegingssensoren lieten afgaan, maar er gebeurde niets – geen schijnwerpers, geen alarm. Maar goed, dacht hij, Mac heeft vast infraroodcamera's aan de sensors gekoppeld en ziet ons nu waarschijnlijk op de monitor. Geeft niet, je wist voordat je kwam dat je het op zijn voorwaarden zou uitvechten.

Het was net als in Vietnam.

De Vietcong vocht nooit, behalve op zijn eigen voorwaarden.

Als je ze vond, was dat omdat ze gevonden wílden worden.

Frank droeg de AR-15 en had het jachtgeweer op zijn rug hangen. Hij gaf de voorkeur aan het machinegeweer voor grotere afstanden – het jachtgeweer zou pas nuttig zijn als ze binnen waren. Als ze al binnen kwámen.

Ze moesten door de dierentuin om bij het huis te komen. Het was bizar, want de dieren waren 's nachts wakker. De vogels begonnen te krijsen en hij kon de katachtigen in hun kooien heen en weer horen lopen, zag hun ogen rood oplichten.

En, net als in Vietnam, verwachtte Frank andere flitsen het donker te zien doorboren – het mondingsvuur van een hinderlaag – tot hij zich realiseerde dat hij en Mike zich tussen de schutters en de dieren bevonden en dat Mac nooit het risico zou willen lopen dat een van zijn lievelingen per ongeluk werd neergeschoten.

Het zwembad glinsterde koel en blauw. Het was verlicht, maar er was niemand buiten, in elk geval niet voor zover ze zagen. Ze zijn binnen, dacht Frank, of beter nog, op het dak, en wachten tot we zo dichtbij zijn dat ze niet kunnen missen.

De nachtelijke hemel kan elk moment oplichten als een vuurwerk.

Frank sloop om het zwembad heen, drukte zich plat op de patio tegen de hoek van het huis en beduidde Mike hetzelfde te doen. Toen richtte hij het nachtvizier van zijn geweer op het dak en bekeek het van links naar rechts. Hij zag niets, maar dat betekende niet dat ze er niet waren, languit op de dakkapellen of achter de schoorstenen.

Er lag een gazon van een meter of vijftien tussen hen en de achterkant van het huis.

'Dek me,' fluisterde hij tegen Mike.

Toen, zo diep mogelijk bukkend en toch nog in staat om te rennen, stormde hij naar het huis en drukte zich plat tegen de muur. Hij haalde een granaat uit zijn zak, stak zijn vinger door de ring, klaar om hem op het dak te gooien, en wuifde toen naar Mike.

Mike sprong overeind en rende naar het huis en daar bleven ze even staan, tegen de muur gedrukt, om op adem te komen.

De glazen schuifdeur was op slot. Frank brak het glas met de geweerkolf, stak zijn hand naar binnen en schoof de deur open. Mike liep langs hem heen, ging met het jachtgeweer tegen zijn wang gedrukt naar binnen en keek de kamer rond.

Niets.

Frank rende hem voorbij naar de volgende muur en zo werkten ze het huis af.

Ze vonden Mac in de dojo.

Met ontbloot bovenlijf en blote voeten, slechts gekleed in de broek van een zwarte *gi*, stond hij langzaam en ritmisch tegen een zware zak te schoppen. De zak klapte bij elke schop dubbel naar het plafond en de zware dreun galmde door de lege ruimte.

Een jazzfluit klonk zacht uit de geluidsinstallatie.

In een houder op de grond brandde een wierookstokje.

Frank bleef op zes meter afstand staan en hield het geweer op hem gericht. Een man van Macs lengte en atletische vermogen kon die afstand in anderhalve pas overbruggen en de schop zou dodelijk zijn.

Mac draaide zijn hoofd om en keek hen aan, maar hij bleef schoppen.

'Ik heb de voordeur voor jullie opengelaten,' zei hij. 'Jullie hebben een hoop moeite voor niks gedaan, mijn dieren van streek gemaakt én mijn schuifdeur kapotgemaakt.'

'Ze hebben de jongen doodgeslagen,' zei Frank.

Mac knikte en schopte weer tegen de zak. De beweging leek tegelijk soepel en moeiteloos, maar de zak vloog tegen het plafond en viel toen met een klap omlaag. 'Ik heb het gehoord,' zei Mac. 'Ik heb het ze niet opgedragen. Ik keur het niet goed.'

'Laten we hem verdomme gewoon doodschieten, Frank!'

'Ik heb me kwetsbaar opgesteld als blijk van oprechtheid,' zei Mac, 'en uit vrije wil. Als je me wilt doden, dood me dan. Ik ben volmaakt kalm.'

Hij hield op met tegen de zak schoppen.

Frank deed twee stappen achteruit en hield het geweer gericht, maar Mac knielde op de grond, legde zijn billen op zijn hielen, snoof de wierookgeur op, sloot zijn ogen en spreidde zijn armen met de palmen naar boven.

'Wat is dit verdomme?' vroeg Mike.

Frank schudde zijn hoofd.

Maar ze schoten niet.

Er verstreek een lange minuut, toen opende Mac zijn ogen, keek om zich heen alsof hij enigszins verbaasd was en zei: 'Laten we het dan over zaken hebben. Jullie moeten weten dat jullie informatie verouderd is: meneer Porter heeft besloten er de brui aan te geven. Zijn exacte woorden waren: "Ik ben het beu voor een omhooggevallen aap te werken", waarbij de aap in kwestie ikzelf was. Nu dat zo is ben ik bereid genoegen te nemen met vijftig procent van de Pinto Club. En als jullie willen dat ik Pat Porter dood, zal ik hem doden.'

'Dat is al geregeld,' zei Frank.

Mac stond op en glimlachte. 'Dat dacht ik al.'

Het leven was een tijdlang heel goed.

Ze moesten zich een paar weken schuilhouden in Mexico, terwijl de politie en de media zich als gieren op de Stripcluboorlog stortten. Die had alles wat de kijkers van het late nieuws konden wensen en meer: seks, geweld, gangsters en meer seks. De ene stripper na de andere gaf live-interviews en een van hen belegde zelfs een persconferentie.

Toen trok een nieuwe gruwel de aandacht en de media trokken verder.

De politie had een langere aandachtsboog.

Vier moorden in één nacht, kennelijk verband houdend met elkaar, legden de jongens van moordzaken het vuur aan de schenen en de FBI bemoeide zich ermee vanuit de Orange County-invalshoek en begon een territoriumstrijd. Iedereen verdacht Mike Pella van de moord op Georgie Yoznezensky, maar voor de verandering was Mike daar onschuldig aan, dus het kreeg nooit een vervolg.

Myrna hield haar mond en Mike bezorgde haar een baan in een club in Tampa. De stripper met het junkievriendje verliet de stad en jaren later hoorde Frank dat ze in East St. Louis aan een overdosis was gestorven.

Wat de drie Britten betrof die in negentig seconden tijd waren neergemaaid in de White Hart, niemand in de bar kon de schutter identificeren en de wapens vertoonden geen vingerafdrukken en waren niet te traceren. Uiteindelijk concludeerden de politie van San Diego en de FBI dat het een Londense territoriumstrijd was geweest die in Mission Viejo was uitgevochten en ze sloten het dossier.

Mike en Frank namen een vakantie in Ensenada en keerden toen terug naar het goede leven, want als compagnon van Big Mac McManus zat je geramd.

Mac veranderde alles wat hij aanraakte in goud.

Hij was een soort koning, een luisterrijke keizer van een betoverd land waar melk, honing, vrouwen en geld rijkelijk stroomden.

Maar Frank kreeg niets van dat alles binnen. Hij sloeg Mikes aanbod van een aandeel in de Pinto af, want de FBI was er kind aan huis. Hij bleef met limousines werken, stak het geld in zijn viszaak en stopte het in een oude sok voor de spreekwoordelijke moeilijke tijden. Maar een enkele keer ging hij naar de zondagmiddagfeesten om aan het buffet mee te doen.

'Je gaat hoeren oppikken,' zei Patty dan.

'Nee, dat doe ik niet.'

Het was een vermoeiende oude ruzie.

'De zondagen zouden voor je gezin moeten zijn,' voerde Patty aan.

'Je hebt gelijk,' zei Frank. 'Laten we met zijn allen gaan.'

'Leuk,' zei Patty. 'Nu wil je je vrouw en dochter al meenemen naar een orgie.'

Daar zat iets in, moest Frank toegeven. Hoewel hij nooit aan de seksuele uitspattingen meedeed. Meestal trokken hij en Mac zich terug in de dojo om te trainen. Mac leerde hem vechtsporten, leerde hem in feite de beweging die bijna twintig jaar later op de boot zijn leven zou redden.

Ze trainden stevig, schopten tegen de zak, sparden daarna wat, gingen dan de gewichtenbank te lijf. Daarna dronken ze wat vruchtensap en praatten over het leven, zaken, muziek, filosofie. Mac leerde Frank alles over jazz en Frank maakte hem vertrouwd met opera.

Het waren mooie tijden.

Het kon niet eeuwig duren.

Het kwam door de coke.

Frank heeft nooit geweten wanneer Mac ermee begon, maar opeens leek het het enige wat hij deed. Er verdwenen bergen coke in Macs neus en hij nam vaak bijna een harem mee naar zijn slaapkamer en was dan dagenlang onvindbaar. Na een tijdje stopte hij met de harem en verdween in zijn eentje, om laat in de middag tevoorschijn te komen, áls hij al terugkwam, en meer coke te eisen.

Het veranderde hem.

Mac werd voortdurend boos. Hij kreeg plotselinge, onvoorspelbare woedeaanvallen en verviel dan in lange, onsamenhangende tirades dat hij al het werk en al het denkwerk deed en dat niemand het waardeerde.

Toen kwam de paranoia.

Iedereen was erop uit om hem te pakken, iedereen zwoer tegen hem samen. Hij verdubbelde de beveiliging rondom het huis, kocht dobermanns die hij 's nachts over het terrein liet zwerven, installeerde meer alarmsystemen en zat steeds vaker alleen in zijn kamer.

Hij ging niet meer naar zijn dojo. De zware zak hing er roerloos en ongebruikt bij, een eenzaam symbool van Macs aftakeling.

Frank probeerde met hem te praten. Het haalde niets uit, maar Mac waardeerde de poging.

'Al die lui,' zei hij op een avond tegen Frank toen ze samen bij het zwembad zaten. 'Al die lui zijn klaplopers. Het zijn allemaal parasieten. Jij niet, Frank Machianno; jij bent een vént. Je houdt van me van man tot man.'

Zo was het.

Frank hield van hem.

Hield van de herinnering aan het befaamde, genereuze genie dat Mac was geweest en opnieuw kon worden. In plaats van het paranoïde, verachtelijke, onsamenhangende omhulsel dat hij was geworden. Mac zag er verschrikkelijk uit, zijn ooit zo strakke lijf was uitgezakt en mager. Hij at zelden, zijn ogen waren groot en zijn huid leek donkerbruin perkament.

'Die lui,' vervolgde Mac, 'zullen me vermoorden.'

'Nee, Mac,' zei Frank.

Maar ze deden het wel.

Die herfst kwam John Stone tijdens een zondagsfeest naar Frank toe en zei: 'Hij bedriegt ons.'

'Wie?'

'Onze "partner",' zei Stone. Hij wees naar Macs slaapkamer, waar Mac zich had verschanst, zoals hij in die tijd meestal deed. En de zondagsfeesten waren ook niet meer wat ze geweest waren. Er kwamen steeds minder mensen en degenen die kwamen waren voornamelijk ruigeseks- en cokefreaks.

'Gelul,' zei Frank.

'Niks geen gelul,' zei Stone. 'De helft van ons geld verdwijnt in de neus van die nikker.'

Frank wilde het niet geloven, maar de praatjes over 'bedrog' werden alleen maar erger. Stone en Sherrell vergaderden met Mike om hem de cijfers te laten zien. Frank weigerde erbij te zijn. Hij had het op allerlei manieren gerationaliseerd: a. Mac stal niet; b. zelfs als hij stal, verdiende hij zoveel geld voor ze dat ze beter af waren met hem als hij stal dan zonder hem; c. Mac stal niet.

Maar Mac stal wel.

Hij wist dat Mac stal.

Stone confronteerde Mac met de bewijzen en Mac dreigde

hem te vermoorden, hem en zijn hele familie te vermoorden, ze allemaal te vermoorden.

'Hij moet verdwijnen,' zei Mike tegen Frank.

Frank schudde zijn hoofd.

'Niemand vraagt je erover te stémmen, Frank,' zei Mike. 'Het besluit is genomen. Ik ben hier alleen uit, nou ja, beleefdheid, omdat ik weet dat hij je vriend is.'

Je bent alleen gekomen, dacht Frank, om er zeker van te zijn dat Frankie Machine het niet persoonlijk zal opvatten. Het zal opvatten als wraak, zal reageren zoals ik op de dood van Georgie Y reageerde.

'Die lui in de Lamp,' voegde Mike eraan toe, 'hebben het goedgekeurd.'

Waarmee hij Frank liet weten dat, als hij besloot er iets tegen te doen, hij het ook tegen Detroit zou opnemen.

'Wat hebben de Migliores hiermee te maken?'

'Ze hebben stripclubs,' zei Mike. 'De verslaving van die nikker raakt ook hen. Het bevalt ze niet. Krantenkoppen zijn slecht voor de zaken. Hij moet verdwijnen, Frank.'

'Laat mij het doen.'

'Wat?'

'Laat mij het doen,' zei Frank.

Jullie zijn stervensbang voor hem. Jullie zullen in paniek raken en erop los schieten tot er niets meer van hem over is. Als het dan toch moet gebeuren, laat mij het dan snel en schoon doen.

Dat is het minste.

Hij is mijn vriend.

Frank vond hem in de dojo. Miles Davis' *Bitches Brew* schalde uit de geluidsinstallatie. Frank liep naar binnen en zag Mac op één wankel been staan terwijl hij met het andere tegen de zak schopte.

De zak bewoon amper.

En Mac zág hem niet eens.

Frank liep naar hem toe en schoot twee .45-kogels in zijn achterhoofd.

Toen ging hij naar huis, haalde zijn oude longboard uit de garage en zette het stevig in de was. Hij ging ermee te water en liet zich beuken door de golven.

Hij ging niet meer terug naar de limousines of de Pinto Club.

Later dat jaar vroeg Patty echtscheiding aan.

Frank verzette zich niet.

Hij gaf haar het huis en de voogdij over Jill.

50 WEER VIER lijken, denkt Frank terwijl hij door de woestijn rijdt.

De Engelsman Pat Porter en zijn twee jongens.

En Mac.

Weer vier kandidaten, maar niet bepaald sterke. Verdomme, het is bijna twintig jaar geleden. Zelfs toen werd gezegd dat de mensen in Londen opgelucht waren dat Porter en zijn ploeg hun retourtickets niet hadden verzilverd.

En Mac?

Hij had geen familie gehad, niemand. En de politie van San Diego had niet haar stinkende best gedaan om de moord op een criminele ex-collega te onderzoeken.

Natuurlijk, Mike raakte de Pinto Club kwijt. Zonder Mac om hem in toom te houden richtte hij de club te gronde en stak er uiteindelijk de fik in voordat de fiscus, de bank of de andere schuldeisers hem van hem konden afpakken.

Toen werd hij geklist voor de brandstichting en ging voor tien jaar achter de tralies.

De Migliores namen uiteindelijk de hele stripclubbusiness in San Diego over, en de bijbehorende prostitutie en porno, met de Combinatie als grote beschermers.

Maar wat heeft dat met mij te maken? vraagt Frank zich af.

Is het mogelijk dat de FBI een van de stripcluboorlogdossiers heeft heropend en achter de Migliores aan zit? En dat die daarom mogelijke getuigen elimineren, onder wie ondergetekende?

In dat geval zou Mike wel eens in de stront kunnen zitten.

Frank stopt naast de weg.

Moe.

Het treft hem als een koude, harde golf.

Die vermoeidheid, die... wánhoop. Die erkenning van de realiteit, dat hij kan vluchten en vechten, vluchten en vechten en elke keer winnen, maar dat hij uiteindelijk, onherroepelijk, zal verliezen.

Verdomme, denkt Frank, ik héb al verloren.

Mijn leven.

Het leven waarvan ik hou tenminste. Frank de Aasman is al dood, ook al rekt Frankie Machine zijn bestaan. Dat leven is weg – mijn huis, de vroege ochtenden op de pier, de aaswinkel, met mijn klanten kletsen, de kinderen sponsoren.

Het Herenuurtje.

Allemaal verdwenen, ook al 'leef' ik.

En Patty.

En Donna.

En Jill.

Wat zal er voor me overblijven? Korte, gespannen ontmoetingen in hotels? Haastige, van angst bezwangerde omhelzingen? Misschien een snelle kus, een haastige knuffel. 'Hoe is het?' 'Nog nieuws?' Misschien komen er ooit kleinkinderen. Jill zal foto's naar een postbus sturen. Of misschien kan ik naar een website gaan en mijn kleinkinderen zien opgroeien op het scherm van een laptop.

Als het leven louter vluchten is, waarom zal ik me dan druk maken?

Waarom zou ik niet meteen de loop in mijn mond stoppen?

Jezus, denkt hij, je bent Jay Voorhees geworden.
Dat is je dood, zekerder dan een kogel.
Hij pleegt een telefoontje.

51 THE NICKEL zat erop te wachten.

Een telefoontje van Frank via de reservetelefoon.

Vier uur 's morgens, hij is in die surrealistische halfslaap als de telefoon gaat.

'Frank, godzijdank.'

'Sherm.'

'Luister, er liggen een schoon paspoort en vliegtickets op je te wachten in Tijuana,' zegt Sherm. 'Je kunt morgenvroeg in Frankrijk zijn. De EU wijst niet uit bij halsmisdaden. Alles is geregeld voor Patty en Jill. Het beste, mijn vriend.'

'Loop ik opnieuw in een hinderlaag, vríénd?'

'Waar heb je het verdomme over?'

Sherm luistert naar wat Frank vertelt over de hinderlaag bij de bank en de gps-zender die naar het motel in Brawley leidde.

'Frank, je denkt toch niet...'

'Wat moet ik denken, Sherm?' vraagt Frank. 'Wie wisten het van die bank? Jij en ik.'

'Ze zijn hier geweest, Frankie,' zegt Sherm. 'Ik heb ze niets verteld, ik zweer het.'

'Wie?'

'Een paar maffiosi,' zegt Sherm. 'En de FBI.'

'De FBI?'

'Die maat van je,' zegt Sherm. 'Hansen. Ze hebben een arrestatiebevel laten verspreiden, Frank. Vanwege Vince Vena en Tony Palumbo.'

Tony Palumbo? denkt Frank. Dat moet die vent met de garrot op de boot zijn geweest. 'Weet je iets over die Palumbo, Sherm?'

'Het gerucht gaat,' zegt Sherm, 'dat hij een undercoveragent van de FBI was, een verklikker, de man achter de G-Sting-aanklachten.'

G-Sting, denkt Frank.

Stripclubs.

Teddy Migliore.

En Detroit.

'Wie waren die maffiosi?' vraagt Frank.

'Dat weet ik niet,' zegt Sherm. 'Ik weet alleen dat ik ze niets verteld heb. Frank, waar bén je?'

'Ja hoor.'

Sherm klinkt terecht gekwetst. 'Na al die jaren, Frank.'

'Precies wat ik dacht, Sherm.'

'Je moet íemand vertrouwen, Frank.'

Is dat zo? denkt Frank. Wie? Er waren drie mensen die van het bestaan van die bank wisten – ikzelf, Sherm en Mike Pella. De enige van wie ik absoluut zeker weet dat hij me niet heeft verlinkt ben ík.

Dus kan ik Mike maar beter vinden, en ik weet niet waar hij is. Maar iemand anders misschien wel.

Kan ik Dave vertrouwen?

Omdat we al twintig jaar bevriend zijn?

Omdat hij me iets verschuldigd is?

52 HET WAS in 2002.

Dave was al twee weken niet meer op het Herenuurtje verschenen.

Frank wist waarom.

Iedereen in San Diego wist wat de FBI bezighield – de verdwijning van een meisje van zeven uit haar slaapkamer op de bovenverdieping in een van de voorsteden. De ouders van Carly Mack hadden haar de avond tevoren naar bed gebracht en toen ze haar 's morgens wakker wilden maken was ze verdwenen.

Zomaar verdwenen.

Angstaanjagend, dacht Frank toen hij het in de krant las. De ergste nachtmerrie van een ouder. Hij kon zich zelfs niet vóórstellen wat de Macks voelden. Hij herinnerde zich het moment van pure paniek toen hij Jill in het winkelcentrum tien seconden uit het oog had verloren. Wakker worden en zien dat ze verdwenen is. Uit je eigen huis, uit haar eigen slaapkamer?

Onvoorstelbaar.

Dus verwachtte Frank dat hij Dave even niet zou zien. De FBI deed alle ontvoeringen en hij hoorde Dave op de radio zeggen dat ze alles deden om de kleine Carly Mack te vinden en vragen of iedereen die iets wist zich wilde melden. De media stortten zich erop als meeuwen op een vissersboot en eisten dat de politie de kleine Carly zou vinden. Alsof Dave aansporing nodig had – Frank wist dat hij hier dag en nacht aan zou werken.

Daarom was hij die ochtend enigszins verbaasd toen hij Dave zag peddelen. De lange agent koerste recht op de branding af, zag Frank en wees met zijn kin naar zijn schouder. Frank peddelde naar hem toe en trof hem daar, op een plek buiten de branding waar een heleboel van de oudere mannen naartoe gingen om op een golf te wachten of even op adem te komen en te praten.

Dave zag er beroerd uit.

Zo kalm als hij normaliter was, wat er ook gebeurde of hoe zwaar hij ook onder druk stond, die ochtend had Dave donkere kringen om zijn ogen en een uitdrukking op zijn gezicht die Frank nooit eerder had gezien.

Woede, dat was het, concludeerde Frank.

Daves gezicht toonde woede.
'Praten?' vroeg Dave.
'Natuurlijk.'
Dave had heel wat te vertellen.
Carly's ouders, Tim en Jenna Mack, deden aan partnerruil. Jenna was de avond tevoren in een plaatselijke bar geweest met een vriendin, een zekere Annette, op zoek naar mensen om mee naar huis te nemen. Ze was aangeklampt door een vent van middelbare leeftijd, Harold Henkel, en had hem afgewezen.
Rond tien uur hadden Jenna en Annette het zoeken naar vers bloed gestaakt. Annette belde haar man en hij kwam naar de Macks voor het oude vertrouwde kwartet. Een beetje teleurstellend misschien, maar beter dan niets.
Jenna ging naar boven om naar de twee kinderen te kijken, de vijf jaar oude Matthew en de kleine Carly, en zag dat ze alle twee sliepen. Ze gaf ze een kus op de wang, deed de deur dicht, ging naar de 'recreatieruimte' die ze in de garage hadden gebouwd en zette het feest voort.
Alle vier hadden ze toegegeven dat ze wat wijn hadden gedronken en wat wiet hadden gerookt. Rond halftwee waren Annette en haar man naar huis gegaan.
Annette noch haar man had de recreatieruimte verlaten voordat ze naar huis gingen. Tim en Jenna gingen niet meer naar de kinderen kijken voordat ze naar bed gingen.
De volgende ochtend rond een uur of negen ging het broertje, Matthew, naar Carly's kamer om met haar te spelen. Ze was er niet. Matthew vond het niet vreemd en hij ging naar beneden om een kom cornflakes te eten. Tim vroeg hem of Carly wakker was en Matthew antwoordde dat hij dacht dat ze beneden was.
Jenna sliep nog.
Tim doorzocht het hele huis en vond Carly niet. Hij werd bang en zocht de buurt af, belde toen de buren. Jenna was in-

middels opgestaan en begon in paniek te raken. Matthew huilde.

Binnen vijftien minuten belden ze de politie.

'Raad eens wie er twee straten verderop woont?' vroeg Dave.

'Harold Henkel,' zei Frank.

Dave knikte. 'We hielden hem aan. Hij heeft een terreinwagen, die hij op straat parkeert. Zei dat hij het hele weekend weg was geweest, in de woestijn bij Glamis. De terreinwagen was brandschoon, Frank. Je kon het schoonmaakmiddel nog ruiken.'

'Mijn god.'

'Op maandagochtend bracht hij zijn jasje en wat dekens naar een stomerij,' zei Dave. 'Ik kreeg een huiszoekingsbevel, doorzocht zijn huis en zijn computer. De harde schijf stond vol kinderporno. Die smeerlap heeft het gedaan, Frank. Hij heeft dat meisje ontvoerd. Maar hij houdt zijn bek en staat op het punt een advocaat te eisen. Als ik hem in staat van beschuldiging stel, zal hij nooit vertellen waar Carly is. Stel dat ze nog leeft, Frank? Stel dat hij haar ergens in de woestijn heeft achtergelaten en dat de klok doortikt?'

De tranen stonden in Daves ogen. Hij had het niet meer. Frank had hem nog nooit zo gezien, op geen stukken na.

'Wat kan ik voor je doen?' vroeg Frank.

'We moeten uitzoeken waar ze is, Frank,' zei Dave. 'En snel ook. Als ze nog leeft, moeten we haar vinden voordat het te laat is. Als ze dood is... worden de aanwijzingen elke seconde vager. Als *wij* het hem vragen, Frank, zijn we haar kwijt. Maar als iemand anders Henkel aan het praten zou kunnen krijgen...'

'Waarom vraag je dat aan mij, Dave?' vroeg Frank, hoewel hij het antwoord al wist.

'Omdat,' antwoordde Dave, 'jij Frankie Machine bent.'

Dave maakte die avond proces-verbaal op tegen Henkel,

zonder hem in staat van beschuldiging te stellen. Waarschuwde hem de stad niet te verlaten, zette hem toen bij de achteruitgang van het gebouw van de FBI in een geblindeerd busje om hem tegen de pers te beschermen, en bracht hem naar het centrum, waar hij een taxi kon nemen waarheen hij maar wilde.

'U kunt misschien beter niet naar huis gaan,' waarschuwde Dave hem. 'De media belegeren uw huis.'

Henkel stapte in de eerste de beste taxi.

Eén straat verderop zette Frank de taxi stil en Mike Pella stapte van het trottoir op de achterbank en ramde een naald in Henkels arm voordat de man kon reageren.

Toen Henkel bijkwam was hij in de woestijn, naakt en vastgebonden op een stoel. Een man van ongeveer zijn eigen leeftijd en slechts iets kleiner zat op een kruk tegenover hem een aria te fluiten terwijl hij het lemmet van een vismes zorgvuldig langs twee slijpstenen haalde die onder een hoek van vijfenveertig graden op een plankje stonden.

Eerst de rechterkant, daarna de linker.

De rechterkant, daarna de linker.

Het was een duur stuk slijpgereedschap dat Frank had gekocht om zijn nog duurdere Global-keukenmessen in topconditie te houden. Er waren weinig dingen die Frank intenser verafschuwde dan een bot mes.

Eén van die dingen echter was iemand die een kind kwaad deed.

Die stond boven aan de lijst.

Hij merkte dat Henkel was bijgekomen.

Geen wonder dat Jenna Mack geen belangstelling had gehad. Henkel was een dikke vent met een vetrol rond zijn middel. Kalende kruin, een peper-en-zoutkleurige snor en sik rondom dikke lippen. Lichtblauwe ogen, die nu groter werden van verwarring en angst.

Zijn terreinwagen stond een meter of vijf verderop.

In een ravijn, in de woestijn.
'Waar ben ik?' vroeg hij. 'Wie ben jij?'
Frank zei niets. Hij bleef het lemmet langs de twee slijpstenen halen en genoot van het geluid van staal op steen.
'Wat is dit verdomme?' schreeuwde Henkel. Hij rukte aan de touwen waarmee zijn armen strak tegen de stoel waren gebonden. Keek omlaag en zag dat zijn enkels met tape aan de stoelpoten waren vastgezet.
Frank ging onverstoorbaar door met het fluiten van een aria uit *Gianni Schicchi*.
'Ben je van de politie?' vroeg Henkel. Er was een vage klank van paniek in zijn stem geslopen. 'Geef godverdomme antwoord!'
Frank haalde het lemmet langs de ene steen, toen langs de andere.
De ene, toen de andere.
Langzaam, zorgvuldig.
'Mijn advocaat nagelt je aan het kruis!' schreeuwde Henkel stompzinnig.
Nu keek Frank hem aan, testte het lemmet met zijn duim en kromp even ineen toen hij zich sneed. Hij legde het mes in zijn schoot, haalde de twee stenen weg, borg ze op in de cassette en verving ze door twee staven titanium, waarna hij het hele proces van voren af aan herhaalde.
De zon begon net op te komen, zwak en roze.
Het was nog koud en Henkel rilde dus sowieso, maar nu begon hij te beven van angst. Hij begon te gillen: 'Help! Help!', al moest hij weten dat het zinloos was. Een woestijnrat zoals Henkel zou weten dat ze midden in het Anza-Borrego Desert State Park waren en dat niemand hem zou horen.
Hij weet het gegarandeerd, dacht Frank, zoals hij ook moet hebben geweten dat niemand de kreten van Carly Mack zou horen.
Frank haalde de staaf langs de ene steen, toen de andere.

De ene, toen de andere.

Henkel begon te snikken, toen begaf zijn blaas het en urine stroomde langs zijn been op de tape rond zijn enkels. Zijn kin viel op zijn borst en zijn hoofd schokte op en neer van het huilen.

Frank beëindigde de *Gianni Schicchi*-aria en schakelde over op 'Nessun Dorma'. Haalde het lemmet langs de ene staaf, daarna de andere. De ene, daarna de andere. Hij testte het opnieuw, knikte tevreden en borg de staven zorgvuldig op in de cassette. Hij stond op van zijn kruk, legde het lemmet tegen de huid op Henkels borst en zei: 'Harold, je moet een beslissing nemen: levenslang, misschien een dodelijke injectie, of ik vil je.'

Henkel kreunde.

'Ik vraag het je één keer,' zei Frank. 'Harold, waar is het meisje?'

Henkel vertelde het.

Hij had Carly achtergelaten in een oude mijnschacht, twaalf kilometer verderop.

'Leeft ze nog?' vroeg Frank en hij probeerde zijn stem niet te laten beven.

'Toen ik haar achterliet wel,' zei Henkel.

Hij had niet het lef gehad haar te doden nadat hij haar had verkracht en had haar dus maar voor dood achtergelaten. Frank legde het mes weg, haalde een mobiele telefoon uit zijn zak, belde Dave en gaf hem de locatie. Toen zei hij tegen Henkel: 'We blijven hier zitten tot het geverifieerd is. En als je tegen me hebt gelogen, stuk stront, neem ik vijf uur de tijd om je te doden en God zelf zal zich doof houden.'

Henkel begon een akte van berouw te prevelen.

'Nou je toch aan het bidden bent,' zei Frank, 'bid dan dat het meisje nog in leven is.'

Dat was ze.

Ternauwernood – ze was zwaar onderkoeld en ernstig uitgedroogd, maar ze leefde. Een huilende Dave Hansen belde

Frank toen ze haar in de helikopter legden. 'En, Frank,' zei hij, 'bedankt.'

'Hou het uit de kranten,' zei Frank.

Dat deed Dave uiteraard. En Henkel ook. Frank maakte zijn boeien los en liet hem achter met een waarschuwing dat dit alles nooit gebeurd was, dat Henkel een bekentenis had afgelegd tegenover de FBI en dat, als er ooit een ander verhaal zou opduiken, hij het geen dag zou uithouden in de gevangenis.

Mike kwam, nam Frank mee en tien minuten later arriveerde de FBI. Die avond zat Frank voor de tv en keek naar de hereniging van Carly met haar mama en papa.

Hij huilde als een kind.

Henkel had zijn mond gehouden.

Hij bekende, kreeg 299 jaar en overleefde er twee als de *piñata* van het cellenblok, tot een of andere motorduivel zich in een speedroes liet meeslepen en zijn milt openscheurde.

Henkel stierf voordat de ziekenbroeders aangesloft kwamen.

De aanklacht tegen de motorduivel werd geseponeerd bij gebrek aan bewijs, voornamelijk omdat twintig anderen zich meldden om de eer op te eisen en dat voor de rechtbank zouden hebben getuigd en trouwens, de aanklagers hadden wel wat beters te doen.

De Macks verlieten de stad en veranderden van 'levensstijl'.

Frank en Dave hadden er nooit meer over gesproken, op één keer na, tijdens het eerste Herenuurtje nadat Carly Mack levend was teruggevonden.

'Ik sta bij je in het krijt,' was het enige wat Dave had gezegd.

Niets over Frankie Machine of wat hij wist over Franks andere leven, niets over hoe Frank Henkel had overgehaald.

Alleen: 'Ik sta bij je in het krijt'.

53 DAVE SCHUIFT zijn longboard achter in zijn stationcar als Frank achter hem opduikt.

'Bloedlink, surfen tijdens een stortbui,' zegt Frank. 'God mag weten wat voor giftige troep er uit de regenwolken lekt. Je vráágt gewoon om hepatitis.'

'Je hebt het recht om...'

'Je arresteert me niet, Dave.'

'Waarom niet?'

'Omdat je bij me in het krijt staat.'

Dat is zo en Dave weet het. 'Laten we bewijzen dat iedereen het mis heeft,' zegt hij, 'en in de regen gaan surfen.'

Frank stapt in aan de passagierskant van de stationcar. De twee mannen kijken naar de oceaan terwijl de regen op de voorruit klettert.

'Nog iets goeds gevangen?' vraagt Frank.

'Voornamelijk grut,' zegt Dave. 'Waar heb jij uitgehangen?'

'Op de vlucht.'

'Ben je toevallig een zekere Vince Vena tegengekomen?'

Frank staart hem aan.

'Hij spoelde aan in mijn district,' zegt Dave. 'Nog bedankt.'

'Rare stromingen met zulk weer,' zegt Frank.

'Het scheelde maar een haar.'

'Als ik zou zeggen dat ik hem gedood had,' zegt Frank, 'wat ik niet doe, zou ik zeggen dat het zelfverdediging was.'

'En Tony Palumbo?' vraagt Dave. 'Was dat ook zelfverdediging?'

'Eigenlijk wel, ja.'

'Gelul, Frank,' zegt Dave, boos wordend. 'Je elimineert de G-Sting-getuigen.'

'Waar heb je het over?'

'Palumbo was een van mijn mannen,' zegt Dave, 'een undercover. Al jaren. Wie heeft je betaald? Teddy Migliore? Detroit?'

'Zó hebben ze me betaald, Dave.'

Frank trekt de hals van zijn trui omlaag en laat Dave de striem zien, die nog vuurrood is. 'Je man probeerde me koud te maken, Dave. Hij sloeg een garrot om mijn nek.'

'Dat slaat nergens op,' zegt Dave.

'Palumbo zou niet de eerste undercover zijn die van twee walletjes eet,' zegt Frank. 'Trouwens, was Vega een van je getuigen?'

'Ik hoopte dat hij dat zou zijn als ik hem eenmaal in staat van beschuldiging had gesteld,' zegt Dave. 'Maar daar heb jij een stokje voor gestoken.'

'Het is precies andersom, Dave. Zíj probeerden míj te vermoorden. Ze kregen het niet voor elkaar.'

Hij vertelt Dave wat Mouse Junior te melden had, over zijn discussie met John Heaney en zijn confrontatie met Teddy Migliore. Over een ploeg uit Detroit die probeerde hem koud te maken.

Dave kijkt zijn oude vriend aan. In twee decennia Herenuurtjes leer je iemand kennen. En dan de zaak-Carly Mack...

'Wat heeft G-Sting met mij te maken?' vraagt Frank.

'Niets, voor zover ik weet,' zegt Dave.

'Vertel me de waarheid!' schreeuwt Frank. 'Ik probeer mijn leven te redden!'

'Ik kan je helpen, Frank.'

'Ja hoor, zoals je me in Borrego hebt geholpen?' vraagt Frank. 'Zoals je me in Brawley hebt geholpen? Je luisterde Sherm Simon af, Dave. Je liet een gps tussen het geld stoppen. Je bent me gevolgd en je hebt me aan Detroit uitgeleverd.'

'Ik ben je gevolgd,' bekent Dave. 'Maar ik heb je aan niemand uitgeleverd.'

'Je bent een vuile smeris,' zegt Frank en hij zoekt in Daves ogen naar bevestiging.

Die hij niet ziet.

Wat hij ziet is dat zijn oude vriend kwaad is. Hij heeft hem zo niet meer gezien sinds de zaak-Carly Mack.

‘Kom erbij,’ zegt Dave.

‘Ik doe niet mee aan het programma,’ zegt Frank. ‘Wat ik verder ook mag zijn, ik ben geen rat.’

‘Dan zou je zowat de enige zijn.’

‘Ik kan niet namens anderen spreken,’ zegt Frank. ‘Ik kan alleen namens mezelf spreken.’

‘Die lui proberen je te vermoorden!’ roept Dave. ‘En jij verdedigt ze? Wat heeft Pete Martini ooit voor je gedaan? Of wie dan ook van die lui? Ooit? Je hebt een dochter, Frank, die arts wil worden. Wat heeft Jill aan je als je onder de groene zoden ligt?’

‘Voor Jill is gezorgd,’ zegt Frank. ‘En voor Patty.’

‘Koppige klootzak dat je bent.’

‘Kun je me mijn leven teruggeven?’

‘Nee,’ zegt Dave, ‘maar ik kan je *een* leven teruggeven.’

Zelfs als het waar is, denkt Frank, is het niet genoeg.

‘Ik heb een verzoek, Dave.’ Tegenprestatie voor Carly Mack.

‘Wat je maar wilt,’ zegt Dave.

Ik sta bij je in het krijt.

‘Het enige wat ik me kan voorstellen is dat het te maken heeft met iets wat Mike Pella en ik indertijd mogelijk hebben gedaan,’ zegt Frank. ‘Ik ben al heel lang uit de running. Ik weet niet wat wat is. Ik moet weten of Mike dood is. Of, als hij nog leeft, waar hij verdomme is. Ik dacht dat jij er misschien iets over zou weten.’

‘Dat kan ik niet maken, Frank.’

Frank kijkt hem een seconde aan, opent dan het portier om uit te stappen.

‘Doe de deur dicht, Frank.’

Frank doet hem dicht.

Dave zegt: ‘Zweer dat je hem niet zult doden.’

Dus Mike leeft nog en de FBI houdt hem in de gaten. Alles past in elkaar.

‘Ik wil alleen maar met hem praten,’ zegt Frank.

De lucht is parelgrijs en, net als een parel, glanst in de regen, bijna doorschijnend. Het is mooi, denkt Frank. Hij kijkt naar een aanzwellende golf, een dikke muur van water die naderbij komt, met een schuimkop die als een koorddanser op de top balanceert.

'Pella is niet betrokken bij G-Sting,' zegt Dave.

Dus...

'We verdenken hem van de moord op Goldstein.'

Ka-boem. De golf explodeert met een dof gebulder.

In Franks hoofd.

Hij heeft het gevoel dat hij verdrinkt. Kopje-onder wordt gehouden.

'Dat kan niet,' zegt Frank.

Dave haalt zijn schouders op. 'Hij woont in Palm Desert. Onder de naam Paul Otto.'

'Houden jullie hem in de smiezen?'

Dave schudt zijn hoofd. 'Hij zit in het programma, Frank.'

Mike is een rat.

54 FRANK HAD zich in '97 een poos teruggetrokken.

Althans, uit het léven. Geen limousines meer, geen stripclubs meer, geen Orange County meer. Hij werkte in zijn aaswinkel, zijn viszaak, zijn linnenservice en zijn verhuurbedrijf toen Mike Pella naar hem toe kwam om over het terugpakken van Vegas te praten.

'Terugpakken?' vroeg Frank. 'Hebben we het dan ooit gehád?'

Ze waren op de Ocean Beach Pier, liepen er een zware lunch in het OBP Café af. Mike was ouder geworden. Er zat heel wat grijs in dat zwarte haar en de brede schouders waren, hoewel nog steeds breed, een beetje gebogen.

'Las Vegas zou van óns moeten zijn,' zei Mike. 'Niet van New York, niet van Chicago, L.A.'

Dekstoelen op de *Titanic*, dacht Frank. Een meute hyena's die vecht om een uitgedroogd skelet. Er is niets te halen in Vegas, niet sinds Donnie Garth kroongetuige was en als gevolg van de RICO-wet alles werd gesloten. Trouwens, Las Vegas is tegenwoordig Gezinsstad, VS, Disneyworld met eenentwintigen. Het krioelt er van de bedrijven.

Juristen en administrateurs.

'Peter is klaar om iets te doen,' zei Mike. 'Terugpakken wat van ons is. Van onze familie weer een echte familie maken.'

'Hoe vaak hebben we dat "echte familie"-deuntje gehoord?' vroeg Frank. 'We hebben het van Bap gehoord, we hebben het van Locicero gehoord, daarna Regace, daarna Mouse voordat hij voor de eerste keer wegging, Mouse voordat hij voor de tweede keer wegging...'

'Dit keer is het menens.'

'Wat maakt het deze keer anders?'

Herbie Goldstein, vertelde Mike hem.

Dikke Herbie? dacht Frank. Pavarotti-dubbelganger Herbie, de Will Rogers van de gebaksvitrine? De man die nog nooit een donut heeft ontmoet die hij niet lekker vond? Is die man Mouses vrijkaart voor de voorstelling?

De tijd was Herbie niet goedgezind geweest. Hij had acht jaar gezeten voor het gebruik van vervalste creditcards en postzegeldiefstal. Postzegeldiefstal, zover was het gekomen, dacht Frank. In de gevangenis had Herbie niet één maar twee bypassoperaties ondergaan en ze hadden een paar tenen geamputeerd vanwege diabetes. Nu was hij vrij en runde een zaak in tweedehands auto's om geld te kunnen witwassen en tegelijkertijd verzekeraars te kunnen tillen met autoreparaties.

'Herbie heeft geen cent,' zei Frank.

'Tegenwoordig wel,' zei Mike.

Bleek dat Herbie samenwerkte met een stinkend rijke casino-eigenaar, Teddy Binion, die Herbie honderdduizend dollar had gegeven om op straat te brengen. Toen deed Herbie iets heel slims: hij gaf het allemaal aan een indiaan.

'Een indiaan?' vroeg Frank.

'Indiaanse gokkers?' hielp Mike hem op weg. 'Die vent gaat naar reservaten, lult ze om om een casino te bouwen, sleept het beheerscontract binnen én de woekerleningen aan de chronische verliezers. Hij verdient aan twee kanten – hij krijgt de room en hij krijgt de winst op het geld dat hij op straat brengt, of op het zandpad of wat ze ginds ook mogen hebben. Opperhoofd Rennend Hert, of hoe hij ook mag heten, schuift af aan Herbie, die afschuift aan Binion, die zwaar verslaafd is aan coke en showgirls, die Herbie hem alle twee levert.'

'Dus?'

'Dus,' legde Mike uit, 'Binion ligt overhoop met de Nevada Gambling Commission vanwege zijn drugsgebruik en zijn vriendschap met de bekende maffioso Herbie Goldstein. Nog even en zijn naam komt in het zwartboek en dan zal hij het casino moeten verkopen. Dus laat hij Herbie komen om het leeg te roven, het compleet af te romen. En let wel,' zei Mike, 'Binion vertrouwt Herbie zo blindelings dat hij hem al zijn juwelen heeft gegeven – ter waarde van honderdduizenden dollars – "in veilige bewaring". Herbie heeft ze thuis in een kluis.'

Hij hield zijn pols op en liet Frank zijn nieuwe Patek Philippe-horloge zien. 'Herbie gaf het me voor een rooie rug.'

Mooie 'veilige bewaring', dacht Frank.

'Herbie,' zei Mike, 'gaat Binions casino oplichten. Hij krijgt een deel van de indiaanse room, een percentage van de woekerrente. Plus dat hij die autozaak van hem gebruikt om verzekeringsmaatschappijen te tillen en de helft van de gejatte spullen in Nevada te helen.'

'Fijn voor Herbie.'

'Fijn voor óns,' zei Mike. 'We worden zijn partners.'

'Heeft Herbie daarmee ingestemd?'

'Nog niet,' zei Mike. 'Daar kom jij om de hoek kijken.'

Frank leunde over de reling en keek naar het blauwe water. 'Nee, daar kom ik níét om de hoek kijken. Ik mag Herbie. We zijn oude vrienden. Hij heeft me uienbrood leren eten. Dat is niet gering, Mike.'

'Ik mag Herbie ook,' zei Mike. 'We gaan hem niet ómleggen, we gaan hem úitleggen dat het niet juist is dat hij in zijn eentje eet terwijl zijn vrienden honger lijden. We beleggen een korte vergadering en ik denk dat als hij jou daar ziet... Trouwens, ik wil je die kans bieden. Het is je kans om een speler te zijn. Wil je de rest van je leven aas verkopen?'

Eerlijk gezegd wél ja, dacht Frank.

Dat zou nog eens mooi zijn.

'Mouse Senior vroeg of ik jou wilde vragen,' zei Mike. 'Hij zou het als een gunst zien.'

Wat, vertaald, betekende dat het een verplicht optreden was.

Ze kwamen samen bij Denny's.

Denny's, herinnert Frank zich, terugdenkend aan die tijd. Zover is het gekomen – lunchafspraken bij Denny's. Vettige menu's en smerige praatjes. De gebroeders Martini bestudeerden het menu alsof het de *Daily Racing Form* was en discussieerden over de 'verse vangst van de dag'.

'Zie je ginds een oceaan?' vroeg Carmen terwijl hij uit het raam naar de woestijn wees.

'Nee,' antwoordde Mouse Senior.

'Hoe kan-ie verdomme dan vers zijn?'

'Ik denk dat het betekent dat hij vers was toen ze hem invroren,' antwoordde Mouse Senior. 'Frank is er. Vraag het hem. Hij verkóópt vis.'

'Hoe zit het, Frankie?'

'Ze vangen hem, vriezen hem heel snel in en brengen hem 's nachts aan wal,' vertelde Frank hem terwijl hij naast Mike ging zitten.

‘Is dit jouw vis?’ vroeg Mouse Senior.
‘Ik verkoop niet aan restaurantketens.’
‘Dus, moet hij de vis nemen?’ vroeg Carmen.
‘Nee.’
Frank had het gevoel dat zijn hoofd elk moment kon barsten. De pure verveling...
Mouse Senior legde zijn menu weg. ‘Bedankt voor je komst, Frank.’
‘Geen punt, Peter.’
Carmen bedankte hem met een knikje en Frank knikte terug.
Ze hadden er zo’n anderhalf jaar voor nodig om te bestellen, met aparte rekeningen.
Frank bestelde ijsthee.
‘Meer niet?’ vroeg Mouse Senior. ‘Is dat je hele lunch? IJsthee?’
‘Meer hoef ik niet,’ zei Frank.
‘Dat is bijna asociaal,’ zei Mike.
‘Ik bedoel er niks mee,’ antwoordde Frank.
In werkelijkheid was het zo dat Frank te veel van lekker eten hield om iets van dit spul te gebruiken en, belangrijker nog, hij had een lunchafspraak na afloop van deze topconferentie. Hij had de avond tevoren in het Tropicana een adembenemende danseres ontmoet, Donna. Ze had gezegd dat ze wel met hem wilde lunchen, maar niet dineren en hij wilde haar naar iets echt leuks meenemen.
‘Laten we ter zake komen,’ zei Carmen toen het eten werd opgediend. ‘Herbie Goldstein.’
‘Een inhalige, egoïstische vrek,’ zei Mouse Senior, met een kloddertje tonijnsalade in zijn mondhoek. ‘Die vetzak van een Jood verdient geld als water en betaalt niemand.’
‘Vetzak van een Jood?’ zei Frank. ‘Wat is dat?’
‘Wat, ben je opeens Herbies dikke vriend?’ vroeg Mouse Senior.

'Nee, ik ben al járen met hem bevriend,' zei Frank. 'Net als jullie allemaal.'

'Weet je verdomme hoeveel hij verdient?' vroeg Mike. 'Alleen al de geheelde troep die hij in zijn verrekte huis heeft is waarschijnlijk kapitalen waard, en hij hamstert er ook geld.'

'Frank,' zei Carmen. 'Hij moet delen.'

'Ik weet het,' zei Frank.

'Dus?' vroeg Mouse.

'Ik zal met hem praten,' zei Frank. 'Geef me een kans om met hem te praten.'

'Niet jij alleen,' zei Carmen.

'Ik en Mike.'

'Mike, ermee eens?'

Mike knikte.

'Vandaag,' drong Carmen aan.

'Vanavond,' zei Frank.

Iedereen keek hem aan.

'Ik heb een afspraak vandaag,' zei Frank.

Ze spraken af dat Frank en Mike die avond met Herbie zouden praten en hem aan boord zouden halen.

'Maar, Frank,' zei Mouse, 'als Herbie niet doet wat hoort, dan...'

'Dan regel ik het,' zei Frank.

Dan gaat het andersom, dacht hij.

En dat was dat. De mannen beëindigden hun maaltijd, gelukkig in het besef dat ze Dikke Herbie Goldstein zouden gebruiken om hun overname van Las Vegas te financieren, en gingen toen naar de kassa om hun aparte rekeningen te betalen. Frank nam afscheid, ging naar het toilet en wachtte tot iedereen vertrokken was. Toen liep hij langs de tafel en zag precies wat hij al had verwacht.

Drie dollar en het wisselgeld als fooi.

Die inhalige klootzakken hadden daar twee uur gezeten en drie dollar plus wisselgeld achtergelaten. Frank haalde twee briefjes van twintig uit zijn portefeuille en legde ze op tafel.

De lunch met Donna was fantastisch.

Hij nam haar mee naar een klein Frans restaurant ver van de Strip en de dame kende de weg op een menukaart. Ze zaten tweeënhalf uur aan tafel, praatten, dronken wijn, aten goed en genoten van elkaars gezelschap.

Ze kwam oorspronkelijk uit Detroit, haar vader had zijn hele leven bij Ford aan de lopende band gestaan en ze wist dat ze dat niet wilde. Ze danste goed – ze had er het lichaam en de benen voor – en nam dus dansles: ballet, tot ze te lang werd, toen tapdansen en jazz. Ze trok naar Vegas met een jongen van wie ze meende te houden, trouwde, maar het werd niets.

'Hij hield nog meer van scoren bij serveersters dan van uithuilen bij mij,' zei Donna.

De jongen ging naar huis, zij bleef.

Aan het buffet in het Mirage ontmoette ze een showmanager, die haar een auditie bezorgde voor revuedanseres in het Tropicana. Uit dankbaarheid en omdat het een aardige vent was ging ze met hem naar bed, maar daar bleef het bij, afgezien dan van het feit dat ze de baan kreeg.

'Ik zag andere meisjes,' zei ze, 'die met Jan en alleman naar bed gingen, coke gebruikten, hogerop probeerden te komen. Ik realiseerde me dat er geen hogerop wás, dat het een doodlopende straat was, dus ik deed mijn werk, ging naar huis en waste mijn haren.'

Ze trouwde opnieuw, met het hoofd Beveiliging van Circus Circus. Het huwelijk duurde drie jaar – 'Geen kinderen, godzijdank' – en toen ontdekte ze dat hij erop los neukte met sletjes en hun geld over de balk gooide met blackjack.

'Waarom vertel ik je dit allemaal?' vroeg ze Frank. 'Normaliter ben ik erg terughoudend.'

'Het komt door mijn ogen,' zei Frank. 'Ik heb vriendelijke ogen – mensen vertellen me dingen.'

'Je hebt inderdaad vriendelijke ogen.'

'Jij hebt fantastische ogen.'

Ze vertelde hem alles over haar 'bedrijfsplan'.

'Ik dans nog twee jaar,' zei ze. 'Daarna begin ik een kleine winkel.'

'Wat voor winkel?'

'Dameskleding,' zei ze. 'Een boetiek, chic, maar niet onbetaalbaar.'

'Waar?' vroeg hij. 'Hier in Vegas?'

'Ik denk het wel.'

Hij boog zich enigszins naar voren. 'Heb je ooit over San Diego gedacht?'

Ze ging die middag niet mee naar zijn kamer, maar ze wilde wel naar San Diego komen als ze een paar dagen vrij had. Hij bood aan haar vliegticket te betalen en een hotel voor haar te boeken, maar ze zei dat ze liever zelf betaalde.

'Ik heb lang geleden geconcludeerd,' zei ze, 'dat een vrouw op deze wereld voor zichzelf moet zorgen. Ik heb het liever zo. Ik vind het prettig.'

'Ik wilde je niet beledigen,' zei Frank.

'Dat weet ik,' zei ze. 'Ik kan in je hart kijken.'

Hij en Mike troffen elkaar die avond en gingen naar Herbies huis. Ze belden aan en er werd niet opengedaan, maar ze hoorden de tv en er brandde licht. De deur was niet op slot, dus ze lieten zichzelf binnen.

'Herbie?' riep Frank.

Ze vonden hem voor de tv, ineengezakt in een fauteuil.

Drie kogelgaten in zijn achterhoofd.

Zijn mond wagenwijd open.

'Jezus,' zei Mike.

'Dit had nooit mogen gebeuren,' zei Frank, verbaasd dat hij een woedende hitte naar zijn hoofd voelde stijgen.

Het huis was een chaos. Het was overhoopgehaald – leeggeroofd.

'We moeten maken dat we wegkomen,' zei Mike.

'Eén moment,' zei Frank. Hij trok zijn hemdsmouw over zijn vingers, pakte de hoorn van de haak en draaide het alarmnummer. Gaf ze Herbies adres en zei dat de bewoner een hartinfarct had gehad.

'Waarom, verdomme, Frank?'

'Ik wil niet dat hij wegrot,' zei Frank terwijl ze naar buiten liepen. 'Dat verdient hij niet. Hij verdient dít niet.'

'Luister,' zei Mike toen ze wegreden, 'alle sjacheraars in de stad weten wat voor rattenkoning Herbie was.'

'Wat bedoel je daarmee?' vroeg Frank. 'Dat dit toeval is?'

'Het kan iedereen geweest zijn.'

'Je weet wel beter.'

Frank verliet het Mirage, stapte in zijn auto en reed naar L.A. Het was ochtend toen hij Westlake Village bereikte en Mouse Senior vond in zijn koffiehuis, waar hij een espresso dronk, een *pain au chocolat* at en de *Los Angeles Times* las. Hij leek verbaasd dat hij Frank zag, die een cappuccino bestelde en een abrikozengebakje en naast hem kwam zitten.

'Het is waarschijnlijk beter dat je me hier niet komt opzoeken,' zei Mouse, 'op mijn bedrijfsplek...'

'Als je ergens anders naartoe wilt...'

'Nee, het kan wel een keertje,' zei Mouse. 'Dus je hebt het Herbie uitgelegd?'

'Nee,' zei Frank, hem strak aankijkend. 'Dat heb jíj gedaan.'

Het was er. Een flikkering slechts, maar het was er, voordat Mouse zijn gezicht in de plooi trok, geïrriteerd keek en vroeg: 'Waar heb je het over?'

'Je hebt toestemming gegeven,' zei Frank. 'De helft was je niet genoeg. Je wilde een groter stuk te verdelen hebben, dus heb je toestemming gegeven.'

Mouse legde die bázenklank in zijn stem. 'Toestemming waarvoor precies, verdomme?'

'Om Herbie koud te maken.'

Mouse legde zijn krant neer. 'Is Herbie wijlen?'

'Ja.'
'Hoe...?'
'Ik heb zijn lijk gezien.'
'Er zijn een miljoen junks in Vegas,' zei Mouse. 'Ze weten allemaal wat voor rattenkoning Herbie was. Stuk voor stuk...'
Interessant, dacht Frank, hij gebruikt precies dezelfde woorden als Mike – 'wat voor rattenkoning Herbie was'. Hij schudde zijn hoofd. 'Drie .22-kaliber kogels in zijn achterhoofd. Beroeps.'
'Herbie heeft een heleboel vijanden gemaakt met zijn...'
'Kap met dat gelul.'
'Wat ben je, dronken?' vroeg Mouse. 'Om zo tegen je baas te praten?'
Frank boog zich over de tafel heen. 'Wat denk je daaraan te doen, Móúse? Wat denk je daaraan te doen?'
Mouse zei niets.
'Precies,' zei Frank.
Hij liep weg toen de jonge ober met de koffie en het gebak kwam. 'Wilt u uw...'
'Niks persoonlijks,' zei Frank tegen hem, 'maar je koffie is slootwater en je gebak is smerig. Je serveert goedkope troep aan sukkels die niet beter weten. Ik weet beter.'
Hij liep naar buiten en wachtte op de represailles.
Het duurde niet lang.
Twee dagen later verscheen Mike in de aaswinkel.
'Dat was stom, wat je in Westlake hebt gedaan,' zei Mike.
'Kom je me omleggen?'
Mike keek gekwetst. 'Hoe kun je me dat verdomme vragen? Ik zou nog eerder hén koud maken dan dat ik jou iets zou aandoen. Trouwens, we zouden verdomme een eigen zaak moeten hebben, niet aan die slappe lullen vastzitten. Let maar op, ze vinden gegarandeerd een manier om dit Binion-gedoe te versjteren.'
'Wat is er gebeurd, Mike?' vroeg Frank. 'Toen we van tafel

opstonden, was het nog de bedoeling dat we met Herbie zouden práten.'

'Ik weet het niet. Ik was al weg.'

'Mouse heeft iets uit te leggen,' zei Frank.

'Doe niet zo stom,' zei Mike. 'Een baas beledigen op zijn bedrijfsplek is één ding – jij hebt er een vrijbrief voor omdat je Frankie Machine bent. Het een báás betaald zetten dat Herbie dood is is een tweede. Laat het erbij.'

'Dus we laten ze er gewoon mee wegkomen?'

'Hé, Frank,' zei Mike. 'Herbie was zelf ook niet bepaald Sint-Franciscus van Assisië. Hij heeft van alles uitgevreten, geloof me. Wat we nu doen is de stront slikken, glimlachen alsof het chocoladetaart is en overgaan tot de orde van de dag.'

Wat ze deden.

Zoals gewoonlijk had Mike gelijk.

Je moet een ex onderhouden, hield Frank zichzelf voor, en een kind dat een beugel nodig heeft. Je hebt de verantwoordelijkheden van een man, je kunt je niet laten doden om Herbie Goldstein te wreken.

Uiteindelijk nam L.A. Vegas niet over, zelfs niet gedeeltelijk. Teddy Binions collectie juwelen werd verdeeld en verscheen een tijdje op straat, maar de Martini's slaagden er niet in zijn casino over te nemen en leeg te roven. Binion hield het vol tot hij stierf aan een gedwongen overdosis en zijn jonge vrouw en haar jonge minnaar werden ervoor aangehouden.

De enige die er wel bij voer was Mike Pella, die de indiaanse goktenten deed en er handen en voeten aan gaf. Het was precies wat Mike altijd had gewild, een langlopende, geïntegreerde zwendel waar hij aan alle kanten aan verdiende.

Hij zou een rijk man zijn geweest als hij het niet had verpest.

Maar dat doen we steevast, denkt Frank nu. Dat is het handelsmerk van de Mickey Mouse-maffia – we vinden altijd een manier om het te verpesten. Meestal vanwege iets stompzinnigs. Dat gold beslist voor Mike, die was binnengelopen tot hij zijn zelfbeheersing verloor en iemand op een parkeerplaats in elkaar ramde.

Voordat Mike uitgleed over de bananenschil verdiende hij scheppen geld zonder Frank ook maar één cent te geven. Niet dat Frank het verwachtte of zelfs maar wílde. Wat hij verwachtte was wat hij kreeg – dat Mike zei: 'Ik wil maar zeggen, je hebt nooit echt iets met Herbie gedáán, toch?'

Nee, Mike, denkt Frank nu – dat heb jíj gedaan.

Het RICO-proces tegen de Martini's is opnieuw verdaagd, kennelijk omdat de FBI denkt dat ze nieuw bewijsmateriaal hebben om de gebroeders Martini in verband te brengen met de dood van Herbie.

Maar er zijn twee mensen over die de Martini's in verband kunnen brengen met de moord op Herbie, denkt Frank.

Mike Pella.

En ik.

Mike is ondergedoken en ik ben niet in staat van beschuldiging gesteld.

Maar Mike denkt dat ik met de FBI samenwerk en heeft daarom geprobeerd me koud te laten maken.

Omdat Mike Herbie had gedood.

Waarom heb ik het niet eerder gezien? denkt Frank terwijl hij over de 5 naar het zuiden kachelt. Mike was steeds degene die op de moord op Herbie aanstuurde. Hij wist van de juwelen, hij wist van het geld en hij wilde het Goldstein-mazzeltje gebruiken om zijn eigen familie te beginnen. Toen we naar Herbies huis gingen wist Mike verdomd goed dat de dikke man al dood was.

Het was allemaal show.

En nu de FBI er weer mee bezig is denkt Mike dat ik weet hoe het zit en dat ik hem zal verlinken. Hij wist zijn sporen uit en één daarvan ben ik.

55 MIKE PELLA komt thuis uit de bar, doet het licht in de woonkamer aan en ziet Frank Machianno in de designleunstoel zitten, met een .22 met demper op Mikes borst gericht.

'Hallo, Mike.'

Mike dénkt er zelfs niet over om weg te rennen. We hebben het hier wel over Frankie Machine. Dus zegt Mike: 'Biertje, Frank?'

'Nee, bedankt.'

'Bezwaar als ik er een neem?'

'Als er iets anders uit de koelkast komt dan een Budweiser,' zegt Frank, 'pomp ik er twee in je hoofd.'

'Het wordt een Coors, als het mag,' zegt Mike terwijl hij naar de koelkast loopt. '*Lite.* Een man van mijn leeftijd moet aan zijn koolhydraten denken. Jij ook, Frankie; je bent ook geen kind meer.'

Hij pakt zijn bier, duwt er de kroonkurk af met zijn duim en gaat tegenover Frank op de sofa zitten. 'Maar je ziet er goed uit, Frank. Komt vast door alle vis die je eet.'

'Waarom, Mike?'

'Waarom wat?'

'Waarom ben je overgelopen?' vraagt Frank. 'Uitgerekend jij.'

Mike glimlacht en neemt een slok bier.

'Ik respecteerde je,' zegt Frank. 'Ik keek tegen je op. Je leerde me alles over...'

'Het is niet meer zoals vroeger,' zegt Mike. 'De ménsen zijn niet meer zoals vroeger. Niemand is nog trouw aan iemand. Zo is het niet meer. En je hebt gelijk – ik ben niet meer dezelfde. Ik ben vijfenzestig, in jezusnaam, ik ben moe.'

Frank kijkt hem aan en hij is inderdaad veranderd. Grappig, denkt Frank, dat ik hem zie zoals hij was, niet zoals hij nu is. Zijn haren zijn grijs en dun. Zijn nek is dun in zijn kraag en de huid is gerimpeld. Net als zijn handen, gevouwen om het bierblikje. Er zijn rimpels in zijn gezicht die er vroeger niet waren. Zie ik er ook zo oud uit? vraagt Frank zich af. Hou ik mezelf voor de gek als ik in de spiegel kijk?

En moet je dit hier zien. Een tweedehands luie stoel, een gammele sofa, een goedkope salontafel, een tv. Een koffiezetapparaat, een magnetron, een koelkast. Meer niet. Niets wat met liefde of zorg gemaakt is, niets wat doorleefd lijkt, geen foto's van beminden.

Een lege plek, een leeg leven.

God, is dat mijn voorland?

'Ik wil niet in de bajes doodgaan, oké?' zegt Mike. 'Ik wil gaan zitten met een biertje, in mijn eigen stoel in slaap vallen terwijl ik naar een honkbalwedstrijd kijk met Miss Juli opengevouwen op mijn schoot. Ik ben dat maffiagezeik beu, want dat is het, gezeik. Geen eer, geen trouw. Nooit geweest. We hielden onszelf voor de gek, verdomme. We zijn nu in de zestig en het beste deel van ons leven is voorbij, dus het wordt verdomme tijd dat we volwassen worden, Frankie. Ik ben het hele gedoe spuugzat en ik wil er niks meer mee te maken hebben. Als je me nu wilt neerschieten, schiet maar. Zo niet, goddank.'

'Je hebt Herbie vermoord,' zegt Frank.

'Je hebt me door,' zegt Mike.

'En je was bang dat ik het wist en je zou verraden,' zegt Frank, 'en dat zou je immuniteit verpesten. Dus zette je een prijs op mijn hoofd. Dat was ik niet van plan, Mike. Ik ben geen rat. Ik ben jou niet. Dus als je bang bent dat ik de FBI ga vertellen...'

Mike lacht. Een vreugdeloze lach. Geen plezier. Verbitterd, boos, cynisch. 'Frankie,' zegt hij. 'Voor wie werk ik nu?'

56 DAVE HANSEN zit aan zijn bureau en staart uit het raam naar de gebouwen van San Diego centrum.

Regen klettert als kiezelsteentjes tegen de ruit. Af en toe voert een windstoot de regen in vlagen aan, die het glas raken met het geluid van een zwerm vogels die met hun vleugels klapperen, opvliegen alsof ze ergens van geschrokken zijn.

Op de meeste dagen kun je de oceaan zien vanuit dit raam.

En de richels van Tijuana, aan de overkant van de grens.

Vandaag kan hij de overkant nauwelijks zien.

Het is een en al mist en regen.

Tranen voor Frankie Machine.

57 'WAAROM?' VRAAGT Frank.

'Waarom wat?'

'Waarom wil de FBI me dood hebben?'

Zijn hoofd gílt. Het is krankzinnig wat Mike me vertelt, dat de FBI hem opdracht heeft gegeven een prijs op mijn hoofd te zetten. Het slaat nergens op dat de FBI naar Mike stapt en Mike naar Detroit gaat om de klus te laten klaren. Wat houdt Detroit eraan over? Wat heeft Mike Vince Vena te bieden?

'Waarom zou je waarom vragen?' zegt Mike. 'Ze hebben me niet verteld waarom, Frank. Ze vertelden me alleen maar wát. Je hebt gelijk, ze pakten me voor Herbie, zeiden dat als ik ze een dienst zou bewijzen, ik immuniteit zou krijgen. De dienst was jij.'

'Wie?'

'Wie wat?'

'Wie heeft contact met je gezocht?' vraagt Frank. 'Wie zit hierachter?'

'Ze zouden me vermoorden als ik je dat vertelde, Frank,' zegt Mike.

Frank gebaart met de loop van het pistool, zo van: ik vermoord je als je het níét doet. Maar Mike glimlacht en schudt zijn hoofd. 'Zo ben je niet, Frankie. Het zit niet in je. Was altijd je probleem.'

Mike drinkt zijn bier op en staat op. 'Een kutsituatie, niet dan? Ik zie geen uitweg. Zeker weten dat je geen bier wilt? Ik kan er verdomme nog wel een gebruiken.'

Hij loopt naar de keuken. 'Hé, Frankie, weet je nog, de zomer van '72?'

'Ja.'

'Dat was nog eens een zomer,' zegt Mike terwijl hij de koelkast opentrekt. Hij glimlacht en begint te zingen:

'Some folks are born to wave the flag,
Ooh, they're red, white and blue.
And when the band plays "Hail to the chief",
Ooh, they point the cannon at you, Lord...'

Hij steekt zijn hand in de koelkast, draait zich om en richt de .38 op Frank.

Frank schiet hem twee keer door zijn hart.

58 HET WAS zelfmoord.

Mike had niet het lef om zichzelf overhoop te schieten, dus liet hij het mij doen, denkt Frank als hij het huis verlaat en in de auto stapt.

Mike wilde gewoon niet meer leven.

Frank begrijpt dat.

Zo gaat dat, dat leven van ons.

Stukje bij beetje pakt het je alles af.

Je huis.

Je werk.
Je familie.
Je vrienden.
Je geloof.
Je vertrouwen.
Je liefde.
Je leven.
Maar tegen die tijd wíl je het niet eens meer hebben
Ze pakken hem in een dalende bocht op Highway 78.

59 JIMMY THE Kid wacht met wat er van de Sloopploeg is overgebleven.

Paulie zit op de geblesseerdenbank met zijn beenwond, maar Carlo, Carlo is een doordouwer, de idioot. Carlo kent het verschil tussen geblesseerd en gewond en hij zal erbij zijn als het fluitsignaal klinkt. Bovendien heeft hij iets te vereffenen.

En zoals ze zeggen, belofte maakt schuld.

Het was Jimmy die het uitvogelde: vroeg of laat zou Frankie M. naar Mike Pella gaan om te proberen dit recht te zetten. Pella was zijn vleugelman, zijn jongen, zijn maatje. Het was dus eenvoudig een kwestie van uitzoeken waar de FBI Pella had opgeborgen, er een net omheen leggen en wachten.

Tot Frankie M. het verknalde.

Wat hij deed.

Reed regelrecht het ravijn in.

Ramona heeft maar vier uitvalswegen en drie ervan komen uit bij dezelfde kruising. Dus wanneer Frankie M. op de 78 naar het noorden afslaat, weten ze dat ze hem hebben. Het is de slechtst denkbare weg die hij kan nemen, want hij kronkelt langs de rand van een diep ravijn.

Een steile rots aan de ene kant van de weg, de diepe afgrond aan de andere kant.

Dus als Frankie M. de canyon in rijdt, sturen ze een auto achter hem aan. Jimmy's auto wacht bij een afslag aan het andere eind van de weg, een kilometer of drie verder.

Het is net zo'n oude western, denkt Jimmy.

Die stomme cavalerie rijdt de canyon in.

Waar de Apache haar opwachten.

Frankie M. is generaal Custer.

En ik ben Geronimo.

60 HIJ ZIET het niet aankomen.

Dat is het probleem. Vermoeidheid, hoofdpijn en de pure inspanning van op de vlucht zijn maken hem slordig.

Natuurlijk zouden ze hem niet te grazen nemen in het huis van een beschermde getuige. Dan zou het spel uit zijn. Ze zouden hem niet vlakbij pakken, maar wachten tot hij er kilometers vandaan was en dan toeslaan.

En zorgen dat het eruitziet als een ongeluk.

Dus ziet hij het pas als het te laat is.

De zilverkleurige Lexus die hem snel van achteren nadert, dan...

Een zwarte Envoy – een grote, zware terreinwagen – komt aan scheuren, passeert de Lexus en blijft naast Frank rijden.

Jimmy the Kid zit in de Envoy, beweegt zijn hoofd op en neer alsof hij naar die hiphoptroep zit te luisteren, glimlacht naar Frank en rukt zijn stuur naar rechts.

De Envoy knalt tegen Franks auto en stuurt hem naar de rand van het ravijn.

Frank kan bijsturen, maar Jimmy ramt hem opnieuw.

De natuurwetten zijn tegen hem. Wat de zakenman Frank

weet is dat cijfers nooit liegen: rekenkunde is onverbiddelijk. Een zwaarder voertuig met hogere snelheid zal de wedstrijd altijd winnen. Hij probeert ertussenuit te komen, gas terug te nemen zodat hij achter de Envoy kan komen, maar de Lexus heeft hem ingesloten en duwt hem naar voren. Franks enige hoop is dat er een auto uit de tegenovergestelde richting komt die de Envoy dwingt om uit te wijken, maar zelfs dat zou niets uithalen, want de Envoy zou nergens heen kunnen en er zou een burger worden gedood.

Wat het enige is wat voor me pleit, denkt Frank. Ik heb nooit iemand gedood die niet aan de wedstrijd meedeed.

Alleen spelers.

Hij slaagt erin in de buitenbocht op de weg te blijven, maar natuurwetten zijn natuurwetten – cijfers liegen niet – en de binnenbocht is te veel voor de kleine huurauto, zeker wanneer Jimmy the Kid hem voor alle zekerheid opnieuw ramt.

Frank kijkt en ziet Jimmy vaarwel wuiven.

Dan gaat hij over de rand.

61 ZE ZEGGEN dat je leven voorbijflitst.

Zo ongeveer – Frank hoort een liedje.

The Surfaris met 'Wipeout'.

'Ha-ha-ha-ha-ha-ha-ha-ha-ha-ha-ha-ha-a... wipeout!'

Die waanzinnige, sarcastische lach, dan de beroemde drumsolo, dan de gitaarriff, opnieuw gevolgd door de drum.

Hij hoort het terwijl hij valt.

Wipeout.

Surfers hebben zo'n triljoen uitdrukkingen voor over de rand van een grote golf gaan.

Wipeout, inderdaad.

Van de lip.

Over de waterval.
In de wasmachine.
Frank kent het.
Rond en rond en rond tuimelen, je afvragen of er ooit een eind aan komt, of je ooit weer boven komt en of je lang genoeg je adem kunt inhouden om de lucht weer te zien.
Maar dat was wáter – dit is aarde. En bomen en rotsen en struiken en het afschuwelijke geluid van metaal dat tegen al het bovengenoemde te pletter slaat – dan het geluid van een geweerschot, waarvan Frank even denkt dat het het genadeschot is, maar het is het buskruit van de airbag dat ontploft. Hij slaat in zijn gezicht, dan om hem heen en de wereld is een tuimelend kussen, een helse rit terwijl de auto langs de helling omlaag stort, schrapend langs alles wat op zijn weg komt.
Het is het schrapen dat zijn leven redt.
De auto schraapt langs een boomtak, die zijn vaart remt, dan langs een rotsblok, kantelt dan over de rand van een smalle kloof, glijdt door en komt ten slotte tot stilstand tegen een oude eik.
De gitaarriff sterft weg.
Ha-ha-ha-ha-ha-ha-ha-ha-ha-ha-ha-ha-a...
Wipeout.

62 'WE MOETEN naar beneden om te checken,' zegt Carlo.

Ze hebben de Envoy en de Lexus langs de kant van de weg gezet. Ze kunnen de auto in de smalle kloof niet zien, maar ze zien de vlammen opschieten.
'Wat checken?' vraagt Jimmy the Kid. 'Of je al hotdogs op hem kunt grillen?'
De politie- en brandweersirenes loeien al.

'Wat we moeten doen,' zegt Jimmy, 'is als een scheet maken dat we wegkomen.'

En dat doen ze.

63 FRANK KROOP tijdens de laatste gitaarriff naar buiten.

Het was al gekmakend pijnlijk de gordel los te maken, laat staan de deur te openen en naar buiten te vallen en het werd nog gekmakender toen hij de grond raakte. Zijn ribben zijn op zijn minst gekneusd, zo niet gebroken en zijn linkerschouder is een bult die dichter bij zijn elleboog zit dan de bedoeling is. En hoe het met zijn rechterknie is wil hij niet eens wéten.

Maakt niet uit.

Hij moet uit de buurt van de auto komen.

Hij weet dat hij een risico neemt door te bewegen, dat een gebroken rib een long zou kunnen doorboren of dat de inwendige bloeding zomaar kan veranderen in een niet te stelpen inwendige bloeding en dan is het over en sluiten, maar liever dat dan gebraden worden als de auto in vuurwerk verandert.

Hij tijgert een meter of vijftien van de explosie vandaan, drukt zich plat tegen de grond en begraaft zijn gezicht in het zand voordat de knal komt. De dreun is als een klap tegen zijn hele lijf en hij voelt zijn ribben branden alsof hij echt in brand staat.

Maar ik leef nog, denkt hij.

Wat niet de bedoeling was.

Hij blijft een paar minuten platliggen. Ten eerste moet hij op adem komen. En ten tweede zou Jimmy naar beneden kunnen komen voor het genadeschot. En hij weet dat de brandweer en de politie erop af zullen komen, als ze er al niet zijn.

Als hij weer op adem is gekomen, pakt hij zijn linkerschouder beet, bijt in zijn arm om de schreeuw te smoren en duwt hem weer in de kom. Naar adem snakkend gaat hij weer liggen.

Het is maar goed dat het regent, anders zou het vuur wel eens sneller om zich heen kunnen grijpen dan Frank ervan weg kan kruipen. Nu verteren de vlammen alleen gas en lucht en slaan niet over op het natte gras of de drijfnatte bomen.

Frank begint weg te kruipen over de bodem van het ravijn. Hij schat dat hij zo'n driehonderd meter van de plaats van het ongeluk moet zien te komen en hij weet wat hij zoekt – een plek om zich te verschuilen tot het donker is.

Hij heeft er een halfuur voor nodig om die te vinden, een spleet onder een rotsblok in de wand van het ravijn. De ingang gaat schuil achter een dichte mesquitestruik en het overhangende rotsblok biedt enige beschutting tegen de wind en de regen. Hij kruipt naar binnen. Er is net genoeg ruimte om zich, pijnlijk, in foetushouding op te rollen.

Als hij naar beneden kijkt ziet hij dat de brandweermannen de auto met een waterkanon bespuiten. Ze zullen naar een lijk zoeken, denkt Frank, en er geen vinden. Maar de politie zal het spoor van de huurauto volgen tot Jerry Sabellico, dus die schuilnaam is onbruikbaar geworden.

En zijn hele overlevingsuitrusting is in de auto, zijn kleren, zijn wapens, zijn geld.

Alles.

Zo staat het er dus voor, denkt Frank terwijl hij een comfortabeler houding probeert te vinden: rillend in een grot, krimpend van de pijn, alles kwijt, wachtend op de nacht.

64 JIMMY THE Kid wacht op het hele uur en zet dan de lokale nieuwszender aan.

De journaallezer vertelt dat Highway 78 net voorbij San Pasqual Road vanwege een verkeersongeluk in beide rijrichtingen is afgesloten.

'Een auto is door de vangrail gegaan en in het ravijn gestort,' zegt ze. 'Er zijn echter geen slachtoffers gemeld.'

'Gódverdomme,' zegt Jimmy.

65 'DIE MACHIANNO van je gaat nogal tekeer.'

'Inderdaad.'

Dave zit tegenover de regionale directeur aan diens bureau. Op het matje geroepen, zogezegd.

'Eerst Vena en Palumbo,' zegt de RD. 'Nu Pella. In jezusnaam, Dave, een beschermde getuige, neergeknald in zijn eigen huis. Hoe denk je dat dat overkomt?'

'Niet best.'

'Je hebt talent voor understatements.'

Dave antwoordt niet en bewijst zo dat hij inderdaad talent voor understatements heeft.

'Hoe dan ook,' zegt de RD, 'het lijkt erop dat Machianno zijn oude stiel weer heeft opgepakt. Vind hem, Hansen, vind hem en hou hem tegen.'

'Goed, meneer.'

Dave staat op en wil weglopen.

'En, Hansen? Machianno heeft een undercoveragent van de FBI gedood,' zegt de RD. 'We willen niet dat zo'n stuk vreten een advocaat krijgt, toch?'

Wat betekent, denkt Dave als hij het kantoor uitloopt, dat hij geen opdracht heeft om Frank te vinden en tegen te houden.

Hij heeft opdracht hem te vinden en te doden.

66 HIJ HEEFT er twee uur voor nodig om de rand van het ravijn te bereiken.

Bont en blauw baant Frank zich in zwak maanlicht en mist een weg tussen struiken en rotsblokken. Hij bereikt de rand en volgt de berm van de weg, drukt zich plat als hij koplampen ziet naderen. Telkens als hij zich laat vallen doet het meer pijn en kost het meer moeite om op te staan.

Maar hij moet ermee doorgaan, want hij weet dat ze naar hem op zoek zullen zijn.

67 JIMMY ZIT op de passagiersstoel met zo'n grote halogeenschijnwerper. Ze waren naar Costco gereden en hadden de lamp gekocht nadat ze het radiojournaal hadden gehoord.

'Moeten we er niet meteen naartoe?' had Carlo gevraagd.

'Hij zal niet voor het donker naar boven komen,' had Jimmy gezegd. '*Als* hij nog leeft. We hebben in elk geval tijd genoeg.'

Dus waren ze naar Costco gegaan.

'Maar goed dat ik mijn creditcard heb meegenomen,' zegt Jimmy. Hij laat de lichtbundel over de berm van de weg glijden terwijl ze langzaam langs het ravijn heen en weer rijden. Tony, Joey en Jacky zitten in een andere auto en doen hetzelfde in de andere richting.

Het is net *Run Silent, Run Deep*, denkt Jimmy, met die Japanse torpedojager die heen en weer vaart en wacht tot de Amerikaanse onderzeeër aan de oppervlakte komt. Want hij móét bovenkomen, zijn zuurstof raakt op.

Net als Frankie M.

'Zie je iets?' vraagt Carlo.

'Bigfoot,' zegt Jimmy.

'Wáár?'

'Ik vernachel je, idioot,' zegt Jimmy.

'Hé, dat Bigfoot-verhaal is geen gelul,' zegt Carlo. 'Ik heb een documentaire gezien op National Geographic. National Geographic zendt geen onzin uit.'

Jimmy the Kid luistert niet. Hij denkt na.

Hij denkt dat Frankie Machine een kakkerlak is.

Die klootzak is niet kapot te krijgen.

Ja, maar het moet, dus denk na.

Een goede jager denkt zoals zijn prooi.

Dus denk zoals Frankie M.

Oké, je bent gewond, misschien ernstig. Je bent niet zo snel ter been. Je moet je overdag schuilhouden en proberen je 's nachts te verplaatsen. Je moet uit dat verrekte ravijn zien te komen en dat doe je niet aan de andere kant, want die is te steil, te hoog, en er is trouwens niets te vinden.

Dus je komt terug zoals je gegaan bent. Je komt terug naar de weg, want je hebt geen auto meer en je moet op de een of andere manier vervoer hebben.

Oké, maar hoe?

Je bent bijna vijfentwintig zware kilometers van de dichtstbijzijnde plaats waar je een auto kunt huren. En al zou je dat doen, je identiteit zal een belletje doen rinkelen, je bent die vent die zijn vorige huurauto in de prak heeft gereden, maar je bent Frankie Machine, dus je zult het niet eens probéren.

Dus resten je twee mogelijkheden: je lift of je steelt een auto.

Niemand die bij zijn verstand is zal je een lift geven en je zult sowieso niet met je duim omhoog langs de weg gaan staan, want je weet dat we je zoeken, net als de politie.

Dus je gaat iemands wagen jatten.

Cool, maar hoe?

Geen stoplichten hier, geen stopborden, geen tankstations.

Dus wat blijft er over?

Waar zullen mensen hier stoppen?

Dan gaat hem een licht op.
'Stik,' zegt Jimmy. 'Omdraaien. Vlug.'
'Wat is er?'
'We gaan parkeren.'

68 DANNY CARVER kan elk moment blote tiet voelen.

Eindelijk.

Dat krijg je als je scharrelt met een mormonenmeisje. Andere grieten strooien met pijpbeurten alsof het Smarties zijn, maar Shelly komt niet over de brug. Danny probeert het al drie maanden, gaat met haar naar de film, naar het winkelcentrum, gaat bowlen, speelt verdomme midgetgolf, en hij krijgt hoogstens een snelle kus, geen tong.

Hij zou haar na pakweg het tweede afspraakje hebben gedumpt als ze niet zo verdomd opwindend was. Blond haar, grote blauwe ogen en die bos hout man...

Het had twee maanden geduurd voordat ze zelfs maar mee wilde naar deze parkeerplaats hier langs de weg, waar overdag de boomfluisteraars hun auto parkeren om door het ravijn te gaan banjeren.

Maar 's avonds is het er net een cursus seksuele voorlichting. Het krioelt er van de tieners die seks bestuderen alsof ze binnenkort een proefwerk krijgen en vanavond is Shelly ervoor in. Haar hand komt zelfs niet als een valhek neer op de zijne als hij haar blouse open begint te knopen.

Ik ben binnen, denkt Danny.

Dank U, God.

Ik ben bínnen.

'O, mijn gód,' zegt Shelly.

Nou en of. Je bent het mannetje.

'O... mijn... gód.'

Haar lichaam verstrakt en ze kijkt over zijn schouder.
Haar vader, denkt Danny.
Een één meter vijfennegentig lange mormoon die paarden beslaat voor de kost.
Danny verstijft.
Hij kijkt achterom.
Bigfoot staat voor het raam.
Het is net een van die verhalen die je tijdens kampeertochten vertelde, over de man met de haak. Alleen, deze man heeft geen haak... hij heeft een wapen. En hij beduidt Danny dat hij het raam moet openen.
Danny doet het.
'Ik doe jullie niets,' zegt de man tegen Danny terwijl hij hem uit de auto sleurt. 'Ik heb alleen jullie auto nodig.'
Danny kan alleen maar knikken als de man langs hem glipt en instapt.
Frank kijkt het meisje aan.
'Je mag uitstappen,' zegt hij. 'En doe je blouse dicht, ja?'
Shelly doet beide.
Frank zet hem in de achteruit en rijdt weg.

69 JIMMY THE Kid ziet de twee tieners op het parkeerterrein staan. De jongen heeft een mobieltje in zijn hand.
'We zijn te laat,' zegt Jimmy. 'We zijn verdomme te laat.'
Hij draait het raam omlaag. 'Wat voor auto?'
'Zijn jullie van de wegenwacht?' vraagt Danny.
'Wat voor auto?'
'Een Celica uit '96,' zegt Danny. 'Zilvergrijs.'
Jimmy the Kid scheurt weg.
'We zullen mijn vader moeten bellen,' zegt Shelly.

70 FRANK LAAT de Celica in Point Loma achter en loopt terug naar Ocean Beach.

Als je het lopen kunt noemen. Het is meer hinken, strompelen.

Als een of ander oud B-filmmonster, denkt Frank, dat opduikt uit het moeras. Het komt goed uit dat het stortregent, zodat de regenfobische inwoners van San Diego zich niet op straat vertonen en deze verfomfaaide, bloedende griezel niet over het trottoir zien waggelen.

Ze zouden de politie bellen.

En dan zou het uit zijn.

Frank wil niet naar zijn schuiladres teruggaan. Het is link om waarheen dan ook terug te gaan, maar hij heeft niets anders. En hij moet ergens naartoe, uit dit hondenweer vandaan om zijn wonden schoon te maken, wat te rusten, over zijn volgende zet na te denken.

Hij opent de deur van zijn appartement in Narragansett Street, niet wetend wat hem daar kan opwachten. De politie? De FBI? De Slooploeg?

Maar er is niemand.

Frank trekt zijn natte, bebloede kleren uit en stapt onder de douche, zowel om warm te worden als om zijn wonden te wassen. De stralen prikken als naalden. Hij komt onder de douche vandaan, dept zich voorzichtig droog en kijkt naar het bloed dat in de handdoek achterblijft. Dan pakt hij de waterstofperoxide uit het medicijnkastje, gaat op de rand van het bad zitten en kijkt naar de diepe schrammen in zijn benen. Hij haalt diep adem en giet de peroxide op de wonden. Zingt 'Che gelida manina' om zijn gedachten af te leiden van de pijn. Het lukt niet echt. Hij inspecteert de wonden, giet er nog wat meer peroxide overheen tot hij het spul ziet bruisen.

Dan herhaalt hij het proces op zijn armen en borst.

Hij staat langzaam op, pakt verbandgaas en kleefpleister en verbindt de wonden. Hij heeft er veel tijd voor nodig. Zijn rechterarm bewegen doet sowieso pijn en hij is moe, moe tot op het bot. Eigenlijk wil hij gewoon gaan liggen en het opgeven. Gewoon maar gaan liggen en een kogel door zijn hoofd jagen.

Maar dat kun je niet maken, houdt hij zichzelf voor terwijl hij het verbandgaas aanbrengt en de pleister eromheen draait om het op zijn plaats te houden.

Je hebt een dochter die je nodig heeft.

Dus hou je hoofd erbij.

Hij zet een kan sterke zwarte koffie en gaat zitten om na te denken.

Wat probeerde Mike je verdomme duidelijk te maken?

Dat hij voor de FBI werkte.

Dat de FBI hem dwong je in een hinderlaag te lokken.

Maar waarom?

Waarom zouden ze me dood willen hebben?

Het slaat nergens op.

Misschien was het gewoon weer Mike Pella-gezeik. Zoals hij naar de koelkast liep om het wapen te pakken, in de wetenschap dat het doek voor hem ging vallen en hij wilde afgaan terwijl hij een of ander oud deuntje zong dat ze indertijd mooi vonden.

In de zomer van '72.

> *Some folks are born to wave the flag,*
> *Ooh, they're red, white and blue.*
> *And when the band plays "Hail to the chief",*
> *Ooh, they point the cannon at you, Lord...*

Ooh, they point the cannon at you, Lord, denkt Frank. Hou vol, maak het af. Er is iets aan de hand.

> *It ain't me, it ain't me, I ain't no senators son, son.*
> *It ain't me, it ain't me, I ain't no fortunate one, no,*

Nee, denkt Frank.
Niet 'fortunate one'.
'Fortunate *Son*'.
En niet de zomer van '72.
De zomer van '85.
Zomer 1985.

71 DAVE HANSEN maakt zich zorgen – over verscheidene dingen.

Ten eerste, Frank had beloofd dat hij Mike Pella niet zou doden en heeft het toch gedaan. Frank Machianno is van alles, maar hij is ook een man van zijn woord. Het is dus raar.

Ten tweede, nog geen twintig kilometer van Pella's lichaam gaat er een auto over de rand van het ravijn, slaat te pletter en brandt uit, maar een slachtoffer wordt niet gevonden. Het spoor van de bestuurder leidt naar een autoverhuurbedrijf, maar er is niemand in Arizona met een rijbewijs op naam van Jerry Sabellico. Er heeft ooit een Jerry Sabellico bestaan, maar die is in 1987 overleden.

Het vertoont dus alle kenmerken van een professionele dekmantel.

Een professional rijdt een auto in de prak twintig kilometer van een plaats delict waar Frank Machianno het belangrijkste 'middelpunt van belangstelling' is. Je hoeft geen Sherlock Holmes, Larry Holmes of zelfs John Holmes te zijn om het verband te zien.

Ten derde, het ongeluk was geen ongeluk. Geen enkele professional scheurt ooit weg van de plaats delict. Bovendien, Frank rijdt altijd vijfentachtig om zo zuinig mogelijk te rijden en nog langzamer als het regent.

Ten vierde, Frank ging zijn zwarte geld ophalen in een bank

in Borrego. Wie wisten van die bank? Sherm Simon en, via hem, ik. Daarna gaat Frank naar Mike Pella. Wie wist over Mike Pella?

Ik.

Nou ja, niet alléén ik.

Wij.

Dus Dave heeft gemengde gevoelens wanneer hij de jonge Troy belt in diens kantoor. Ze werken nu allemaal dag en nacht aan de zaak-Machianno en Troy is er ijverig mee bezig, helpt Dave met het natrekken van bedrijven en lege bv's om te zien of ze bezittingen kunnen vinden waar Frank zou kunnen onderduiken.

'Wat is er?' vraagt Troy terwijl hij zijn manchetknopen goed doet.

'Ik heb een aanwijzing,' zegt Dave. 'Over Machianno's verblijfplaats.'

'Echt waar? Waar?'

Dave geeft hem een adres.

72 SUMMER LORENSEN, denkt Frank.

1985 – het feest op de boot van Donnie Garth, daarna het schouwspel in zijn huis. Dat probeerde Mike me duidelijk te maken.

Het draait allemaal om Fortunate Son.

Frank kijkt op de klok. Het is halfvier 's morgens en hij kan de komende paar uur niets doen.

Het beste wat hij kan doen is wat slapen.

Maar het kost te veel inspanning om op te staan en bewegen doet te veel pijn, dus hij leunt achterover en sluit zijn ogen.

73 TROY RIJDT voorzichtig door de regen, hoewel er rond deze tijd van de nacht weinig verkeer op straat is. Maar hij kan amper iets zien in de gutsende regen, zijn ruitenwissers voor en achter leveren een moedige maar vergeefse strijd tegen de watermassa op de ruiten.

Hij rijdt door de Lamp, stapt bij Island uit, steekt zijn paraplu op en gaat een telefooncel binnen.

Een paraplu om drie stappen te lopen, denkt Dave, die hem vanuit een auto één straat verderop observeert. Met een mobiel aan je riem.

Wie bel je, vraagt Dave zich af, dat je het stiekem wilt doen?

Maar hij blijft er niet bij stilstaan. Morgen is vroeg genoeg om de telefoontjes na te trekken. Hij moet er eerder zijn dan de mensen aan de andere kant van die telefoonlijn, wie ze ook mogen zijn.

74 JIMMY THE Kid Giacamone legt de telefoon neer.

'Laten we rock-'n-rollen,' zegt hij.

Carlo begint Jimmy onderhand een enorme klootzak te vinden.

75 JIMMY WEET dat hij snel in en uit moet.

Een vluggertje.

Ram, bam, bedankt, M.

Hij is verwikkeld in een race met de FBI wie er het eerst zal zijn. Geen troostprijs voor de tweede plaats, geen cadeaumanden of gratis weekends in een tweederangs kuuroord, bedankt voor het meedoen en we hopen dat u het leuk hebt gevonden.

Er is maar één winnaar.
En zo hoort het ook.
Dus scheuren Jimmy en de Slooploeg snel en met snode bedoelingen naar het adres. Geen tijd meer voor subtiliteiten, gewoon binnenstormen, schieten op alles wat beweegt en hopen dat je The Machine raakt voordat The Machine jou raakt.
Dat klinkt goed, denkt Jimmy terwijl de auto slippend tot stilstand komt: 'Raak The Machine voordat The Machine jou raakt'. Volgende hiphopsingle uit Motor City.
'Eight Mile' m'n blanke reet.
Hij stapt uit de auto.
Het adres is een fastfoodrestaurant, Jack in the Box.
Dave, die aan de overkant geparkeerd staat, herkent een ploeg als hij er een ziet, zelfs in de stromende regen.

76 DAVE GAAT weer naar huis en werkt vanuit zijn studeerkamer.
Hij heeft niet veel tijd nodig. De Patriot Act geeft hem carte blanche om telefoondossiers te lichten en hij heeft het nummer dat Troy draaide binnen vijf minuten. Het is een mobiel natuurlijk, en dat maakt het moeilijker.
Hij zit nog steeds op zijn computer te rammelen als Barbara binnenkomt met een pot koffie en wat koekjes.
'Weer zo'n avond?' vraagt ze.
Hij knikt.
Ze zijn vijfendertig jaar getrouwd. Ze heeft meer van zulke avonden meegemaakt.
'Je kijkt zorgelijk,' zegt ze.
'Dat ben ik ook.'
'Iets persoonlijks?'

'Ik denk het wel.'

Dat is een van de redenen dat ze van hem houdt, dat hij echt om zijn zaken geeft. Het zijn geen nummers voor hem, zelfs niet na al die jaren. 'Nog even,' zegt ze. 'Nog een paar maanden en dit soort avonden is voorbij.'

Ze kust hem op zijn voorhoofd. 'Zal ik wakker blijven?'

'Ik weet niet eens of ik mijn bed vannacht nog zie.'

'Ik zal wachten,' zegt ze. 'Voor het geval dat.'

Hij heeft nog drie uur nodig om de dossiers door te nemen, dan vindt hij het.

Troy heeft Donnie Garth gebeld.

77 HET DAGLICHT vindt Frank in San Diego.

Rekenend op de mist en het tijdstip om hem aan het zicht te onttrekken.

En op het wapen op zijn heup om hem te beschermen.

Frank strompelt naar Eleventh en Island, waar de oude mannen op karton op het trottoir slapen. Langs de rij slapende daklozen hinkend luistert hij naar hun gemompel en gekreun, ruikt de geur van aangekoekt nachtelijk zweet en verschaalde urine en de stank van rottende huid.

Hij blijft voor de deur van de Island Tavern staan en bonst erop. De zaak is dicht, maar hij weet dat hij de zware drinkers er zal aantreffen voor hun opkikkertje. Na een minuut wordt de deur op een kier geopend en een scheel oog gluurt naar buiten.

'Is Corky er?' vraagt Frank.

'Wie wil dat weten?'

'Frank Machianno.'

Frank hoort wat gemompel, dan gaat de deur open en de oude man – Frank zoekt naar zijn naam, weet het weer, het is

Benny – laat hem binnen en wijst naar de bar.

Rechercheur (in ruste) 'Corky' Corchoran zit op een kruk, over de bar gebogen, een glas whisky in zijn ene hand, een sigaret in de andere.

Frank gaat naast hem zitten.

'Lang geleden, Corky.'

'Lang geleden.'

Indertijd, voor de fles en de verbittering hem te pakken namen, was Corky een verdomd goede politieagent. Zoals veel andere nam hij geld aan om het gokken en de hoeren door de vingers te zien, maar Corky was strikt als het om serieuze dingen ging en iedereen wist het.

Je sloeg een vrouw, je verwondde een burger, je vermoordde een buitenstaander en je kreeg Corky achter je aan. En als Corky achter je aan zat, kreeg hij je te pakken.

Maar dat is lang geleden.

'Drink je iets van me, Corky?'

'Ik dacht dat je het nooit zou vragen.'

Corky is nooit groot geweest, maar hij is zo te zien gekrompen, denkt Frank als hij Benny beduidt er nog een te brengen. En zijn haar is dun en dor, zijn huid gelig, strakgespannen over de botten in zijn gezicht.

'Ik heb je hulp nodig, Corky.'

Corky drinkt zijn glas leeg, pakt dat van Frank en slaat het achterover. 'Wat kan ik voor je doen?'

'Summer Lorensen.'

Corky kijkt hem blanco aan en schudt zijn hoofd.

'In '85,' helpt Frank hem op weg. 'Je werkte toen bij Moordzaken. Al die moorden op prostituees.'

'"Geen mensen bij betrokken".'

'"Geen mensen bij betrokken",' zegt Frank. 'Precies. Haar lichaam werd gevonden op Mount Laguna, in een sloot langs de weg.'

Corky denkt er lange tijd over na. Net wanneer Frank denkt

dat de oude politieagent naar het Betoverde Woud is afgedwaald zegt Corky: 'Ze had stenen in haar mond.'

'Precies,' zegt Frank. 'De zaak is nooit opgelost, maar de afdeling schreef het later toe aan de Green River-moordenaar.'

Corky haalt een pakje sigaretten uit zijn borstzak en steekt nog eens op. Zijn handen trillen. 'Er bestond geen Green River-moordenaar. We schreven álles aan die kerel toe. Hij was een eenmanszondebok.'

'Hoe weet je dat?' vraagt Frank. 'Hoe weet je dat hij het niet was?'

Corky krijgt die kristalheldere klaarheid die alcoholisten soms hebben. Het gebeurt niet vaak en het duurt nooit lang, maar nu is het er en Frank hoopt dat het lang genoeg duurt.

'Ten eerste,' zegt Corky, 'was ze doodgeslagen in plaats van gewurgd. De Green River-moordenaar wurgde zijn slachtoffers. Ze had verwondingen aan haar hals, maar die waren na haar dood toegebracht. Ten tweede, er was geen spoor van geslachtsgemeenschap. Hij verkrachtte zijn meisjes. Ten derde, ze was niet daar langs de weg vermoord.'

'Hoe weet je dat?'

'Geen bloedsporen, Frankie. Ze was allang leeggebloed.'

'Maar ze had stenen in haar mond,' zegt Frank.

'Nou en?' vraagt Corky. 'Kon haar echte moordenaar geen krant lezen?'

'Dus als je wist...'

'De afdeling zette me op non-actief,' antwoordt Corky. 'Het kwam van boven – "Sluit het dossier-Lorensen. Ga verder. Geen mensen bij betrokken."'

Corky neemt nog een lange haal van zijn sigaret.

'Het begin van het eind voor mij, Frank,' zegt hij. 'De top van de glibberige helling.'

Frank pakt zijn portefeuille, haalt er twee briefjes van honderd uit en stopt ze in Corky's hand. Het doet oude tijden herleven.

'Hou je gedeisd,' zegt Frank. 'Zeg tegen niemand dat je me hebt gesproken.'

Corky staart hem aan. 'Neem je het tegen ze op, Frank? Als ik je een goede raad mag geven: doe het niet. Je wilt niet eindigen zoals ik.'

'Met jou is niks mis, Corky.'

'Ik haal de zomer niet meer, Frankie.'

En dan is hij weg. Ogen diep weggezonken, blik op oneindig; Frank realiseert zich dat Corky Corchoran ergens is waar hij alleen is, ergens in het verleden misschien, ergens in de toekomst, niet in het hier en nu.

En hij heeft gelijk, denkt Frank, hij zal de zomer niet halen.

Net zomin als ik, waarschijnlijk.

Hij geeft Corky een mep op zijn schouder. 'Ik zie je nog.'

'Niet als ik jou eerst zie.'

Frank draait zich om en wil weggaan. Hij is al bijna bij de deur als hij Corky hoort zeggen: 'Hé, Frank.'

Frank draait zich om.

'Het waren mooie tijden, nietwaar?' Corky glimlacht.

'Nou en of.'

Corky knikt. 'Reken maar. Het waren verdomme mooie tijden.'

Frank loopt de nevelige ochtend in.

Oké, denk na, denk na. Wie waren er die avond nog meer? Om te beginnen Donnie Garth, maar daar heb je niets aan. Er was nog een meisje, die rossige. Hoe heette ze ook alweer...?

Alison.

Maar het is meer dan twintig jaar geleden.

Wie zou kunnen weten waar ze nu is?

78 HIJ VINDT Karen Wilkenson op het poloveld.

Het ligt in het dal waar Rancho Sante Fe en Del Mar aan elkaar grenzen, het gras is deze natte winter ongewoon groen en welig en het is er mooi nu de ochtendnevel opstijgt van de vlakte.

Ze is in de stallen om haar paarden te inspecteren.

Het zijn eigenlijk pony's, denkt Frank, geen paarden.

De laatste keer dat hij haar zag was op de parkeerplaats van een Price Club, eenentwintig jaar geleden, toen de vicepresident van een bank haar een envelop met geld overhandigde om meisjes voor het feest te regelen. Karen heeft twee jaar in de bajes gezeten, maar ze kwam op haar pootjes terecht toen ze trouwde met een makelaar in Rancho Santa Fe met oud San Diego-geld.

Hoeren komen op hun rug terecht als ze vallen, hoerenmadammen op hun pootjes.

Ze loopt tegen de zestig, maar is nog steeds aantrekkelijk. De facelift is vakwerk, haar huid is jong en strak en haar ogen glanzen nog.

'Mevrouw Wilkenson?' vraagt Frank.

Ze staat voor een stalbox, streelt de neus van de pony en praat zachtjes tegen het dier. Ze draait zich niet om. 'Het is tegenwoordig mevrouw Foster,' zegt ze, 'en ik geef geen interviews meer. Dag.'

'Ik kom niet voor een interview,' zegt Frank.

'Waarvoor dan wel?' vraagt ze. 'Wat het ook is, ik weet zeker dat ik u er niet mee kan helpen. Dag.'

'Ik ben op zoek naar een vrouw die ik twintig jaar geleden als "Alison" heb gekend,' zegt Frank.

'Jeugdsentiment of een obsessie?' vraagt Karen Foster en ze draait zich om om Frank aan te kijken.

'Geen van beide,' zegt Frank. 'Ik wil haar iets vragen over Summer Lorensen.'

Karen zegt: 'U ziet er niet uit als een politieagent.'

'Dat ben ik ook niet.'
'Dan hoef ik niet met u te praten,' zegt Karen. 'Dag.'
'Dus het laat u koud wie haar vermoord heeft?'
'Ik hield van die meid als van een dochter,' zegt Karen. 'Ik heb dagenlang gehuild. Net als om Alison.'
'Hoe bedoelt u?'
'Als u Alison Demers zoekt,' zegt Karen, 'zult u naar een begraafplaats in Virginia moeten gaan. Alison is na de moord op Summer teruggegaan naar het oosten. Ze stierf als gevolg van een ongeluk tijdens het paardrijden.'
'Wanneer?'
'Een maand geleden,' zegt Karen. 'Wie bent u? Wat wilt u?'
'Ik wil weten wie Summer Lorensen heeft vermoord.'
'De politie zei dat ze hem hadden gevonden,' zegt ze.
'Maar we weten alle twee beter, is het niet, mevrouw Foster?' vraagt Frank.
Ze staart hem aan. 'Ik weet niet waar u het over hebt.'
'Nee?'
'Nee,' zegt ze. 'En als u me blijft lastigvallen, roep ik een paar mannen en laat u verwijderen.'
'Doe geen moeite,' zegt Frank. 'Ik ga al. En, mevrouw Foster?'
'Wat?'
'Als u Donnie belt,' zegt Frank, 'doe hem de groeten van Frankie Machine.'

79 'HIJ IS in San Diego.'
'Onmogelijk.'
'Zeg dat maar tegen Karen Foster. Hij was daar net nog.'
'Waar?'
'Rancho Santa Fe.'

'Shit.'

'Het wordt nog erger. Hij vroeg naar Summer Lorensen.'

Enkele seconden stilte.

'Dit gedonder moet ophouden,' zegt Garth. 'Als je hier geen eind aan maakt, hebben we geen deal meer.'

'Je zei dat je G-Sting kon stopzetten...'

Dave zit in een busje voor Garth' huis en luistert een telefoongesprek af.

De andere stem is onmiskenbaar.

Teddy Migliore.

Dave gaat terug naar kantoor. Hij voelt zich misselijk. Troy praat met Garth. Garth praat met Teddy. Teddy stuurt huurmoordenaars vanuit Detroit om Frank te vermoorden. Vanwege iets wat Frank weet over een zekere Summer Lorensen.

Summer Lorensen, Summer Lorensen...

Er is iets, diep in zijn achterhoofd verborgen.

Maar het wil hem niet te binnen schieten.

Hij gaat achter de computer zitten. Al na enkele minuten vindt hij wat hij zoekt: Summer Lorensen was een prostituee die in de zomer van 1985 werd vermoord. Maar wat kan dat met Donnie Garth te maken hebben? Of met Frank Machianno?

Dave gaat door, zoekt naar een verband tussen Garth en Lorensen.

Hij vindt niets.

Vervolgens zoekt hij naar een verband tussen Garth en de datum waarop Lorensen werd vermoord...

Bingo.

Hammond Savings and Loan. Een bootfeest met prostituees was uitgelopen op de veroordeling van een werknemer van een spaar- en leenbank, een zekere John Saunders, wegens misbruik van bankfondsen. Een hoerenmadam, een zekere Karen Wilkenson, had een paar jaar gekregen wegens pooieren. Het maakte allemaal deel uit van het spaar- en leenschandaal en het feest had plaatsgevonden op de avond voordat Lorensen was vermoord.

Hij typt de naam Karen Wilkenson in en ontdekt na een paar seconden dat ze getrouwd is en nu Karen Foster heet.

Zeg dat maar tegen Karen Foster. Hij was daar net nog.

Waar?

Rancho Santa Fe.

Shit.

Het wordt nog erger. Hij vroeg naar Summer Lorensen.

Is het mogelijk? denkt Dave. Donnie Garth heeft dat meisje vermoord, Frank weet dat op de een of andere manier en Garth schakelt zijn oude maffiaconnecties in om Frank te doden? In ruil voor het stopzetten van G-Sting?

Maar waarom denkt Donnie Garth dat hij een FBI-onderzoek kan stopzetten?

Misschien omdat een jonge FBI-agent hem op de hoogte houdt?

Dave kijkt om en ziet Troy niet. Hij gaat naar de herentoiletten en ziet de geperste pantalon van de nieuweling onder een deur. Hij wacht tot hij hoort doorspoelen, ziet de broek omhooggaan.

Wanneer Troy de deur opent, ramt Dave Hansens vuist hem weer naar binnen. Bloed uit Troys gebroken neus spat op zijn witte overhemd en zijn dubbele manchetten. Dave pakt hem bij zijn keel, draait hem om en duwt zijn hoofd in de toiletpot.

'Donnie Garth,' zegt Dave terwijl hij Troys hoofd omhoogrukt.

'Wat...'

Dave duwt zijn hoofd weer omlaag en zegt: 'Donnie Garth, klootzak. Betaalt hij je? Hoeveel?'

Hij laat Troy weer omhoogkomen.

De jonge agent snakt naar adem.

Dan zegt hij: 'Ik werk niet voor Garth! Ik breng hem alleen maar verslag uit.'

'Voor wie werk je dan?' vraagt Dave.
Troy aarzelt.
Dave duwt zijn hoofd weer omlaag.
Dan geeft Troy het op.

80 DONNIE GARTH heeft de douche vol opengedraaid. Hij staat onder de straal en kijkt door het raam naar de oceaan als Frankie Machine daar opeens staat met een pistool in zijn hand.

Garth draait de kraan dicht.

Frank reikt hem een handdoek aan. 'Ken je me nog?'

Garth knikt.

'Sla die handdoek om,' zegt Frank.

Garth slaat de handdoek om zijn middel. Frank beduidt hem naar buiten te komen en te gaan zitten. Garth neemt een stoel bij het raam; Frank gaat tegenover hem zitten.

'Ik heb twee mensen voor je koud gemaakt,' zegt Frank.

Garth knikt opnieuw.

Frank glimlacht. 'Ik heb geen zendertje bij me. Jíj bent de rat, ik niet. Weet je, ik heb me altijd afgevraagd hoe je ermee weg kon komen. Je komt overal mee weg, is het niet, Donnie?'

Garth antwoordt niet.

'Nou,' zegt Frank, 'hier kom je niet mee weg.'

'Waarmee niet?' vraagt Garth. Hij ziet er klein en oud uit zoals hij daar zit met een handdoek om en het water dat langs zijn magere benen op het dikke tapijt druipt.

'Summer Lorensen,' zegt Frank.

Hij heft het wapen op en richt het op Garth' borst.

'Dat heb ik niet gedaan!'

'Wie dan wel?'

Garth aarzelt, alsof hij probeert te besluiten voor wie hij het bangst is.

'Wie het ook is,' zegt Frank, 'hij staat niet op het punt je op een kogel te trakteren, Donnie, en ik wel. Ik heb je die avond gezien door het raam, de act met Alison en Summer. Daarna ben ik weggegaan. Wat heb ik niet gezien?'

'De senator,' zegt Garth, 'kon niet... presteren. Het was allemaal geregeld... dat meisje Lorensen smeekte erom, het hoorde bij de act, maar hij kreeg hem niet omhoog. Ze heeft van alles geprobeerd, geloof me, maar het haalde niets uit.'

'En toen?'

'Ze lachte.'

'Wat?'

'Ze lachte,' zegt Garth. 'Ik geloof niet dat ze er iets mee bedoelde. Ik denk dat ze gewoon zo was, maar hij werd kwaad. Hij ging gewoon door het lint.'

'Ga door.'

'Je was erbij! Je weet het!'

Omdat je de ene bediende niet van de andere kunt onderscheiden, is het niet, Donnie? Ik of Mike die je rotzooi voor je opruimt, wat maakt het uit? Je stront wordt opgeruimd. Je hoeft er niet naar te kijken.

Het is hem nu duidelijk was er gebeurd is. Ze droegen haar lichaam naar de auto en Mike bracht haar naar die verlaten weg en dumpte haar. Kwam op het idee haar te 'wurgen' en stenen in haar mond te stoppen.

En Fortunate Son komt er ongestraft van af.

Het zou doodslag zijn geweest. Hij zou, hoe lang, twee of drie jaar hooguit hebben gekregen. Misschien helemaal niets?

Maar zijn politieke carrière zou naar de maan zijn geweest.

En dat konden we niet hebben, hè?

Niet vanwege een of andere hoer.

Geen mensen bij betrokken.

En alles blijft rustig tot Mike in het nauw wordt gedreven

vanwege de moord op Goldstein en iets zoekt om mee te onderhandelen. En hij vindt iets groots – alleen, hij is niet van plan zichzelf doelwit te maken, dus kiest hij mij.

Bedankt, Mike.

Dus begint Fortunate Son zijn verleden op te ruimen en neemt contact op met Donnie, die contact opneemt met Detroit om het voor hem te doen.

Want die lui knappen nooit hun eigen vuile werk op.

Daar hebben ze mensen zoals ik voor.

Wat heeft Fortunate Son de Combinatie geboden?

Jezus, hij wordt president – wat kon hij ze níet bieden?

'Heeft hij jou als tussenpersoon gebruikt?' vraagt Frank. 'Vertel me de waarheid, Donnie.'

Garth knikt.

Zijn ogen zijn groot van angst, hij beeft en zweet en Frank walgt als hij een gele vlek in de handdoek ziet verschijnen.

Frank haalt de haan over.

Hoort Garth jammeren.

Frank ontspant de haan en laat het wapen zakken.

'Luister,' zegt Frank, 'ze hebben al geprobeerd mij te vermoorden en ze hebben Alison Demers al vermoord. Ze zullen iedereen koud maken die iets weet over de gebeurtenissen van die avond, jou inbegrepen. Of denk je nog steeds dat je ermee wegkomt?'

Waarom niet? denkt Frank. Dat doe je altijd.

'Als ik jou was,' zegt Frank, 'zou ik 'm smeren.'

Maar hij weet dat hij dat niet zal doen. De Donnie Garths van deze wereld geloven niet dat mensen hen vermoorden; ze geloven dat mensen vóór hen zullen moorden.

81 FRANK BELT Inlichtingen en krijgt het nummer van het kantoor van de senator.

'Ik zou de senator graag spreken.'

'Mag ik vragen wie u bent?'

'Zeg hem dat het een makker is uit zijn tijd in Solana Beach.'

'Ik denk niet dat hij tijd heeft, meneer.'

'Nou, en ik denk van wel,' zegt Frank. 'Zeg maar dat het over Summer gaat, dan zien we wel wie er gelijk heeft.'

Een minuut later komt Fortunate Son aan de telefoon.

'Als je je gesprekken opneemt,' zegt Frank, 'adviseer ik je het apparaat uit te zetten.'

'Met wie spreek ik?'

'Dat weet je best,' zegt Frank. 'Ik wacht wel.'

Enkele seconden later komt Fortunate Son weer aan de lijn. 'Oké. Zeg op.'

'Je weet wie ik ben.'

'Ik heb een sterk vermoeden.'

'Je hebt de verkeerde voor,' zegt Frank. 'De verkeerde chauffeur. Ik weet dat het moeilijk is het voetvolk uit elkaar te houden, maar het was Mike Pella die die avond in de limousine zat, niet ik. Als ik het geweest was, was dit alles niet gebeurd, want ik zou niet hebben toegestaan dat je een meisje doodsloeg en ermee wegkwam.'

'Ik weet niet waar je het over hebt.'

Frank houdt de kleine dictafoon voor de hoorn en speelt Donnie Garth' relaas af.

'Hij liegt,' zegt Fortunate Son.

'Ja hoor,' zegt Frank. 'Luister, het zal mij een zorg zijn. Het zou me eigenlijk wél een zorg moeten zijn dat je dat meisje hebt vermoord en nu dat andere, maar het punt is, ik heb een leven dat ik wil houden en een gezin om voor te zorgen. Dit is de deal, senator. Ik wil een miljoen dollar in contanten of ik zoek de publiciteit. Ik weet dat ik er niet mee naar de politie of de FBI kan gaan, want die staan bij je in het krijt, maar ik ga naar de media en dan is het op zijn minst gedaan met je carrière. Misschien kunnen we je niets maken voor de moord op het meisje, maar we kunnen aantonen dat je ter plaatse was en meer is er niet nodig.'

'Misschien zouden we het standpunt kunnen innemen dat...'

'Een miljoen dollar, senator, contant,' herhaalt Frank, 'en ik wil dat je het persoonlijk brengt.'

'Geen sprake van,' zegt Fortunate Son.

'Waarvan?' vraagt Frank. 'Het geld of jij?'

'Ik,' zegt Fortunate Son.

'Stuur je pooier dan, Garth,' zegt Frank en hij vertelt hem waar en wanneer.

Een lange stilte, dan: 'Hoe weet ik dat ik je kan vertrouwen?'

'Ik ben een man van mijn woord,' zegt Frank. 'En jij?'

'Ik ook.'

'Dan hebben we een deal?'

'Ja.'

Fortunate Son hangt op.

Frank schakelt de cassetterecorder uit.

Hij is niet gek, hij weet dat ze niet met een miljoen dollar over de brug zullen komen.

Ze komen om hem te doden.

Ik kan vluchten, denkt Frank. En ik zou er een mooie vlucht van kunnen maken. Ik zou het misschien jarenlang kunnen rekken. Maar wat voor leven is dat? Mezelf geleidelijk die arme Jay Voorhees zien worden, tot ik opgelucht ben als ze me eindelijk inhalen?

Geen leven.

Dus laat ze maar komen.

Het kan maar achter de rug zijn.

82 **'HET IS** niet eerlijk,' gilt Jimmy the Kid. 'Ik ga zelf. Ik kan hem koud maken.'

'Zegt hij, ondanks alle bewijzen van het tegendeel,' zegt Garth. 'Luister, het is zo besloten.'

'Door wie?'

Garth zegt niets.

Wat Jimmy nijdig maakt. 'Luister, ik weet voor wie we werken. Ik weet verdomme alles, dat die senator van je zijn macaroni niet al dente kon krijgen, dat hij dat meisje doodde, dat Frankie M. haar lichaam dumpte...'

'Het was Machianno niet,' zegt Garth. 'Het was die ander...'

'Pella?'

'Pella.'

'Waarom proberen we Frank dan verdomme koud te maken?' vraagt Jimmy. 'Hij weet van niets.'

'Nu wel,' zegt Garth.

Ja, denkt Jimmy, doordat je een nog slappere lul bent dan je politieke vriendje en hem alles hebt verteld.

'Ik kan hem hebben.'

'Het is besloten.'

'Er is niets besloten voordat we met mijn oom Tony hebben gesproken,' zegt Jimmy.

'We hebben je oom Tony al gesproken,' zegt Garth. 'Hij heeft zijn fiat gegeven. Het is al in gang gezet.'

Jimmy heeft het gevoel dat zijn hoofd op ontploffen staat. Hij kan zijn oren niet geloven. Oom Tony, Tony Jacks verdomme, doet mee aan een smerig zaakje zoals dit?

Oom Tony is een mán. Oom Tony is van de oude stempel.

Hij haalt zijn mobiel uit zijn broekzak en toetst het nummer in. Het duurt even voordat de oude man aan de telefoon komt. 'Oom Tony, die vent probeert me wijs te maken...'

'Rustig, jongen,' zegt Tony.

'Ik kan hem hebben, oom Tony!'

'Dat kun je niet, Jimmy!' De stem is scherp, helder en onverbiddelijk. 'Deze deal moet tot een goed einde worden gebracht. Frankie M. gaat eraan en dan wordt G-Sting stopgezet.'

'Stik met G-Sting!' zegt Jimmy. 'Stik met de Migliores en hun clubs. We kunnen zonder ze.'

'Doe niet zo stom,' zegt Tony. 'Je denkt toch niet dat het alleen maar gaat om een stel strippers die met hun kale doos over iemands schoot schuren? Dat is pas de aanbetaling, neef. Laat die lul van een senator zijn deal sluiten en dan hebben we hem in onze zak, tot en met het Witte Huis. Beter dan Kennedy, beter dan Nixon, want we hebben die klootzak bij zijn ballen. Bij zijn bállen. Hang nu de telefoon op en doe wat je moet doen.'

Jimmy hangt op.

Oom Tony heeft zoals altijd gelijk.

Maar het blijft kut, wat ze gaan doen.

83 JILL MACHIANNO klemt haar skitas tussen haar heup en de muur terwijl ze de voordeur van haar appartement van het slot doet. Ze heeft de deur open en wil haar skitas pakken als de lange, rossige vrouw naar haar toe komt.

'Jill Machianno?'

'Ja?'

'Ik ben Donna, een vriendin van je vader.'

Jill werpt haar een blik toe die even kil is als de sneeuw waarop ze skiede. 'Ik weet wie u bent.'

'Ik wil je niet bang maken,' zegt Donna, 'maar je vader heeft een ongeluk gehad.'

'O mijn god. Is hij...'

'Het komt allemaal goed,' zegt Donna, 'maar hij ligt in het ziekenhuis.'

'Is mijn moeder bij hem?'

'Ze is de stad uit,' zegt Donna. 'Je vader heeft me gevraagd je te zoeken en naar het ziekenhuis te brengen. Ik sta aan de overkant.'

Jill legt haar ski's en bagage binnen, doet de deur op slot en volgt Donna naar haar auto.

84 DAVE HANSEN is in Shores.

Nou ja, er is in elk geval volop parkeerruimte, denkt hij als hij de parkeerplaats tegenover de kleine speeltuin oprijdt.

Donnie Garth is er al, naast de verlaten toren van de strandwacht, en kijkt naar de grijze zee. Hij ziet eruit als een geest in zijn witte oliejas met capuchon. Of, denkt Dave, als een hopeloos verdwaald lid van de Ku-Klux-Klan.

Dave stapt uit en klimt over de lage muur op het strand.

'Heb je een zender bij je?' vraagt Garth.

'Nee, jij?'

'Ik moet je fouilleren.'

Dave tilt zijn armen op en laat zich door Garth aftasten. Tevredengesteld zegt Garth: 'Laten we een eindje gaan lopen.'

Ze lopen naar het noorden, richting Scripps Pier.

'Die Summer Lorensen-onzin,' zegt Garth. 'Ik weet niet wat je denkt te weten, maar je weet níét waar je mee speelt.'

'Nou, ik denk van wel,' zegt Dave. 'Dat is het probleem.'

'En óf het een probleem is.' Garth kijkt hem aan. Regen druipt van de rand van zijn capuchon op zijn neus. 'Je staat een paar maanden voor je pensioen. Pak het en ga vissen. Bezoek je kleinkinderen. Vergeet dit hele gedoe.'

'En anders?'

'Er zijn enkele mensen die je duidelijk willen maken,' zegt Garth, 'dat als je deze kruistocht doorzet, je niets overhoudt. Je zult nachtwaker zijn, als je tenminste niet in de gevangenis zit.'

'In de gevangenis waarvoor?'

'Om te beginnen wegens samenwerking met een notoire crimineel, Frank Machianno,' zegt Garth. 'Je hebt hem beschermd. Of wat denk je van je medewerking aan het folteren van Harold Henkel? Of het aanvallen van een FBI-agent? Er is volop, Hansen. Meer dan genoeg, geloof me. En zonder vrienden om je te beschermen...'

'Aha, je wilt vrienden met me worden.'

'Je moet zelf beslissen wie je vrienden zijn, Dave,' zegt Garth. 'Als je verkeerd kiest, eindig je als een in ongenade gevallen, berooide smeris. Kies juist en je kunt een goed leventje leiden. Jezus, waarom zou je je toekomst opofferen voor een tweederangs huurmoordenaar?'

'Hij is een éérsterangs huurmoordenaar, Donnie,' zegt Dave. 'Zoals uitgerekend jij zou moeten weten.'

Garth blijft staan en draait zich om. 'Ik loop alleen terug, Dave. Als Frankie Machine contact met je opneemt, verwachten we dat je het juiste doet. Begrepen?'

Dave kijkt over Donnies schouder naar de golven.

Ik was liever daar, denkt hij, in een golf, onder een golf. Alles liever dan dit.

'Begrepen?' zegt Garth.

'Ja.'

Ik heb het begrepen.

85 FRANK ZIT in de kleine hut in de heuvels buiten Escondido. Hij kent de plek al jaren, aan het eind van een zandweg in een ravijn boven de sinaasappelplantages. Het is een plaats om mojados te verbergen – ze wonen hier ver van de *migra* en dalen kort voor de dageraad af om sinaasappelen te plukken en keren dan in de avondschemering terug.

Alleen zijn er nu geen mojados.

Je plukt geen sinaasappelen in de winter, in de regen.

Toch ruikt hij de scherpe geur van de sinaasappelbomen beneden. Het maakt hem weemoedig, bedroefd dat hij er in het voorjaar niet meer zal zijn om de sinaasappelen te proeven.

Hij heeft één wapen en vier kogels.

Het zal niet genoeg zijn.

Ze zullen met een leger komen, dus vier kogels, of veertig, of vierhonderd, of vierduizend, het zal geen enkel verschil maken, want je bent in je eentje.

En je kunt dit gevecht niet winnen.

Al die clichés over het leven, ze kloppen allemaal. Als je nog één maaltijd kon klaarmaken, nog één golf kon berijden, een praatje kon maken met een klant, naar een vriend kon glimlachen, je geliefde omhelzen, je kind kon vasthouden. Als je meer tijd had, zou je die anders besteden.

Als je maar meer tijd had.

Hou op met dat zelfbeklag, denkt hij. Het is tenslotte je verdiende loon. Je hebt een heleboel slechte dingen gedaan op deze wereld. Je hebt levens genomen en dat is het ergste wat er is. Je kunt het goedpraten zoveel je wilt, maar als je met open ogen op je leven terugkijkt, weet je wat je was.

Het enige wat je – misschien, misschíén – kunt doen is een soort genoegdoening krijgen voor een dode vrouw.

De stenen uit haar mond halen.

Misschien haar dochter een kans geven op een echte toekomst.

Zoals je zou willen dat iemand jóúw dochter een kans zou geven.

Jill.

Wat zal ze doen?

Je moet voor je eigen dochter zorgen.

Hij belt Sherm.

‘Frank, goddank, ik dacht...’

‘Bedank hem nog niet,’ zegt Frank. ‘Luister, ik moet weten...’

‘Het was de FBI, Frank,’ zegt Sherm. ‘Ze hielden me in de gaten. Het was je maatje Dave Hansen – hij liet me afluisteren. Hij gaf alle informatie door.’

‘Dat is nu niet belangrijk,’ zegt Frank. ‘Het enige belangrijke is dat er voor Jill en Patty wordt gezorgd. Als je me verlinkt hebt, heb je me verlinkt. Je zult je redenen wel gehad hebben. Gedane zaken...’

‘Frank...’

‘Er zijn een paar dingen,’ zegt Frank. ‘Je weet waar je ze kunt vinden. Mocht me iets overkomen, verkoop ze, zorg dat Jill haar artsenopleiding kan betalen.’

‘Daar kun je van op aan, Frank.’

‘Ze moeten me voor mijn gezin laten zorgen,’ zegt Frank. ‘Ze kunnen met me doen wat ze willen, maar *ze moeten me voor mijn gezin laten zorgen*. Zo ging het altijd, vroeger.’

‘Voor Patty en Jill wordt gezorgd,’ zegt Sherm. ‘Erewoord.’

Het is moeilijk de klank van iemands stem te horen over de telefoon, vooral met die blikkerige mobieltjes, maar Frank is tevreden met wat hij hoort. Het is trouwens het enige wat hij kan doen, erop vertrouwen dat The Nickel het juiste doet met het geld, zelfs al heeft Sherm hem verraden.

Als er zelfs maar een greintje eer bestaat, zullen ze een man laten sterven in de wetenschap dat er voor zijn gezin wordt gezorgd.

‘Hé, Sherm,’ zegt Frank, ‘weet je nog die keer in Rosarito? Toen je die grote sombrero op had?’

‘Ik weet het nog, Frank.’

‘Het was een mooie tijd.’

‘Verdomme, ja, dat was het.’

‘Adieu, Sherm.’

‘Ga met God, mijn vriend.’

Frank heeft zich zodanig geïnstalleerd dat ze heuvelopwaarts en tegen de zon in moeten komen. Hij wil elk kleine voorsprong die hij maar kan krijgen, al zal het uiteindelijk geen enkel verschil maken. Maar neem bijvoorbeeld Jimmy the Kid met je mee en je hebt iets goeds gedaan.

Misschien zal het voor me pleiten als ik ter verantwoording word geroepen.

Ga met God.

Hij hoort de auto voordat hij hem ziet.

Dan wordt de motor uitgezet.

Slim, denkt Frank. Ze komen te voet. Ze zullen ver van de hut blijven, hem omsingelen en van alle kanten tegelijk komen. Hij installeert zich, legt de loop van het pistool op de raamdorpel en houdt zich gereed om er een in het eerste hoofd dat in zicht komt te pompen.

Er verschijnt een hoofd, maar hij schiet niet.

Want het is het hoofd van Donna.

86

'ZE HEBBEN Jill,' zegt ze.

'Wát?'

'Het spijt me, Frank,' zegt ze. 'Ze hebben Jill.'

Frank luistert nauwelijks als ze hem vertelt over de deal. Hij hoort haar woorden, hij neemt ze in zich op, maar alles wat hem door het hoofd gaat zijn de woorden: *Ze hebben Jill. Ze hebben Jill. Ze hebben Jill. Ze hebben Jill. Ze hebben Jill.*

Je geloof.

Je vertrouwen.

Je liefde.

Je leven.

Je kind.

'Morgenvroeg,' zegt ze. 'Vier uur. Onder Ocean Beach Pier. Je komt ongewapend, met een bepaald pakje dat ze willen hebben. Weet je waar ze het over hebben, Frank?'

'Ja.'

'Je geeft ze het pakje en ze dragen Jill aan mij over,' zegt Donna. 'Jij gaat met hén mee, Frank.'

Hij knikt. 'Hoe lang', vraagt hij, 'ben je al bij ze?'

'Altijd al,' zegt ze. 'Sinds ik vijftien was. Mijn vader was een dronkaard. Hij mishandelde me. En dat was niet het ergste wat hij deed. Tony Jacks hield hem tegen; hij haalde me daar weg. Hij heeft me gered, Frank.'

Toen hij genoeg van haar had, zocht hij een baan en een man voor haar, vertelt ze Frank.

'Toen Jay wegging,' zegt Donna, 'was ik verdrietig, maar niet kapot. Ik hield niet echt van hem. Ik ging niet terug naar Tony, maar ik stond nog steeds bij hem in het krijt, Frank. Dat moet je begrijpen. Ik hield namens hem een oogje in het zeil in San Diego, meer niet.'

'*Je hebt ze mijn dochter gegeven.*'

'Dat wist ik niet,' zegt Donna, nu huilend. 'Ik dacht dat ze alleen maar met haar wilden praten, Frank. Ik wist niet dat ze... dit zouden doen.'

'Zeg ze dat ik er zal zijn,' zegt Frank. 'Met het pakje. En dat ik mee zal gaan. Als ik Jill zie, als ik zie dat ze veilig is.'

Hij weet dat ze haar niet zullen laten gaan. Weet dat ze haar zullen doden. Alsjeblieft, God, alsjeblieft, geef dat ze nog niet dood is.

Geef me alsjeblieft een heel klein kansje om haar te redden.

87 EN NU weet hij dat Fortunate Son achter dit alles zit.

Omdat geen enkele maffioso ter wereld ooit diep genoeg zou zinken om iemands dochter te kidnappen.

Daarvoor moet je bij een politicus zijn.

Maar wie vertrouw je?

Normaliter ga je, als er iemand van je familie ontvoerd is, naar de FBI, maar dat kun je niet doen, want de FBI is de ontvoerder.

Of een maffioso zou naar andere maffiosi gaan om gerechtigheid te halen. Zo is dat hele ding van ons trouwens begonnen, niet? *Ma figlia, ma figlia* – mijn dochter, mijn dochter. Maar dat kun je niet doen, want alle andere maffiosi willen je doden.

Ga je gang, dood me, maar laat mijn dochter gaan.

Maar dat zullen ze niet doen, want de maffiosi zijn gecorrumpeerd door de politici.

Wie met pek omgaat, wordt ermee besmet.

Het ironische is, ik had de zoon van Mouse Senior en de zoon van Billy Jacks kunnen doden – ik had ze in mijn vizier en ik liet ze gaan. Ik doodde ze niet, omdat ik ook vader ben en omdat je zoiets nou eenmaal niet doet. *Zoiets doe je nou eenmaal niet.*

Dus tot wie wend je je? Wie vertrouw je?

Je hebt altijd op jezelf kunnen vertrouwen, maar kun je erop vertrouwen dat je het leger dat ze zullen meebrengen neermaait en dat Jill daarbij ongedeerd blijft? Misschien, misschien had je het in je hoogtijdagen gekund, maar je hoogtijdagen zijn twintig zomers geleden. Je bent oud en je bent moe en je bent gewond.

Je kunt niet op jezelf vertrouwen.

Dus waar sta je dan?

En belangrijker, waar staat Jill dan?

Het antwoord is te afschuwelijk om aan te denken.

Zie het onder ogen, denkt Frank, er is maar één kans en dat is zelfs niet zo'n goede.

Maar het is de enige.

Met tegenzin legt hij zijn wapen weg en pakt de telefoon.

88 DAVE HANSEN herinnert zich een ontbijt met Frank Machianno in het OBP Café enkele jaren geleden, een paar maanden na de zaak-Carly Mack.

Het was na een bijzonder mat verlopen Herenuurtje en Frank was in een zeldzaam slechte bui. Het kwam door iets in de krant over een campagne tegen de georganiseerde misdaad en Frank barstte los in een tirade.

'Nike betaalt een kínd negenentwintig cent om een basketbalshirt te maken, draait zich om en verkoopt het voor honderdveertig dollar,' zei Frank. 'En ík ben de crimineel?

Wal-Mart concurreert alle kleine winkeliers in het land kapot en betaalt de kinderen die hún goedkope troep maken zeven cent per uur. En ík ben de crimineel?

Er zijn de afgelopen twee jaar twee miljoen banen verloren gegaan, een gewone arbeider kan zich geen aanbetaling op een huis meer permitteren en de fiscus melkt ons uit als een dronkenlap een pinautomaat, stuurt ons geld naar een wapenfabrikant die een fabriek sluit, de arbeiders ontslaat en zichzelf een bonus van zeven cijfers uitkeert. En ík ben de crimineel? Ik ben degene die onvoorwaardelijk levenslang zou moeten krijgen?

Neem de Crips, de Bloods, de Jamaicaanse bendes, de maffia, de Russische onderwereld en de Mexicaanse kartels; allemaal samen zouden ze in een goed jaar niet zoveel poen bijeenschrapen als het Congres op een slechte namiddag. Neem alle gangsters die op alle straathoeken in Amerika crack verkopen en ze zouden niet zoveel zwart geld kunnen genereren als één senator die in de reet van een president-directeur kruipt.

Mijn vader zei altijd dat je de bank niet kunt verslaan en hij had gelijk. De banken zijn niet te verslaan; zij delen de kaarten en de kaarten zijn doorgestoken en ze zijn niet doorgestoken voor óns.

Natuurlijk, om de zoveel tijd nemen ze een van hun eigen mensen te grazen. Sturen een mensenoffer voor een paar jaar de bak in als zoenoffer voor de massa en als voorbeeld voor de anderen van wat er gebeurt met een rijke blanke vent die zo stom is die vijfde aas in het openbaar uit zijn mouw te laten vallen. Maar als ík uitglij over de spreekwoordelijke bananenschil draai ik voor de rest van mijn leven met alle andere losers de bak in.

Weet je waarom de regering een eind wil maken aan de georganiseerde misdaad?

We zijn concurrenten.

Dat is het. Dat zit er achter de Orange County Task Force. Jouw FBI, RICO. RICO? Sterke overheid en sterk bedrijfsleven? Het is de werkdefinitie voor "afpersen en samenzweren". Elke keer als twee bobo's samen staan te pissen in de herentoiletten van de Senaat, wordt er een misdrijf gepleegd.

Dus de regering wil de georganiseerde misdaad verslaan.

Om je dood te lachen.

De regering ís de georganiseerde misdaad.

Het enige verschil tussen hen en ons is dat ze béter georganiseerd zijn.'

Aldus Franks tirade over de georganiseerde misdaad.

Dave geloofde het toen niet, maar reken verdomme maar dat hij het nú gelooft.

Niet dat het verschil maakt, denkt hij. Ik moet doen wat ik moet doen.

Ik heb de rest van mijn leven voor me.

De anderen komen over het strand, maar Dave komt per boot, vanaf het water.

Het lijkt hem toepasselijk.

89 HET IS koud en donker tegen vier uur in de ochtend op een winterdag in San Diego.

De beroemde zonneschijn laat nog enkele uren op zich wachten en de echt zonnige, warme dagen beginnen pas over enkele maanden.

Maar de storm is uitgeraasd.

De hoge deining heeft zichzelf uitgeput en de golven breken zacht op het strand.

Frank loopt over het strand naar de voet van de pier. Zijn hele lijf doet pijn, zijn borst is zo strak van angst dat hij nauwelijks adem kan halen.

Eerst ziet hij de lichten van de pier, dan het zwakke schijnsel van een zaklamp; daarna ziet hij iemand door de mist op hem afkomen.

Een jongeman.

'Frankie Machine?' vraagt de man.

Frank knikt.

'Jimmy Giacamone,' zegt de man alsof hij verwacht dat Frank hem zal herkennen. Frank kijkt hem alleen maar aan, dus de man voegt eraan toe: 'Jimmy "the Kid" Giacamone.'

Frank reageert niet.

Jimmy the Kid zegt: 'Ik had je kunnen pakken, Frankie Machine, als ik de kans had gekregen.'

'Waar is mijn dochter?'

'Die komt wel, maak je geen zorgen,' zegt Jimmy the Kid. 'Ik moet je eerst fouilleren, Frankie.'

Frank steekt zijn armen omhoog.

Jimmy fouilleert hem snel en efficiënt en vindt de kleine geluidscassette in Franks jaszak. 'Is dit hem?'

Frank knikt. 'Waar is mijn dochter?'

'Ik ben het hier niet mee eens,' zegt Jimmy. Dit gedoe met je dochter. Ik ben van de oude stempel. Het is maar dat je het weet.'

'Waar is mijn dochter?'

'Kom mee.'

Jimmy the Kid pakt hem bij zijn rechterelleboog en leidt hem over het strand. Onder de pier aangekomen zegt hij: 'Ik heb het. Ik heb hem. Hij is schoon.'

Een groep mannen komt als geesten uit de mist tevoorschijn, een zaklamp in de ene hand, een wapen in de andere. Ze zijn met zijn vijven, de hele Sloopploeg.

Plus Donnie Garth, zij het dat die niet gewapend is. Hij steekt zijn hand uit en Jimmy the Kid geeft hem het bandje. Hij stopt het in een dictafoon, luistert even en knikt.

'Breng haar hierheen,' zegt Frank.

Garth zwaait zijn zaklamp op en neer. Een eindeloze minuut later ziet Frank Jill uit de mist naar hem toe komen, vergezeld door Donna.

'Papa.'

Ze heeft zo te zien gehuild, maar ze kijkt vastberaden.

'Het komt allemaal goed, lieverd.'

'Papa...'

Frank steekt zijn armen uit en trekt haar tegen zich aan. Fluistert in haar oor. 'Ga. Word dokter. Maak me trots.'

Ze snikt tegen zijn schouder. 'Papa...'

'Stil maar, het komt goed.' Hij kijkt Garth aan. 'Ik heb kopieën gemaakt. Ze liggen in kluisjes over de hele wereld verspreid. Als mijn dochter iets overkomt – een overvaller schiet haar neer, ze wordt aangereden, ze valt van een paard – zijn er mensen die deze opname naar alle grote nieuwszenders zullen sturen.'

Jimmy the Kid kijkt Garth aan.

'Laat haar gaan,' zegt Garth.

'Luister...'

'Hou je mond,' zegt Garth. 'Ik zei: "Laat haar gaan".'

Jimmy aarzelt, knikt dan naar Donna en zegt: 'Zorg dat ze hier wegkomt.'

Donna wil haar beetpakken, maar Jill slaat haar armen om

Franks hals en wil hem niet loslaten. 'Papa, ze zullen je doodmaken.'

'Ze zullen me niet doodmaken, lieverd,' fluistert hij. 'Ik ben Frankie Machine.'

Donna stopt het wapen in zijn handen, duwt Jill op de grond en laat zich boven op haar vallen. Frank schiet Jimmy the Kid tussen de ogen, dan iemand van de Sloopploeg, dan een andere.

Carlo komt een eind weg voordat een kogel zijn achterhoofd wegslaat. De klap slaat Frank tegen de grond en hij probeert op de vierde man te mikken, maar hij ziet dat hij te laat zal zijn.

Dave Hansen ziet het ook, in het schijnsel van de pierverlichting. Het is een moeilijk schot vanaf een boot, zelfs met een geweer, maar hij krijgt het voor elkaar en schiet de man tussen zijn schouderbladen.

Frank rolt door, zwaait zijn wapen naar de vijfde man en schiet hem in zijn hart.

Garth zet het op een rennen.

Frank staat op om achter hem aan te gaan.

Ze zijn geen van beiden jong, maar Donnie Garth heeft niet doorgemaakt wat Frank de afgelopen paar dagen heeft doorgemaakt en hij begint uit te lopen.

Frank beseft dat zijn benen niet snel genoeg zijn, maar hij weet dat een kogel dat wel zal zijn. Hij heft zijn wapen op om te schieten, voelt dan een verzengende pijn in zijn borst en zijn linkerarm wordt gevoelloos. Heel even denkt hij dat het een kogel is, maar dan voelt hij zijn hart barsten als een brekende golf en hij krijgt geen adem meer en de pijn is verschrikkelijk. Hij vuurt nog een laatste schot af en ziet tot zijn voldoening dat Donnie Garth valt.

Dan blijft Frank staan, grijpt naar zijn borst en valt in het zand.

'Papa!'

Jills stem is het laatste wat hij hoort.

90 DAVE HANSEN wacht tot de persconferentie van de senator bijna afgelopen is.

De senator staat achter de lessenaar, werpt de verslaggevers zijn kenmerkende glimlach toe en vraagt: 'Zijn er nog vragen?'

Dave steekt zijn hand op.

De senator glimlacht naar hem en knikt.

'Kent u uw rechten?' vraagt Dave.

De senator kijkt hem vragend aan.

'U hebt het recht te zwijgen,' zegt Dave terwijl hij het podium op stapt. Twee mannen van de geheime dienst versperren hem de weg, maar Dave houdt zijn FBI-penning op en duwt hen opzij.

'Alles wat u zegt kan en zal tegen u gebruikt worden tijdens een rechtszaak,' zegt Dave terwijl hij de handen van de senator achter diens rug draait en hem boeit.

Camera's klikken en de felle filmlampen schijnen Dave recht in zijn gezicht. Hij trekt zich er niets van aan. 'U hebt recht op een advocaat...'

'Dit is bespottelijk,' zegt de senator. 'Dit is gewoon een politiek...'

'... en als u zich geen advocaat kunt veroorloven,' zegt Dave meesmuilend, 'zal er u een worden toegewezen.'

'Waarvoor word ik gearresteerd?'

'De moord op Summer Lorensen,' zegt Dave.

Hij duwt de senator door de menigte heen in de richting van de gereedstaande auto. De media sluiten hen in als een dwarsstroom in de brandingszone. Dave opent het portier, houdt het hoofd van de senator naar beneden en duwt hem op de bank, sluit dan het portier weer.

Hij stapt in naast de bestuurder en geeft de geïntimideerde jonge agent opdracht plankgas te geven.

Dave heeft haast.

Hij heeft het Herenuurtje al gemist.

En hij wil niet te laat komen voor Frank Machianno's begrafenis.

91 DE MENIGTE is immens.

Frank de Aasman was geliefd.

Er zijn vissers en surfers, de kinderen van de juniorenploeg met hun familie en studenten van de toneelclub, voetbalkinderen en voetbalmoeders, de tieners die basketbalden onder de ringen die Frank had betaald en ook de Vietnamezen zijn massaal aanwezig.

En vaders vertellen hun zoons hoe ze hun eerste vis vingen op de pier tijdens Franks jaarlijkse viswedstrijd en oude surfers vertellen hun vrouw hoe Frank vroeger was in de tijd van de lange, eindeloze zomers. En een Vietnamees vertelt zijn kinderen hoe Frank het een paar dagen geleden nog voor hem opnam.

Wie er niet is, denkt Dave als hij plaatsneemt op de eerste rij naast Patty en Jill, is de Mickey Mouse Club. Degenen die hij nog niet gearresteerd heeft zijn hem gesmeerd, maar hij zal ze gauw vinden, want ze zijn niet zo goed of niet zo slim.

En Donna is er niet. Ze zit al in beschermende hechtenis, maar Donna heeft te veel klasse en zou sowieso niet gekomen zijn, ze zou de bedroefde dochter en weduwe niet nóg meer verdriet hebben willen doen.

De vlag is over Franks kist gedrapeerd. In zijn testament stond dat hij een gesloten kist wilde, opdat zijn vrienden zich hem zouden herinneren zoals hij was toen hij leefde, niet als de wassen pop die de lijkbezorgers van hem hadden gemaakt.

Dave staat op als de mariniers hun geweren afschieten in de lucht en de hoornblazer de taptoe speelt.

Het is lang en traag, mooi en droevig onder de warme zon van de bedrieglijke mooie voorjaarsdag.

Zo is het goed, denkt Dave.

Het voorjaar was altijd Franks seizoen.

De mariniers vouwen de vlag op en geven hem aan Patty, die haar hoofd schudt.

Ze geven hem aan Jill.

Ze pakt hem aan en glimlacht krampachtig.
Dapper, denkt Dave, net als haar ouweheer.
Er moet nog één ding gebeuren.
Ook dat komt rechtstreeks uit Franks testament.
Een seconde later klinkt de muziekopname uit de geluidsinstallatie:

'...ma quando vien lo sgelo
il primo sole è mio
il primo bacio dell'aprile è mio
il primo sole è mio...'

EPILOOG Hanalei Pier is misschien niet de langste op Hawaï, maar zeker de mooiste zoals hij vanaf een zacht, met palmen omzoomd strand in zee steekt, met Bali Hai en de groene bergen van de Na Pali-kust op de achtergrond.

En vroege ochtenden zijn mooi.

Zacht en warm, het hele jaar door, zelfs in het uur vóór zonsopgang.

Het uur waarin de aasman arriveert om alles klaar te zetten in zijn kleine keet aan het eind van de pier, zodat alles in gereedheid zal zijn als de allereerste vissers arriveren om hun geluk te beproeven.

Ze weten dat de aaskeet geopend is, want ze ruiken het al voordat ze het zien – de geur van vers gebrande Kona-koffie zweeft over de pier en in hun neus. Als het vaste klanten zijn, en zelfs als ze alleen maar aardig en beleefd zijn, zal Pete de Aasman ze waarschijnlijk een kopje inschenken en ze naar een korte opera laten luisteren en ze een grappig verhaaltje vertellen over hoe hij de afvalvermaler moest repareren omdat zijn *wahini* maar niet kan onthouden dat ze geen mangoschillen in *da kine* moet schuiven.

'Mij zijn is een hele klus, *bruddah*,' zal hij zeggen.

Wat hij ze niet zal vertellen is dat hij een hartinfarct heeft gehad op een ander strand en bijkwam op de intensive care en daarna in het getuigenbeschermingsprogramma zat. Dat zal hij ze niet vertellen, net zomin als zijn vriend van het vasteland dat zal doen, die zowat elk jaar komt en 's morgens met hem gaat surfen tijdens wat zelfs op Kauai het Herenuurtje wordt genoemd.

Nee, Pete zal slechts glimlachen, een grap vertellen en misschien een vreemd woord uit een van zijn kruiswoordraadsels en ze zullen de aaskeet verlaten met alles wat ze nodig hebben en een glimlach op hun gezicht en een goed gevoel om de dag mee te beginnen.

Iedereen loopt weg met Pete de Aasman.